Rue Principale

Catalogage avant publication de Bibliothèque et Archives nationales du Québec et Bibliothèque et Archives Canada

Titre : Rue Principale / Rosette Laberge
Nom : Laberge, Rosette, auteure
Laberge, Rosette | Printemps 1968
Description : Sommaire incomplet : tome 3. Printemps 1968
Identifiants : Canadiana 20189430141 | ISBN 9782897832513 (vol. 3)
Classification : LCC PS8623.A24 R84 2019 | CDD C843/.6–dc23

Illustration de la couverture : Alain Lemire

Les Éditeurs réunis bénéficient du soutien financier de la SODEC et du Programme de crédit d'impôt du gouvernement du Québec.

Financé par le gouvernement du Canada | 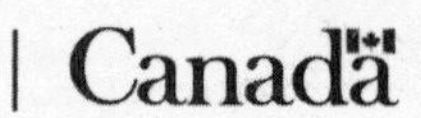

Édition
LES ÉDITEURS RÉUNIS
lesediteursreunis.com

Distribution nationale
PROLOGUE
prologue.ca

Imprimé au Canada

Dépôt légal : 2020
Bibliothèque et Archives nationales du Québec
Bibliothèque et Archives Canada

ROSETTE
LABERGE

Rue Principale

★★★ *Printemps 1968*

LES ÉDITEURS RÉUNIS

De la même auteure chez Les Éditeurs réunis

Rue Principale
1. *Été 1966*, 2019
2. *Hiver 1967*, 2019
3. *Printemps 1968*, 2020

Souvenirs d'autrefois
1. *1916*, 2015
2. *1918*, 2016
3. *1920*, 2016

La nouvelle vie de Mado Côté, retraitée, 2015

Un voisinage comme les autres
1. *Un printemps ardent*, 2014
2. *Un été décadent*, 2014
3. *Un automne sucré-salé*, 2014
4. *Un hiver fiévreux*, 2014

Souvenirs de la banlieue
1. *Sylvie*, 2012
2. *Michel*, 2012
3. *Sonia*, 2012
4. *Junior*, 2013
5. *Tante Irma*, 2013
6. *Les jumeaux*, 2013

La noble sur l'île déserte, 2011

Maria Chapdelaine : Après la résignation, 2011

Le roman de Madeleine de Verchères
1. *La passion de Magdelon*, 2009
2. *Sur le chemin de la justice*, 2010
3. *Les héritiers de Verchères*, 2012

À Olivia Paradis,
cet adorable petit bout de femme

1

— Françoise ! lance joyeusement Sonia. Allez chercher Émile, s'il vous plaît ! Mes ongles ne sont pas secs.

La bonne s'essuie les mains en vitesse et court à la chambre de l'enfant.

— Vous devriez voir son sourire ! s'écrie-t-elle une fois devant sa bassinette.

Même dans ses rêves les plus fous, jamais Sonia n'avait osé imaginer vivre un aussi grand bonheur. Et encore moins que Françoise quitterait Simone après dix-sept ans de loyaux services pour venir la trouver à Québec. Évidemment, sa décision a produit une réaction immédiate, et explosive, chez sa sœur. Son aînée ne s'est pas privée de l'accuser de tous les crimes alors qu'elle n'avait strictement rien à voir avec la décision de Françoise. Dans les faits, il lui avait suffi de partager son quotidien et celui de sa famille pendant les deux semaines qu'Alice lui avait offertes en cadeau de mariage pour en conclure que sa place était ici et non plus à Chicoutimi chez les Thibault. Elle avait fait de gros efforts pour passer par-dessus la dernière sortie de sa patronne, sans y parvenir. La peur d'une nouvelle réaction démesurée lui collait à la peau dès qu'elle mettait un pied dans la maison et elle ne la quittait qu'au moment de retourner chez elle. L'arrivée d'un autre hiver lui faisait peur et Françoise refusait de vivre plus longtemps avec un couteau sous la gorge. Le plus dur dans tout ça a été d'annoncer la nouvelle à M. Pascal. S'il n'a rien tenté pour la convaincre de rester, il a pris soin de lui dire à quel point son départ le peinait et combien elle lui manquerait. Chantale et Brigitte se sont jetées dans ses bras et ont versé toutes les larmes de leurs petits corps avant de lui faire promettre de les aider à trouver quelqu'un d'aussi gentil qu'elle pour la remplacer. Deux semaines plus tard, Alice leur présentait un certain Charles en précisant qu'il avait passé les vingt dernières années au service des familles des hauts dirigeants de l'Alcan et qu'il avait un urgent besoin de changement et, surtout, de travailler en français. Les petites ont poussé de hauts cris quand leur mère le leur a présenté. Elles voulaient une autre Françoise, pas un vieux monsieur tiré à quatre épingles.

— Salut, mon petit loup, dit affectueusement Sonia en souriant à son fils de l'entrée de sa chambre. Ma foi du bon Dieu, on jurerait qu'il a encore grandi pendant la nuit.

Sa remarque fait rire Françoise. Le côté bon enfant de sa nouvelle patronne lui fait du bien. Avec elle, jamais de flafla. Seulement la vie à sa plus simple expression. Sonia fait partie des gens capables de profiter de chaque parcelle de bonheur à son maximum et de s'émerveiller devant de toutes petites choses. Elle aime les gens et ne se prend pas une miette au sérieux. Qu'elle soit en présence d'un docteur ou d'un éboueur, elle est toujours la même personne. Les clients de Jérôme l'adorent et les étudiants qui profitent ou profiteront d'une bourse octroyée par sa fondation ne tarissent pas d'éloges à son égard. Sonia a la cote partout où elle va.

— Je parie qu'il marchera d'ici la fin de la semaine, ajoute Françoise le plus sérieusement du monde, ce qui sera un record à seulement sept mois.

Les mains en l'air pour protéger ses ongles, Sonia éclate de rire. Elle adore cette femme et bien plus depuis qu'elle partage son quotidien à raison de trois jours par semaine. Elle aurait souhaité lui offrir les mêmes conditions que Simone, mais pour cela il aurait fallu que son mari fasse autant d'argent que Pascal, ce qui n'est pas encore le cas. Et c'est sans compter qu'elle n'a plus de salaire ; elle a d'ailleurs un peu de mal à accepter de se faire entretenir par Jérôme. Dans sa volonté de compenser son manque à gagner, son mari a offert à Françoise de s'installer dans le deux et demie attenant à la maison de ses parents jusqu'à l'arrivée de Rachel. En échange, elle fait la cuisine une journée par semaine pour soulager sa mère dont la santé est de plus en plus fragile. Les deux femmes s'entendent tellement bien qu'elles passent beaucoup de temps ensemble. D'ailleurs, grâce à Marguerite, la ville de Québec a de moins en moins de secrets pour Françoise. Elle aime tout de cette ville et adore aller se promener dans le Vieux-Québec.

— Est-ce que je vous ai dit à quel point je vous aimais aujourd'hui ? lui demande Sonia d'une toute petite voix.

— Attendez que je me souvienne !

Françoise fait mine de compter sur ses doigts alors qu'elle connaît déjà la réponse.

— Une seule fois au déjeuner ! Au risque de vous paraître impolie, je trouve qu'il serait grand temps de me le rappeler si vous ne voulez pas que je me mette à pleurer.

Sonia s'approche et lui souffle un «Je vous aime beaucoup, Françoise !» à l'oreille, ce qui la fait frissonner comme toujours.

— Prête pour rencontrer les grosses poches de Québec ?

— Bien sûr ! Entre vous et moi, je doute fort qu'ils soient plus intimidants que les illustres docteurs de Chicoutimi. Aux dernières nouvelles, ils seront près d'une quarantaine. Vous me faites penser que je n'ai pas eu de nouvelle de Thierry alors qu'il devait m'appeler hier soir pour me confirmer sa présence.

— Désolée, j'ai complètement oublié de vous laisser une note. Il a téléphoné juste avant que je parte et m'a demandé de vous dire qu'il serait là à l'heure prévue.

Sonia hausse les épaules en lui souriant. Elle ne se mettra quand même pas à la réprimander pour un petit oubli. Elle embrasse ensuite son fils sur le front et file à sa chambre. Il est plus que temps qu'elle se maquille si elle ne veut pas être en retard à son rendez-vous.

Elle s'installe à sa coiffeuse et elle trace de main de maître une ligne d'*eye-liner* sur le bord de sa paupière. Satisfaite, elle sort son tube de mascara. Elle passe et repasse sur ses cils jusqu'à ce qu'ils atteignent la longueur et l'épaisseur souhaitées. Elle ajoute ensuite une ombre à paupières d'un bleu radieux, met un peu de fard sur ses joues et choisit un rouge à lèvres flamboyant pour attirer l'attention de ceux qui seront devant elle. La rencontre de ce matin est capitale pour l'avenir de sa fondation dans la ville de Québec. De plus en plus de jeunes sollicitent leur aide pour poursuivre leurs études et les fonds accumulés au Saguenay ne suffiraient pas à la demande très longtemps. Et puis, les donateurs tiennent mordicus à ce qu'ils servent uniquement pour les gens de la région, ce qui est tout à fait normal. Alors que Thierry et deux autres garçons étaient leurs seuls boursiers en septembre dernier, huit ont déjà été retenus pour la prochaine année. Pour le moment, le conseil d'administration accepte uniquement des candidats désireux d'étudier en médecine. En échange de l'aide apportée par la fondation, ces derniers doivent s'engager à travailler pendant cinq ans pour un des hôpitaux de la région une fois leurs études terminées. On espère ainsi les convaincre de rester et ralentir l'exode des jeunes vers les grands centres.

Outre le fait que Pascal lui a confirmé la présence de deux amis docteurs de l'Hôpital de l'Enfant-Jésus, Sonia en sait très peu sur la composition du groupe devant lequel elle va s'exprimer tout à l'heure. Elle a reçu un appel du secrétariat de la Chambre de commerce de la ville de Québec la semaine dernière l'invitant à s'adresser à un groupe d'hommes d'affaires très en vue et portés sur le mécénat. Jérôme lui a donné une liste potentielle de ceux qui risquent d'être présents et il lui a aussi dressé un portrait des candidats les plus intéressants selon lui. Elle s'est très vite rendu compte de l'importance de se bâtir un réseau de contacts, ce qui est plus facile à dire qu'à faire, surtout dans une grande ville comme Québec. Son mari lui a présenté tous les gens influents qu'il connaissait. S'ils ont été d'une grande gentillesse avec elle, quelques rencontres lui ont suffi pour réaliser que c'est auprès de leurs femmes qu'elle trouvera le meilleur appui. Malgré ses nombreux efforts, Sonia reconnaît en être encore à la période des semences.

Elle saisit sa bouteille de parfum, en met sur le bout de son index et tamponne le derrière de ses oreilles. Elle répète l'exercice sur ses poignets et sort de sa chambre. Elle adore aller sur le terrain pour parler de sa fondation.

— Vous êtes très en beauté, madame ! la complimente Françoise lorsqu'elle fait son entrée dans la cuisine.

— Trouvez-vous que j'en ai trop fait ?

— Juste assez pour attirer les regards sur vous.

— C'était pas mal plus simple à Chicoutimi, vous savez...

— Peut-être, mais ça risque d'être beaucoup plus payant ici. J'ai le pressentiment que vous allez marquer des points aujourd'hui.

— Ce ne serait pas de refus. J'ai besoin de me sentir utile et, pour être honnête, j'ai plutôt l'impression de tenir le rôle d'une potiche depuis que je vis ici.

Françoise laisse tomber sa lavette à vaisselle dans l'eau et se retourne pour faire face à Sonia.

— Vous êtes trop sévère envers vous-même. Laissez-moi vous rappeler tout ce que vous faites en plus d'être mère. Vous travaillez d'arrache-pied pour votre fondation. Vous donnez des cours de rattrapage à des jeunes sans compter vos heures. Vous aidez

Jérôme à son étude. Vous êtes toujours là pour vos étudiants de médecine. Vous acceptez toutes les invitations à déjeuner. Voulez-vous que je continue ?

— Ça va aller. Deux compliments de plus et je ne pourrais pas descendre le fermoir de ma jupe, glisse-t-elle d'un ton moqueur.

— Avouez qu'elle vous va beaucoup mieux qu'avant.

— J'aimerais bien vous voir à ma place… C'est tout juste si je peux respirer.

— Impossible ! Ça m'en prendrait une et demie, et encore. Vous n'aurez qu'à rester debout si vous avez peur de la faire sortir de ses gonds.

Sonia secoue la tête de gauche à droite en souriant. Françoise a toujours le bon mot pour la sortir de sa misère passagère. Et puis, elle a raison de dire qu'elle n'a pas chômé depuis qu'elle est venue rejoindre Jérôme. C'est juste que les choses ne vont pas assez vite à son goût.

— J'allais oublier, ajoute Françoise. Vous prenez même le temps d'écouter Mario après tout ce qu'il vous a fait endurer.

Le bruit de la sonnette lui perce les oreilles avant qu'elle n'ait le temps d'ouvrir la bouche et c'est peut-être mieux ainsi. La seconde d'après, la porte s'ouvre sur Thierry.

— Ne me dis pas que c'est pour moi que tu t'es mis aussi chic ! s'exclame Françoise en le voyant. Wow !

* * *

La fixation de Christine de rester vierge jusqu'à son mariage a donné lieu à des discussions épiques avec Thierry jusqu'à la veille de son départ pour l'Angleterre. Nul doute, il avait sur elle plus d'effet que tous les garçons avec qui elle était sortie réunis. Alors que son corps en redemandait toujours plus, son esprit se faisait un malin plaisir à la ramener sur terre au premier pas de travers. Elle était la championne des allumeuses et Thierry commençait sérieusement à perdre patience. Il avait laissé la belle et chaleureuse Suzie pour sa meilleure amie parce qu'il avait cru en eux et il s'était retrouvé au régime sec avec une impression que ça ne mènerait nulle part. Il était tellement à bout qu'au moment de ramener sa dulcinée chez elle alors qu'elle prenait l'avion le lendemain, il n'a pas argumenté quand elle lui a dit sans aucun détour qu'il valait mieux qu'ils rompent. Aucun engagement de part et d'autre pendant tout le temps que durerait son séjour de l'autre côté de l'océan. De cette manière, il n'aurait pas à se morfondre pour elle pendant des mois sans connaître l'issue de leur couple. Nul doute, c'était la meilleure chose à faire.

En tout et pour tout, elle s'est manifestée seulement une fois et c'était pour lui annoncer son retour une semaine avant Noël. C'est la seule lettre que Thierry a reçue alors qu'en réalité elle lui a écrit tous les jours. Elle a hésité entre les brûler ou les lui poster et a fini par les jeter dans le feu qui crépitait dans la cheminée de la maison où elle vivait la veille de son départ. Thierry n'avait aucun compte à lui rendre, et elle non plus, d'ailleurs. Tant pis si elle s'était morfondue à la seule pensée qu'il passe ses soirées dans les bras d'une autre fille ou qu'il ait repris du service avec Suzie. Tant pis puisqu'elle lui avait donné sa bénédiction sans aucune hésitation. Elle en a payé le prix chaque jour passé loin de lui. De son côté, Thierry n'a rien tenté pour entrer en contact avec elle. Dire à quel point ça lui a fait mal qu'il la raye de sa vie aussi facilement ne s'explique pas. Comme si ce n'était pas suffisant, il lui a fallu patienter près d'un mois avant qu'il daigne lui accorder un tête-à-tête. Elle s'est ruée sur lui, l'a embrassée à pleine bouche et l'a supplié de la faire sienne sur-le-champ.

— Arrête! s'est-il écrié en la repoussant. Je ne suis pas ta marionnette.

— Tu ne comprends pas, je suis prê…

— J'en ai assez entendu pour aujourd'hui, lui a-t-il dit sans lui laisser le temps de finir sa phrase. Je te rappelle qu'on ne sort plus ensemble depuis la veille de ton départ pour l'Angleterre. Tu as fait ta vie et moi la mienne.

— Tu ne comprends pas, je t'aime et je veux me don...

Thierry est parti sans entendre la suite. Il venait juste de sortir la tête hors de l'eau et son bourreau revenait à la charge. Comme toujours. Chaque fois qu'il parvenait à l'oublier, Christine réapparaissait dans son champ de vision. Son départ avait laissé un grand vide en lui, si grand qu'il était incapable d'apprécier sa nouvelle vie à sa juste valeur. Même la ville de Québec ne parvenait pas à le sortir de sa léthargie. En vérité, n'eût été la vigilance de Sonia et de son soutien constant, il est fort probable qu'il aurait abandonné ses cours et qu'il serait revenu à Chicoutimi la tête entre les deux jambes. Elle lui a fait comprendre qu'il ne devait laisser personne, pas même sa nièce, avoir autant de pouvoir sur lui et sur son avenir. Ou l'amour apporte un plus dans notre vie, ou il vaut mieux s'en passer. Et Françoise s'est mise sur son cas à son tour. Elle lui faisait répéter avec une patience d'ange tout ce qu'il devait savoir pour ses examens. Les deux femmes l'ont porté à bout de bras jusqu'à la mi-session. Il tombait, elles le relevaient. Le jour où il a reçu ses notes, il s'est mis sur son trente-six et il a débarqué avec deux roses rouges et deux copies de son bulletin qu'il avait pris soin d'encadrer. Il leur sera éternellement reconnaissant de tout ce qu'elles ont fait pour lui. Grâce à elles, il sait maintenant qu'il vaut mieux passer son chemin si le prix à payer pour être amoureux est trop élevé.

La mauvaise réaction de Thierry face à ses avances n'est pas la seule chose qui a perturbé le retour de Christine à la maison familiale. Elle ne s'explique toujours pas pourquoi Françoise les a abandonnés pour aller s'installer à Québec. Elle convient que sa mère n'est pas facile à vivre, mais ce n'est pas comme si c'était quelque chose de nouveau. Simone a ses hauts et ses bas… peut-être un peu plus de bas que la majorité des gens par temps froid, mais ce n'était pas une raison suffisante pour partir. Pas après dix-sept ans ! Si attentionné et gentil que soit Charles, jamais il ne parviendra à remplacer Françoise. Elle était une deuxième mère pour elle et Christine lui en veut de toutes ses forces. Et puis, il y a Léo. Il la suit partout depuis son retour et il pleure chaque fois qu'elle sort sans lui. La pauvre bête se meurt d'ennui depuis le départ de Thierry. Elle se fait un devoir d'aller marcher avec lui chaque jour, ce qui fait drôlement l'affaire de son père. Il les accompagne dès qu'il le peut, ce qui somme toute arrive trop peu souvent à son goût et à celui de son chien.

— Peux-tu ralentir ? lui demande Christine en tirant sur sa manche de manteau.

Au lieu de seulement réduire sa cadence, Pascal arrête net de marcher et se plante devant sa fille.

— Je n'ai pas hâte d'avoir ton âge, ironise-t-il en fronçant les sourcils.

— Très drôle ! As-tu déjà remarqué que mes jambes ne sont pas de la même longueur que les tiennes ? Je fais deux pas pendant que tu en fais un.

— Désolé, ma belle, j'ai tendance à oublier que je mesure un pied de plus que toi. Je te promets de faire attention.

Christine lui fait un sourire forcé. Le connaissant, il repartira à vitesse grand V avant qu'ils aient atteint le coin de la rue. Bien qu'elle adore passer du temps avec son père, elle préférait de loin marcher avec Thierry. Lui, au moins, il accordait son pas au sien.

— As-tu reçu ta réponse du Cégep de Chicoutimi ?

— Pas encore !

Elle a été acceptée à celui de Jonquière sans condition, mais elle préférerait nettement aller à Chicoutimi. Elle pourrait voyager à pied et la majorité de ses amis y poursuivent leurs études.

— Remarque qu'ils n'ont pas encore retardé et je ne vois pas pourquoi ils me refuseraient… Toutes mes notes sont au-dessus de la moyenne.

— Et tu ne t'es quand même pas inscrite en sciences pures…

Il n'a pas besoin d'en dire plus pour qu'elle devine la suite. Il ne comprend pas qu'elle ait choisi les sciences humaines et il ne se prive pas de le lui rappeler chaque fois qu'une occasion se présente. Elle lui a expliqué en long et en large, de même qu'à sa mère, qu'elle ignore toujours ce qu'elle veut faire de sa vie, ce qui est la stricte vérité. Elle était tellement dans la brume au moment de remplir ses formulaires d'inscription qu'elle a sorti la liste de tous les programmes offerts et a procédé par élimination. Elle espère de tout cœur que sa première session l'aidera à voir clair et, dans le cas contraire, que la deuxième fera entièrement son œuvre. Son intention n'est pas de passer sa vie sur les bancs de l'école, mais en même temps elle veut être certaine de faire le bon choix.

— Sans vouloir te décevoir, ça ne risque pas d'arriver non plus! Je déteste profondément tout ce qui s'apparente de près ou de loin aux sciences.

— Je souhaite seulement ton bonheur.

— Alors, il te faudra t'armer d'un peu de patience parce que ce n'est pas une pause d'études d'un an que j'aurais dû prendre, mais deux.

Pascal passe son bras autour des épaules de sa fille et la serre contre lui. Il faudrait être aveugle pour ne pas voir son désarroi face à son avenir. Alors qu'une partie de lui désespère qu'elle se décide, une autre se questionne sur la pertinence réelle d'un retour aux études. Tout moderne qu'il soit, son petit doigt lui dit que Christine sera du genre à rester à la maison une fois mariée.

— Et si tu continuais à travailler ?

— Hors de question que je moisisse plus longtemps derrière ce comptoir, réagit-elle promptement. Il me reste neuf jours à faire et ça me suffit amplement.

Elle n'en revient pas que son père lui fasse cette offre alors qu'il sait combien elle trouve les journées longues à la réception de l'Hôtel Chicoutimi. Réserver des chambres et remettre les clés aux clients n'a rien de palpitant pour elle. En fait, tout ce qu'elle apprécie dans ce travail, c'est qu'elle peut pratiquer son anglais de temps en temps, ce qui est une bien mince consolation compte tenu du nombre d'heures qu'elle passe à se morfondre pour un salaire de misère. Plus les secondes passent, plus la colère monte en elle.

— Non, mais je rêve ! lance-t-elle d'un ton chargé d'impatience. Es-tu en train de me dire d'abandonner mes études ?

— Si c'est tout ce que ça prend pour te rendre heureuse, je veux bien essayer de convaincre ta mère.

Outrée, Christine le plante là et se met à courir en direction de la maison. Elle en a assez entendu pour aujourd'hui.

Pascal la regarde s'éloigner pendant quelques secondes avant de poursuivre sa marche d'un bon pas avec son chien. Il ne saura jamais si cela aurait été plus facile d'avoir des garçons plutôt que des filles. Ce qu'il sait, par contre, pour l'expérimenter chaque jour, c'est que les siennes sont légèrement capricieuses, pour ne pas dire très capricieuses par moments. Aux dires de sa mère, elles sont trop gâtées. S'il n'est pas toujours en accord avec Alice, il reconnaît qu'elle a raison sur ce point. Contrairement à Thierry, ses filles n'ont jamais connu la misère. Par conséquent, elles ont du mal à apprécier ce qu'elles ont, ce qui est normal puisqu'elles n'ont qu'à claquer des doigts pour en obtenir encore plus. Des cinq, la seule qui connaît un peu la valeur de l'argent demeure Christine. Elle n'a jamais été du genre à acheter tout ce qui lui fait envie. Au contraire, elle a toujours aimé avoir un compte en banque bien garni. Il faut dire qu'elle reçoit toujours le même montant pour ses petites dépenses et qu'elle ne paie pas l'essence qu'elle met dans son auto. Pascal se questionne régulièrement sur son rôle de père. Il voudrait faire mieux, mais pour cela il faudrait qu'il fasse plus que passer à la maison. Entre l'hôpital, son bureau et le samedi mensuel qu'il consacre à soigner les moins fortunés, il ne lui reste pas beaucoup de temps pour faire de la discipline sur une base continue. Il supporte Simone du mieux qu'il peut, mais cela ne l'empêche pas de reconnaître que ses efforts ne représentent qu'une goutte dans l'océan. Force lui est d'admettre que ses filles passent beaucoup plus de temps avec Charles qu'avec lui, ce qui n'est pas mauvais en soi puisqu'il est plutôt sévère. Il n'est d'ailleurs pas rare que Chantale et Brigitte se plaignent de lui parce qu'il leur a dit non.

Le départ de Françoise et de Sonia a laissé un grand vide chez les Thibault. Les deux femmes occupaient une place importante dans le cœur de tous les membres de la famille et particulièrement dans le sien. Sur le plan culinaire, les petits plats de Françoise lui manquent et ce n'est pas parce que Charles cuisine mal. Au contraire ! Tout ce qu'il fait goûte le ciel, mais ce n'est pas pareil. À son arrivée, Alice lui a demandé de lui donner des cours de cuisine, comme elle avait l'habitude de le faire avec Françoise et, après le deuxième seulement, elle a prétexté un emploi du temps trop chargé alors qu'en réalité elle en a pour tout ce qui l'intéresse suffisamment pour qu'elle s'y investisse.

— Je ne veux pas apprendre à faire des ris de veau, a-t-elle avoué à Pascal, j'en mange deux fois par année et les restaurants en font d'excellents. Pas plus que le bœuf Wellington ou la quiche. Je veux apprendre à faire du pain, des biscuits, des fèves au lard, de la soupe aux pois… tout ce que Françoise faisait. Si ça continue, je n'aurai pas d'autre choix que d'aller passer quelques jours à Québec.

Voir sa mère aussi heureuse le réjouit. Elle les honore beaucoup moins souvent de sa présence depuis qu'elle a emménagé dans sa nouvelle maison, ce qui a somme toute ses bons côtés. Pascal fait des pieds et des mains pour aller manger avec elle au moins une fois par semaine. S'il aime habiter sur la rue Racine parce que ça lui facilite la vie de beaucoup, en revanche il adore la maison et l'endroit où sa mère vit maintenant. Contrairement à lui, elle n'a rien qui obstrue sa vue de la majestueuse rivière Saguenay. Et le silence règne dans son quartier à l'écart du centre-ville. Il n'est pas rare que Chantale et Brigitte réclament d'aller dormir chez elle, ce qui le surprend encore. D'ailleurs, il a toujours du mal à comprendre que Martine ait préféré aller passer l'été chez sa grand-mère plutôt que de revenir à la maison. À force d'insister, il a réussi à la convaincre de leur accorder sa dernière semaine de vacances avant de rentrer au pensionnat. Il reconnaît sans mal que la discipline du couvent a eu un effet positif sur elle. Au grand étonnement de Françoise, Martine a même insisté pour l'aider pendant les quelques jours passés en famille et elle était au poste au moment convenu. Inutile d'ajouter que son changement radical d'attitude le conforte dans son intention de resserrer la vis avec ses autres filles… à commencer par Christine.

Outre sa cuisine, le rire de Françoise lui manque beaucoup, d'autant que Charles est de nature plutôt réservée, voire très sérieuse. Pascal comprend qu'il pouvait difficilement en être autrement étant donné qu'il a travaillé chez les hauts dirigeants d'Alcan. En même temps, pour en avoir croisé quelques-uns avec Sonia, ils ne sont pas aussi collet monté qu'on pourrait le croire. À tout le moins, pas tous. Françoise n'avait pas son pareil pour dédramatiser les choses et puis les filles l'adoraient. Il n'a rien tenté pour la retenir lorsqu'elle lui a annoncé qu'elle les quittait pour aller travailler pour Sonia. Nul doute que sa vie est plus facile avec sa belle-sœur qu'avec Simone.

Bien que Sonia descende régulièrement pour rencontrer de nouveaux mécènes et qu'elle en profite pour voir tout son monde, il arrive régulièrement à Pascal de l'appeler seulement pour prendre de ses nouvelles. Il a toujours apprécié sa compagnie et il adore discuter avec elle. L'accueil de sa femme à chacune de ses visites a mis des mois à passer de glacial à un peu plus chaleureux. Simone lui en veut de lui avoir volé Françoise alors qu'elle sait parfaitement que sa bonne n'avait besoin de personne pour prendre sa décision. Qui plus est, elle a pris le départ de sa sœur comme un abandon alors que leur mère venait à peine de mourir et ce n'est pas demain la veille qu'elle va cesser de le lui reprocher. Pascal n'a pas levé le petit doigt pour tenter de la raisonner. Sonia a eu le culot d'être heureuse loin de Simone et cette dernière va le lui faire payer tant et aussi longtemps qu'elle n'aura pas quelqu'un d'autre à qui s'en prendre.

L'hiver a été légèrement plus facile que le précédent pour Simone et pour le reste de la famille aussi par la même occasion. Est-ce parce qu'elle ne voulait pas décourager Charles de peur de se retrouver seule avec toute la maisonnée sur les bras ? Ou parce qu'elle était trop fâchée que Françoise l'ait abandonnée ? Pascal l'ignore. Toujours est-il qu'elle a traversé la saison froide sans faire trop de vagues. Elle a peint plus que jamais et elle avait toujours un livre à portée de la main. Seul hic, elle a fumé comme une cheminée et elle ne se donnait pas toujours la peine de sortir dehors ou de se limiter à son atelier, ce qui lui a valu les hauts cris des filles aussitôt qu'elle entrait dans une pièce avec une cigarette. Et voilà que Charles s'est mis de la partie pour qu'elle cesse de fumer au moins dans la cuisine. Il lui a expliqué en long et en large qu'elle dénaturait tout ce qu'il cuisinait. En désespoir de cause, il s'est agenouillé devant elle un beau matin et l'a implorée d'accéder à sa demande, ce qu'elle a fini par faire en soupirant. Ce jour-là, Charles a gagné le respect des filles. Elles avaient enfin un allié pour limiter les dégâts causés par la mauvaise habitude de leur mère.

La belle Marie-France a fini par obtenir un poste de secrétaire à l'hôpital de Chicoutimi. Si tout le personnel féminin se réjouit de la savoir enfermée au fond du sous-sol au bureau des archives à deux pas de la chaufferie, les hommes regrettent le temps où elle embellissait leur vie par sa seule présence. Quant à Pascal, moins il la voit, mieux il se porte. S'il repère les belles femmes au premier coup d'œil, il n'a aucune intention d'aller voir ailleurs. Il aime sa Simone comme au premier jour et il est prêt à tout pour lui faciliter la vie et la rendre heureuse. Le seul volet de sa vie où il se sent impuissant, c'est pour ses humeurs. Il pourrait les influencer dans le bon sens du mot si elle acceptait d'avaler une petite pilule. Seulement, sa femme refuse d'ingurgiter tout médicament si ce n'est pas absolument nécessaire. Bien qu'il soit parfois tenté de répondre par l'affirmative, il se tait. Quand il est avec sa femme, il est son mari, pas son docteur.

2

Rachel commence à être à bout de ressources pour consoler Chantale, au point qu'elle ne peut pas s'empêcher de lever les yeux au ciel pendant une fraction de seconde lorsqu'elle fait son entrée et de soupirer en silence. Il faut dire que la petite vient pleurer dans ses bras tous les jours depuis qu'elle lui a appris qu'elle avait vendu sa maison; c'était il y a bientôt un mois. Et elle lui a servi le même scénario au décès de Jeannine et au départ de Françoise.

— Pourquoi tout le monde s'en va? lui demande-t-elle entre deux gros sanglots. Si ça continue, je vais être toute seule comme un vieux rat. Je ne veux pas que vous partiez, madame Rachel.

— Et pourtant, il le faudra bien. Françoise m'attend.

— Elle n'a pas besoin de vous, elle a déjà Sonia, oncle Jérôme et mon petit cousin Émile. Et Thierry! Et je n'aime pas le monsieur qui veut que je l'appelle Charles.

Rachel se retient de rire chaque fois que sa jeune protégée parle de leur nouveau domestique. Elle la prend dans ses bras et lui caresse les cheveux. Évidemment, elle ne connaît du remplaçant de Françoise que ce qu'il a bien voulu lui montrer les rares fois où elle a été en sa présence. Par contre, elle demeure convaincue qu'Alice ne l'aurait pas recommandé à son fils sans s'être informée exhaustivement sur lui. Et puis, aux dernières nouvelles, Chantale est la seule à le prendre en grippe, ce qui semble plutôt normal compte tenu de l'amour sans bornes qu'elle portait à Françoise.

— As-tu seulement essayé de l'aimer ? lui demande-t-elle en la libérant de son étreinte.

La petite fille croise les bras et hausse les épaules pour les laisser retomber dans la seconde qui suit. Elle incline ensuite la tête de côté et soupire un grand coup avant de répondre à sa question.

— Au moins deux fois ! avoue-t-elle en levant deux doigts dans les airs. Le jour où j'ai cuisiné des biscuits de Noël avec lui et celui où il m'a fait un gâteau de fête en forme de poupée. C'est tout !

Décidément, cette petite n'a pas son pareil. Rachel lui prend la main et lui sourit.

— Tu ne crois pas que tu devrais lui donner au moins une autre chance ?

— Si vous le dites, concède-t-elle du bout des lèvres, mais je ne l'aimerai pas plus.

— Il ne doit pas être aussi terrible que tu le prétends puisque tes sœurs l'apprécient.

— Catou aime tout le monde. Brigitte s'en fiche. Martine est au pensionnat. Et Christine est toujours en train de parler de livres avec lui.

— Et ta mère ?

— Ah ! C'est sûr qu'elle l'aime… il fait tout à sa place.

— Si j'étais ta maman, je n'apprécierais pas que tu parles de moi de cette manière.

— Pourquoi ?

Rachel lui ébouriffe les cheveux. Peu importe ce qu'elle dira ou fera, jamais elle n'aura le dernier mot avec elle. Ou elle la lance sur un autre sujet, ou Chantale va continuer de s'apitoyer sur son sort alors qu'au fond elle apprécie Charles autant sinon plus que le reste de la famille. Rachel le sait, Simone lui en a parlé la dernière fois qu'elle est venue lui emprunter une tasse de sucre.

— Maintenant, parle-moi du tapis tressé de ta mère.

— Hum ! Il est encore dans la salle de lavage. Elle refuse que je le mette à côté de mon lit ; elle dit que ce n'est pas beau avec mon couvre-lit. Et quand je lui rappelle que c'est parce que je m'ennuie de grand-maman Jeannine, elle lève les yeux au ciel. Je le monte à ma chambre en cachette aussi souvent que je le peux et M. Charles le redescend à sa place le lendemain matin. Pourquoi elle ne veut pas me le donner si elle le déteste assez pour le cacher dans la salle de lavage ?

— Viens avec moi, j'ai une idée.

Chantale la suit au grenier sans se faire prier. C'est seulement la troisième fois qu'elle y monte et elle adore cette grande pièce en bois brut avec seulement une minuscule fenêtre sur le mur en face de la porte. À sa première visite, elle a dit à Mme Rachel que ça lui rappelait la caverne d'Ali Baba. L'endroit ne regorge pas d'objets précieux, seulement de vieilleries laissées là par les anciens propriétaires et les nombreux tapis tressés par Rachel. C'est à la fois trop peu et assez pour qu'une enfant à l'imagination débordante se croie au beau milieu d'un livre d'histoire et qu'elle en invente une nouvelle à chacune de ses visites.

— Voici ce que je te propose. Tu choisis un tapis à ton goût et tu l'apportes chez toi.

— Pour que maman le cache dans la cave ? Non merci !

— Laisse-moi finir, jeune fille ! Je t'accompagne chez toi et je parle à ta mère.

— Ça ne marchera pas, madame Rachel. Vous savez bien qu'elle va me l'enlever.

— Pas si tu le ranges sous ton lit avant de sortir de ta chambre tous les matins.

— Mais c'est celui que grand-maman Jeannine a fait que je veux.

Loin de s'offusquer, Rachel réfléchit pendant quelques secondes avant d'ajouter :

— Aux grands maux les grands moyens ! Je vais te donner celui de ta tante Sonia, elle n'est jamais venue le chercher. Probable qu'elle acceptera que tu le gardes pour elle au lieu qu'il soit chez moi. La dernière fois qu'elle est venue à Chicoutimi, elle m'a demandé si je pouvais le garder encore un moment pour elle.

Chantale ne fait ni une ni deux et lui saute au cou.

— Qu'est-ce qu'on attend pour aller voir maman ?

— Allons d'abord chercher le tapis de ta tante Sonia, il est dans la garde-robe de la chambre qu'occupait ta grand-mère.

Le départ de Jeannine a laissé un grand vide dans la vie de Rachel, et celui de Françoise quelques mois plus tard a fait le reste. Grâce à ces deux femmes, son quotidien avait changé du tout au tout et voilà qu'elle s'est retrouvée à la case départ en un claquement de doigts. Elle n'était certes plus la voisine malcommode à abattre sauf qu'au final elle est de nouveau seule et elle supporte de plus en plus difficilement la solitude. Elle a mis sa maison en vente le lendemain du départ de Françoise et a dû patienter près de cinq mois avant qu'un acheteur daigne s'y intéresser. Elle a vendu bien en deçà de son prix de départ, mais elle ne s'en formalise pas. Ou elle acceptait son offre ou elle risquait de poireauter encore longtemps ici, ce qu'elle ne souhaitait absolument pas. Il lui tarde de retourner vivre à Québec et de retrouver son amie.

Après maintes discussions, Françoise lui a confirmé son désir de vivre dans la même maison qu'elle et non dans le même logement.

Elle tient mordicus à avoir son espace bien à elle après sa journée de travail. Elles partageront les travaux d'entretien et seront ensemble chaque fois qu'elles en auront envie sans partager le quotidien, ce qui revient à dire qu'elles auront forcément le meilleur des deux mondes. Finalement, Rachel est très heureuse de leur décision. Françoise a pu compter sur l'aide de Marguerite pour chercher une maison qui leur convenait, ce qui leur a facilité les choses de beaucoup. En tout et pour tout, elles en ont visité trois et elles ont acheté la deuxième sans aucune hésitation après l'avoir fait inspecter par le père de Jérôme qui s'y connaît plutôt bien en bâtiment. Elles y emménageront bientôt alors que tout aura été repeint à leur goût. Leur choix de peinture leur a très vite fait réaliser qu'elles avaient pris la bonne décision d'avoir chacune leur logement; leurs préférences en matière de couleurs sont à des années-lumière et ça ne risque pas d'être la seule différence entre elles.

Ajoutons à cela que contrairement à Rachel, qui a déjà possédé quatre maisons à ce jour, c'est une première pour Françoise. *Primo*, devenir propriétaire l'insécurise au plus haut point malgré tous les efforts du père de Jérôme pour la rassurer. *Secundo*, elle a du mal à voir fondre son pécule comme neige au soleil seulement pour mettre son logement à son goût. Elle sait et comprend que ça lui rapportera largement plus le jour où elle décidera de vendre que de l'avoir laissé à la banque, mais en attendant elle se sent pauvre et ça n'a rien pour lui plaire. Pas plus tard qu'hier, elle a annoncé à Rachel qu'il fallait absolument qu'elle travaille cinq jours par semaine, et peut-être six, le temps de se remettre à flot, ce qui a fait sourire son amie. Rachel comprend qu'elles n'ont pas les mêmes moyens financiers. Elle a offert à Françoise de l'aider sauf qu'elle a refusé, ce qui ne l'a pas étonnée. Sa grande fierté l'empêche de profiter de la générosité des gens, surtout de la sienne. Et il en est de même pour se meubler. Elle louait un trois pièces et demie à Chicoutimi alors qu'elle aura besoin de deux fois plus de meubles pour son nouveau logement. Encore là, Rachel a voulu partager son trop-plein et Françoise a refusé. Par contre, cette fois, c'est différent. Leurs goûts ne sont pas opposés seulement en ce qui concerne la couleur des murs. Disons que Françoise aime les décors épurés, les meubles fins, alors que son amie préfère ceux en bois qui ne se démoderont jamais, qui pèsent une tonne et qui coûtent la peau des fesses.

Chantale traîne son tapis de peine et de misère jusque chez elle. Rachel lui ouvre la porte de la cuisine et se tasse pour la laisser entrer.

— Bonjour, monsieur Charles, dit-elle, tout sourire.

— Bonjour, jeune fille ! Bonjour, madame.

Rachel ne lui en a jamais fait la remarque, mais elle déteste quand il lui donne du madame alors qu'elle l'a autorisé à l'appeler Rachel.

— Voulez-vous voir le beau tapis que grand-maman Jeannine a tressé pour ma tante Sonia ?

— Avec plaisir, répond-il en s'accroupissant près d'elle, surtout que j'adore les tapis tressés.

— Tant mieux parce que j'ai besoin de votre aide pour convaincre ma mère de me laisser le mettre dans ma chambre. Ou plutôt sous mon lit le jour et à côté la nuit.

— Je suis votre homme, mademoiselle Chantale, lui confirme-t-il en lui faisant une révérence.

La petite fille ne fait ni une ni deux et court se jeter dans ses bras pour le remercier. L'impact est si brutal que Charles s'étend de tout son long sur le plancher avant de se mettre à rire comme un fou. Surprise de le voir d'aussi belle humeur alors qu'elle vient de le faire tomber, Chantale roule à côté de lui et se met à rire à son tour. Et voilà que Rachel se met de la partie en se rejouant la scène. Ils rient si fort que Simone sort en courant de son atelier pour venir aux nouvelles. La vue de son majordome sur le plancher la surprend tellement qu'elle s'approche et lui tend la main pour l'aider à se relever.

— Qu'est-ce que tu as encore fait? demande-t-elle à sa petite fille en essayant de garder son sérieux.

— Elle m'a juste sauté au cou, répond Charles entre deux hoquets.

— Quoi?

Chantale se retrouve debout devant sa mère dans les secondes qui suivent. Elle met les mains sur ses hanches, inspire à fond pour se donner du courage et lui dit d'un trait:

— M. Charles adore les tapis tressés comme moi et Mme Rachel m'a demandé de garder celui de tante Sonia, mais tu ne le verras pas parce qu'il sera caché sous mon lit toute la journée.

Rachel et Charles se regardent. Ce n'est pas exactement comme ça que les choses se sont passées, mais tant pis si ça peut aider sa cause.

— Si je comprends bien ce que tu viens de me dire, réagit Simone, il ne me reste plus qu'à être d'accord.

La petite fille plisse les yeux. Depuis quand sa mère se plie-t-elle aussi facilement à ses demandes pour un tapis tressé?

— Veux-tu que je te le montre? lui demande-t-elle en le déroulant sous l'œil attentif de ses deux alliés. Regarde comme il est beau.

Sa seule vue fait grimacer Simone et elle ne fait rien pour le cacher. Elle ne trouve aucun attrait à ce genre de tapis et ça ne risque pas de changer.

— Tu oublies une seule fois de le mettre sous ton lit avant de sortir de ta chambre et tu le perds, finit-elle par concéder d'un ton sévère. Est-ce que je me suis bien fait comprendre ?

— Tu es la meilleure maman du monde ! Merci ! Je vais aller le mettre à sa place tout de suite pour que tu ne sois pas obligée de le regarder plus longtemps.

— Je vais te le monter, lui offre gentiment Charles.

— Suivez-moi.

Légèrement mal à l'aise d'être seule avec Simone, Rachel s'empresse de lui demander où elle en est avec son jardin.

— Il ne me reste plus qu'à attendre la floraison, répond-elle gentiment. Sans vouloir me vanter, je prédis une année exceptionnelle à tous points de vue. Les changements que j'ai faits l'automne dernier s'avèrent tous excellents. Finalement, avez-vous besoin de fleurs à votre nouvelle maison ? Parce que si c'est le cas, mon offre tient toujours pour l'automne.

— Ça me gêne, mais j'ai bien envie de vous dire oui. J'ai vu juste quelques minuscules pissenlits sur le gazon de la cour arrière et quelques fleurs à l'agonie. Il paraît que l'ancien propriétaire passait son temps à arroser pour se prémunir des mauvaises herbes.

— Vous n'aurez qu'à me donner vos préférences et je vous donnerai assez de plants pour remplir vos plates-bandes.

— C'est très gentil.

— Après tout ce que vous avez fait pour maman et pour Chantale, c'est la moindre des choses. Sincèrement, j'ignore ce que je serais devenue sans vous.

Simone l'a remerciée correctement après les obsèques de Jeannine, mais sans parler d'elle comme elle vient de le faire à l'instant. Il y a longtemps que Rachel a compris que personne ne passe à travers la perte d'un être cher de la même manière. Alors que certains pleurent toutes les larmes de leur corps en continu, d'autres noient leur peine dans l'alcool, mangent tout ce qui leur tombe sous la main, s'étourdissent dans le plaisir jusqu'à en avoir mal au cœur, ou encore s'enferment dans leur atelier jusqu'à ce que l'orage soit passé. Pour sa part, si elle avait eu le choix, Rachel aurait tiré ses rideaux, barré ses portes, débranché le téléphone et elle se serait roulée en boule sur le divan. Elle se serait rappelé tous les bons moments avec son amie dont leur visite à l'oratoire Saint-Joseph et le bonheur dans les yeux de Jeannine au moment de s'engager dans le tunnel Louis-Hippolyte-La Fontaine. Elle aurait sorti ensuite l'album photo qui témoigne de leur brève et intense amitié. Françoise, Jeannine et elle formaient un trio hors du commun. Et elle aurait bu à même la bouteille de whisky entre deux crises de larmes. C'est ce qu'elle aurait fait dans l'ordre si elle n'avait pas été obligée de consoler Sonia et Chantale. À cause d'elles, à moins que ce ne soit grâce à elles, elle a vécu son deuil en morceaux.

— Elle me manque tellement, dit simplement Rachel.

— Je vous envie parce que moi je ne sais pas encore si elle me manque ni même si elle me manquera un jour. Il y a des secondes où je lui en veux de m'avoir abandonnée, d'autres où je suis affreusement triste et d'autres où je me dis que c'est mieux ainsi. Je ne supportais pas de la voir souffrir.

— Le plus important, c'est d'apprendre à vivre sans elle.

— Plus facile à dire qu'à faire, si vous voulez mon avis!

3

Sonia a beau se raisonner, chacune des visites de Mario la met dans tous ses états et ce n'est pas parce qu'elle l'aime encore. Ça non! Elle est bel et bien guérie! Et ce n'est pas non plus parce qu'elle lui en veut d'avoir fait irruption à l'église alors qu'elle venait juste de prononcer ses vœux de mariage. Certes, ça l'a suffisamment ébranlée pour qu'elle tombe dans les pommes, ce qui n'est pas du tout habituel chez elle, mais une fois l'effet de surprise passé elle en a ri. Mario est égal à lui-même: il apparaît et disparaît quand on s'y attend le moins. Et c'est ce qu'il continue à faire depuis, sauf qu'elle commence à en avoir plus qu'assez. Elle se trouve bête de réagir ainsi, mais c'est plus fort qu'elle. Si seulement elle pouvait mettre le doigt sur ce qui la dérange à ce point, elle aviserait.

Une chose est certaine, n'eût été l'insistance de Jérôme, jamais elle n'aurait accepté de le laisser revenir dans sa vie. Non par crainte, Mario n'a pas une once de méchanceté en lui, plutôt parce qu'il n'a plus sa place dans son existence. Dans son livre à elle, peu d'hommes accepteraient que l'ex-petit ami de leur femme les voisine. Sauf Jérôme! Il a vanté les mérites de celui qu'il considère pratiquement comme un frère. Sonia ignorait qu'il l'appréciait à ce point. Il faut dire qu'il n'était pas leur premier sujet de discussion. Enfin, elle a fini par abdiquer sans se douter le moindrement de l'effet que sa décision finirait par avoir sur elle. Maintenant qu'elle a donné son accord, elle se sent légèrement coincée par sa faute. C'est toujours le même scénario. Mario appelle Jérôme à son bureau pour savoir s'il peut passer. La plupart du temps, son tendre époux ne manque pas de l'inviter à souper. De nature généreuse, leur invité arrive toujours les bras chargés de cadeaux pour Émile. Et voilà que Sonia se croit obligée de lui faire la conversation alors qu'au fond, elle paierait cher pour être ailleurs. Non seulement elle n'a plus rien à lui dire, mais elle n'a aucune envie de se livrer à cet homme qu'elle considère presque comme un étranger.

— Vous devriez en parler à Jérôme, lance Françoise en observant sa patronne à distance.

— Je ne peux pas faire ça, répond promptement Sonia, c'est son ami.

— Mais pas le vôtre ! Suggérez-lui de le voir ailleurs qu'ici et votre problème sera réglé.

— Au cas où vous l'auriez oublié, c'est grâce à son argent que j'ai pu mettre ma fondation sur pied.

— C'est aussi grâce à lui que vous avez failli mourir de chagrin quand il a disparu comme par enchantement.

Les yeux de Sonia s'embuent. Comment oublier ce passage à vide dont elle est sortie de peine et de misère ? Qui sait ce qui lui serait arrivé sans le support des siens ?

— Ne le laissez surtout pas détruire votre bonheur !

— Il ne ferait jamais ça… cet homme est la bonté même.

— C'est pour ça que vous retombez dans votre misère dès qu'il annonce sa visite et que vous mettez des jours à vous en remettre ? J'aime autant vous avertir : je ne vous laisserai pas faire. S'il le faut, je parlerai personnellement à Jérôme. Mario est toxique pour vous… autant que l'eau de Javel.

Sonia lui sourit. Ses propos sont durs, mais justes. La présence de Mario dans sa vie ne lui apporte rien de bon et plus vite elle s'en éloignera mieux elle se portera. Une partie d'elle le sait depuis longtemps alors que l'autre refuse de lui faire de la peine.

— Je le ferai ce soir après le départ de Mario, avance-t-elle, histoire de se donner encore un peu de temps pour trouver le courage.

— Rien ne vous oblige à souffrir une soirée de plus. Allez le voir tout de suite, sa cliente vient tout juste de partir.

Une foule de questions se bousculent alors dans la tête de Sonia. Comment Jérôme réagira-t-il à sa requête ? L'accusera-t-il de repousser Mario sans tenir compte de la réaction qu'il risque d'avoir, vu sa maladie ? Acceptera-t-il de se plier à sa demande ? Et si ça jetait un froid entre eux ? Elle est morte de peur !

— Pourquoi a-t-il fallu qu'il réapparaisse dans ma vie le jour de mon mariage ?

— Sûrement parce que vous avez été celle qui l'a rendu le plus heureux et qu'il ne pouvait pas supporter que vous vous mariiez avec Jérôme alors que vous aviez refusé de le faire avec lui. Peu importe sa motivation. Vous devez retenir une seule chose : c'est encore vous qui avez souffert de son geste et ça continue. Vous en avez déjà trop fait pour lui !

— J'y vais avant de me transformer en statue de sel. Souhaitez-moi bonne chance.

— Faites confiance à Jérôme et tout ira bien.

Quelques minutes plus tard, c'est une Sonia radieuse qui fait son entrée dans la cuisine.

— Je ne vous mens pas, dit-elle, je me sens aussi légère qu'une plume. Je n'en reviens pas, Jérôme s'est même excusé. Il croyait vraiment que ça ne me dérangeait pas et avec raison puisque c'est ce que je lui avais dit mot pour mot. Il a appelé Mario devant moi pour l'aviser qu'il l'emmènerait manger à la brasserie. D'après ce que j'ai compris, il était très content.

— Croyez-vous qu'il va lui dire pourquoi il ne l'invitera plus à manger ici?

— Il m'a assuré qu'il lui en parlerait ce soir. Ça vous dirait qu'on aille se promener dans le Vieux-Québec avec Émile après le souper?

— Avec plaisir!

C'est dans des moments comme celui-ci que Sonia apprécie le plus la présence de Françoise dans sa vie. Cette femme joue à elle seule le rôle d'au moins trois anges gardiens. C'est aussi dans ces moments qu'elle pense au vide que son départ a forcément créé dans la vie de Simone. Bien que Françoise ne tarisse pas d'éloges à l'égard de Charles, au point que Sonia se demande parfois s'il ne lui est pas tombé dans l'œil, elle doute qu'il lui arrive seulement à la cheville. Ne remplace pas qui veut une bonne de sa trempe!

Simone lui manque et pour cause: les deux sœurs ne se sont vues que quelques fois depuis son départ pour Québec à la fin du mois de juin de l'année dernière. Elles se parlent au téléphone tous les samedis matin, ce qui n'est rien comparé à un face-à-face, d'autant que leurs conversations ne sont jamais très longues. À ce jour, Sonia est responsable de la plupart de leurs rencontres. Dans le cas où Simone n'est pas heureuse de la voir, ça lui paraît dans la face, alors elle passe le plus clair de son temps chez son père et chez Rachel. Il y a longtemps qu'elle a cessé de prier pour que sa sœur change. Ou elle la prend telle qu'elle est, ou elle s'en passe. Si elle n'avait pas tant tenu à ce que Pascal soit le parrain de son fils, elle ne l'aurait pas choisie pour marraine. Depuis qu'elle vit à Québec, Sonia a réalisé qu'elle s'est toujours fendue en quatre pour lui faire plaisir. Seul hic, elle commence à en avoir assez et, mine de rien, l'auréole de Simone perd un peu de son lustre à chaque coup qu'elle lui porte.

Perdue dans ses pensées, elle sursaute lorsque Françoise lui presse le bras.

— C'est pour vous, lui dit-elle en lui tendant le combiné du téléphone.

Sonia l'interroge du regard, elle déteste répondre sans savoir qui est au bout du fil.

— Un certain M. Lavigne, ajoute Françoise après avoir pris soin de mettre la main sur le combiné.

Un grand sourire s'affiche sur les lèvres de Sonia ; elle attendait justement son appel.

— Bonjour, monsieur Lavigne ! lance-t-elle joyeusement.

— Bonjour, Sonia ! Vous permettez que je vous appelle par votre prénom ?

— Bien sûr !

— Je ne vous ferai pas languir plus longtemps. Je tiens une douzaine de chèques au nom de votre fondation dans ma main pour un total de cent dix mille dollars et j'en attends encore au moins autant. J'ai pensé que ça vous ferait plaisir de le savoir.

— Et comment ! s'écrie-t-elle dans un cri du cœur. On va enfin pouvoir aider des jeunes d'ici à poursuivre leurs études. Merci ! Merci, monsieur Lavigne !

— C'est vous qui les avez convaincus, pas moi. Si j'avais encore mon entreprise, je vous offrirais la lune pour que vous acceptiez de venir travailler pour moi. Vous êtes une sacrée vendeuse, Sonia ! Est-ce que je vous les poste ou vous préférez venir les chercher au secrétariat de la Chambre de commerce ?

— Je passerai les prendre demain en fin d'avant-midi.

— Croyez-vous que Jérôme m'en voudrait si je vous invitais plutôt à dîner ?

Le rire cristallin de Sonia résonne aussitôt dans ses oreilles.

— Aucun danger ! Rappelez-moi pour me dire où et à quelle heure et j'y serai avec grand plaisir. Encore merci pour tout !

Elle raccroche, se laisse tomber sur la chaise berçante juste à côté du téléphone et expire tout l'air de ses poumons. Elle croyait avoir été à la hauteur lorsqu'elle a rencontré la quarantaine de mécènes potentiels convoqués par la Chambre de commerce, mais elle aurait été incapable de dire avec assurance si elle avait marqué des points ou si elle avait parlé dans le vide. Elle a réussi. Elle inspire à fond et répète à Françoise presque mot pour mot sa brève conversation avec M. Lavigne.

— J'ai hâte d'apprendre la nouvelle à Pascal. Pensez-vous que j'ai une chance de l'attraper à la maison à cette heure ?

Françoise lève les yeux au ciel et hausse les épaules. De tout le temps qu'elle a travaillé pour lui, jamais il n'est arrivé à l'heure prévue.

— Vous devriez savoir depuis longtemps que c'est plus facile de prédire la température qu'il fera demain que l'heure d'arrivée de votre beau-frère. Le seul moyen de savoir s'il est là, c'est d'appeler.

Sonia se lève, compose son numéro et attend patiemment que quelqu'un daigne lui répondre. Cinq coups plus tard, elle attend toujours.

— Résidence des Thibault ! répond enfin Charles d'une voix essoufflée.

— Bonjour, c'est Sonia. Désolée de vous avoir fait courir, j'allais raccrocher.

— Le chien de monsieur vient de se faire frapper devant la maison. J'étais juste rentré chercher un bol d'eau.

— Est-ce qu'il va s'en tirer ?

— Tout ce que je peux vous dire, c'est qu'il n'est pas beau à voir. Veuillez m'excuser, je dirai à Mme Simone de vous rappeler.

***

Comme tous les matins, Alice et Germaine prennent le thé sur leur terrasse. Enroulées dans leur châle, puisqu'il ne fait pas encore très chaud pour la saison, elles regardent passer les bateaux avec le même ravissement que lorsqu'elles étaient petites et que leurs parents les emmenaient se promener au port.

— Un jour, lance Alice, je ferai la même traversée que Jacques Cartier.

— J'espère que tu as le pied marin parce que tu risques de trouver le temps long jusqu'à Saint-Malo.

— Que dirais-tu de faire le voyage avec moi ?

— N'y pense même pas ! Autant j'aime regarder l'eau, autant je déteste être dessus et encore plus dedans. Et la seule fois que j'ai fait du bateau, j'ai vomi mes tripes.

— Dommage… pour toi, je veux dire, puisque j'avais l'intention de t'inviter pour ta fête.

La nouvelle Alice est d'une telle générosité que Germaine se réjouit de ne pas pouvoir accepter son cadeau, surtout qu'il s'agissait d'un gros, cette fois. D'un très gros, même ! Sa belle-sœur en a déjà fait beaucoup pour elle et ça la met mal à l'aise chaque fois qu'elle insiste pour allonger les billets. Germaine n'a pas les mêmes moyens qu'elle, ce qui l'oblige régulièrement à lui annoncer qu'elle ne peut pas se permettre une dépense. Étant donné qu'Alice est la personne la plus têtue qu'il lui ait été donné de rencontrer, son discours se résume toujours à la même phrase: «Je fais ce que je veux de mon argent!» La personne à qui elle l'a servi le plus souvent depuis qu'elle a vendu sa maison demeure sans contredit son fils François. Effronté comme un bœuf maigre, il a même osé aller s'en prendre à M. Dionne. Il a débarqué un beau jour à l'ancienne propriété de sa mère et lui a dit sans mâcher ses mots qu'il devrait avoir honte d'avoir abusé d'une vieille femme. Il l'a ensuite traité de tous les noms avant de remonter dans son auto. Inutile d'ajouter qu'elle lui a chauffé les oreilles quand son protégé l'a mise au courant de ce que son cher fils avait fait. Depuis, il se tient à carreau et ça vaut beaucoup mieux pour lui. Alice a toujours cru à l'importance, voire à la nécessité, de faire instruire ses fils pour qu'ils deviennent des hommes meilleurs. Il lui suffit de comparer le comportement de M. Dionne avec celui de François pour qu'elle commence à croire que les études n'ont pas grand-chose à voir là-dedans.

— Tu devrais l'offrir à Françoise, lance Germaine au bout d'un moment. J'ai cru comprendre qu'elle accompagnait souvent son grand-père quand il allait livrer du bois à Saint-Siméon.

— Il vaudrait mieux commencer par lui trouver une remplaçante… Ce n'est pas un voyage de deux jours.

— Tu pourrais aussi en parler aux femmes la prochaine fois qu'on ira jouer aux quilles.

— Ce ne sera pas nécessaire! J'aime beaucoup ton idée de faire le voyage avec Françoise. Je lui en glisserai un mot la prochaine fois que je la verrai.

— J'espère que tu n'es pas pressée de partir parce qu'elle n'aura plus beaucoup de raisons de venir au Saguenay quand Rachel aura déménagé à Québec.

— Elle viendra sûrement faire son tour aux Fêtes. Sinon, je n'aurai qu'à prétexter un urgent besoin de cours de cuisine et aller la voir. Tu pourrais même m'accompagner, si le cœur t'en dit!

Depuis qu'elle côtoie Alice sur une base régulière, Germaine a été à même de constater plus d'une fois que l'argent facilite drôlement la vie de ceux qui en ont plein les poches. Tu veux aller à Québec, tu y vas sans te demander de quoi tu devras te priver en revenant. Tu ne perds pas ton temps à chercher l'hôtel le moins cher. Ou tu débarqueras à celui où ta famille a l'habitude de dormir, ou tu en choisiras un nouveau pour son architecture et sa situation en plein cœur du Vieux-Québec. Tu ne te donneras pas la peine non plus de te préparer un lunch pour la route. Tu prendras tout au plus avec toi un ou deux sachets de noix et tu t'attableras au restaurant de l'hôtel à ton arrivée sans même jeter un coup d'œil au menu. Ceci étant dit, Germaine n'envie nullement sa belle-sœur. Elle reconnaît seulement qu'à première vue sa vie est beaucoup plus facile que la sienne sur le plan matériel.

— Dans le temps comme dans le temps, répond simplement Germaine.

De nature spontanée, beaucoup plus spontanée qu'Alice, elle planifie le moins possible ce qu'elle va faire demain et surtout pas l'année prochaine. En réalité, elle le fait seulement lorsque c'est absolument nécessaire, c'est-à-dire quand ça implique d'autres personnes comme la construction de sa nouvelle maison, par exemple, ou pour les quilles. Autrement, elle se laisse inspirer par son envie du moment. Alice s'amuse souvent à lui rappeler qu'elle est une adulte, maintenant, ce qui la fait rire. Germaine a passé son enfance à se faire commander par ses parents, et son mari a pris la relève sans se faire prier dès leur première sortie.

Le jour où il est décédé, elle s'est promis de ne plus jamais laisser personne lui dire quoi faire et encore moins organiser son horaire de quelque manière que ce soit.

— Ça ne te tuerait pas, tu sais, de dire oui tout de suite, pour une fois ! argumente Alice en la poussant du coude.

Germaine se contente de lui sourire alors qu'Alice se permet de lui tirer la langue comme le fait Catou.

— Aimerais-tu m'accompagner chez Pascal ? J'ai promis à Charles de le remplacer le temps qu'il aille chez le dentiste.

— Je te remercie, je vais plutôt finir de lire mon roman.

4

Christine a le cœur léger lorsqu'elle revient à la maison après sa dernière journée de travail à la réception de l'Hôtel Chicoutimi. C'est en chantant à tue-tête le succès de l'heure de Françoise Hardy *Comment te dire adieu* qu'elle fait son entrée.

— Je suis enfin en vacances ! s'exclame-t-elle avant d'aller se planter devant le réfrigérateur dans l'espoir d'y dénicher un grand pot de limonade dont seul Charles a le secret. On dirait que c'est mon jour de chance, ajoute-t-elle en le repérant derrière les pintes de lait.

— Comment se fait-il que Christine soit en vacances alors que l'école n'est même pas encore finie ? s'inquiète Chantale.

— Parce que j'ai travaillé très fort pour pouvoir me payer trois mois de vacances et j'ai bien l'intention d'en profiter. Youpi ! Youpi !

— Il me semblait que tu retournais à l'entreprise de nettoyage pour l'été, dit Simone en levant la tête de son roman-photo.

Christine prend le temps d'avaler une grande gorgée de limonade avant de lui répondre d'un ton neutre :

— C'est effectivement ce qui était prévu sauf que j'ai décidé de m'offrir des vacances avant de rentrer au cégep. Je t'annonce que je pars pour l'Ouest canadien la semaine prochaine avec mon amie Guylaine. On était sur le même quart de travail l'été dernier.

Cette fois, Simone retourne son roman-photo sur ses genoux, se redresse sur sa chaise et regarde sa fille dans les yeux. Elle a accepté de peine et de misère qu'elle mette ses études en veilleuse pour un an et qu'elle reste trois mois en Belgique parce que Maggie veillait sur elle, mais elle refuse de ne pas savoir où elle est, ne serait-ce que pendant une semaine.

— Tu comptes revenir quand ?

— Quand on n'aura plus d'argent ou qu'on en aura assez de parler en anglais, répond Christine d'un ton badin.

— Pas question que je te laisse partir à l'aventure avec une autre fille ! tranche Simone. C'est bien trop dangereux !

— Et il est hors de question que je passe mon été à faire du ménage. Pourquoi c'est toujours si compliqué avec toi ? Je te rappelle que tu as voyagé pendant un an.

— Je n'étais pas seule et j'étais plus vieille que toi.

— Guylaine existe vraiment, je peux même l'inviter à souper demain, si tu veux, et j'aurai dix-huit ans cet été. Il est où, le problème, maman ? Toutes les filles que je connais voyagent sur le pouce et leurs parents n'en font pas tout un plat. Tu es plus sévère avec moi que l'était grand-maman Jeannine avec toi.

Simone se mord la lèvre inférieure pour garder son sérieux. Elle tenait exactement le même discours à sa mère à l'âge de sa fille et ça marchait à tout coup. Mais pas avec elle ! Autre temps, autres mœurs. Le monde a changé et c'est loin d'être pour le mieux. On ne peut plus faire confiance à personne. Elle n'a qu'à regarder autour d'elle pour avoir des exemples concrets. Son père a abandonné sa femme aux mains d'une étrangère au moment où elle avait le plus besoin de lui et Françoise lui a préféré Sonia. Alice a pour ainsi dire donné sa maison à un quasi-inconnu et Thierry lève le nez sur Christine maintenant qu'elle s'est entichée de lui. Elle pourrait allonger la liste sans peine, ce qu'elle ne fera pas puisque sa décision est prise. Sa fille ne partira pas en cavale sur les grands chemins avec une amie dont elle ignorait l'existence jusqu'à aujourd'hui. Mlle Christine fera le tour du monde si elle veut, mais seulement quand elle sera majeure, et elle aura tout le temps de changer d'idée en trois ans.

— C'est non et ne t'avise pas de passer par ton père parce que je ne changerai pas d'avis, cette fois.

— Je vais passer par le pape s'il le faut, mais je te garantis que je ferai ce voyage que ça te plaise ou non. Je ne suis plus un bébé et je ne te laisserai pas diriger ma vie. Plutôt mourir!

Chantale éclate en sanglots lorsqu'elle entend sa sœur parler de mourir. Surprise, Christine s'avance jusqu'à elle et s'accroupit pour être à sa hauteur. Elle lui flatte le dos et lui demande gentiment pourquoi elle pleure.

— Parce que je ne veux pas que tu ailles trouver grand-maman Jeannine... J'aurais trop de peine si tu n'étais plus là.

— Ne t'inquiète pas, c'était juste une manière de parler. J'essayais d'expliquer à maman à quel point je tiens à faire ce voyage.

— Je ne veux pas que tu te fasses enlever comme la cousine de mon amie Francine, ajoute Chantale entre deux reniflements.

Première nouvelle que Christine en a. Elle se tourne vers sa mère dans l'espoir d'en savoir plus. Simone ne pouvait pas rêver mieux pour appuyer sa décision.

— C'est arrivé pendant que tu étais en Belgique, dit-elle. Elle avait le même âge que toi. Si je me souviens bien, elle travaillait dans un hôtel de Laval. Elle avait appelé sa mère pour l'avertir qu'elle rentrerait avec un ami à Montréal. Quand il lui a dit qu'elle devrait l'attendre une heure, elle a décidé de revenir sur le pouce. Personne ne l'a revue depuis ce jour-là.

— Hou ! Hou ! lance Christine d'un ton moqueur. Je tremble comme une feuille.

— Dépêche-toi de remballer ton insolence, l'intime sa mère. Ce qui est arrivé à cette jeune fille n'a rien de drôle.

— Et moi, je refuse de me laisser mener par la peur. Je suis jeune et j'ai envie de découvrir le monde. À commencer par mon propre pays ! Ne m'attends pas pour le souper.

Elle attrape son trousseau de clés et son sac à main et sort de la cuisine sans se retourner. Direction hôpital de Chicoutimi. Au diable la mise en garde de sa mère, elle doit trouver un allié et son père reste le meilleur, voire le seul depuis que Sonia est partie. Avec un peu de chance, elle pourra le voir entre deux patientes et, dans le cas où il serait en salle d'accouchement, eh bien, elle attendra qu'il se libère. L'essentiel est qu'il rentre à la maison seulement après l'avoir entendue. Elle en profitera pour revenir sur le chien dont elle lui a parlé la semaine dernière. La perte de Léo a fait beaucoup de peine à Pascal. De grosses larmes coulaient sur ses joues lorsqu'il l'a enterré au fond du jardin à la fin de sa trop longue journée de travail. Il a demandé comment c'était arrivé et il a refusé d'entendre la version de chacune de ses filles. Savoir que Léo était avec elles dans la cour et qu'il avait couru chercher la balle envoyée par inadvertance de l'autre côté de la rue lui suffisait amplement. Les jours suivants, il rentrait seulement pour dormir. Toute la famille était affectée par la mort de Léo, mais jamais autant que son maître. Pourtant, ils passaient très peu de temps ensemble. La tristesse de son père touchait tellement Christine qu'elle a fait sa petite enquête autour d'elle pour lui trouver un autre compagnon. Aucun ne pourra remplacer Léo, mais la présence d'une autre bête facilitera sûrement le deuil de chacun des membres de la famille, son père compris. C'est ainsi que Christine a eu vent que le cousin d'une de ses bonnes amies doit se départir de son grand chien blond. Il va faire un stage d'études de six mois aux États-Unis et personne de son entourage n'a accepté de s'en occuper pendant son absence.

Christine ignore comment Thierry a accueilli la nouvelle concernant l'accident de Léo. Elle connaît l'attachement qu'il éprouvait pour leur chien. Il était de loin celui qui passait le plus de temps avec lui, probablement qu'il l'a pris aussi durement que son père. Elle aimerait vérifier si elle voit juste, mais pour cela il faudrait qu'il accepte de lui parler alors que les moments où elle a accès à lui se font de plus en plus rares. En réalité, il la fuit comme si elle avait la peste. Pire, il l'ignore. Elle se demande encore comment elle a pu croire que c'était possible de passer du statut de meilleure amie à celui de petite amie. Elle reconnaît que cela a été la pire erreur de sa vie. Il n'y a pas cinquante manières de voir les choses, elle est en peine d'amour depuis la veille de son départ pour l'Angleterre et elle n'est pas prête à s'intéresser à un autre garçon. Thierry représentait beaucoup pour elle et elle a tout gâché en deux temps trois mouvements. Elle aurait dû écouter ses amies et mettre ses vieux principes de côté. Après tout, on n'a qu'une vie à vivre ! Elle l'a perdu par sa faute et elle s'en mord les doigts.

— Tu tombes mal, lui dit Mariette après l'avoir saluée, ton père vient juste d'entrer en salle d'accouchement.

— Je vais l'attendre.

— Arme-toi de patience parce que ça risque d'être long.

— Ça tombe bien, j'ai tout mon temps.

***

Martine a du mal à croire qu'elle sera en vacances dans moins d'un mois. N'eût été l'insistance de son père pour qu'elle passe l'été à la maison, elle serait retournée volontiers chez sa grand-mère Alice. Mis à part leurs premiers jours de cohabitation plutôt chaotiques des vacances de l'année dernière, elles se sont entendues comme deux larrons en foire, et c'est peu dire. Martine ne l'a pas suivie partout, elle serait sûrement morte de fatigue avant la fin de l'été. Elle profitait de ses quelques heures de solitude pour lire et admirer le paysage. Fait plutôt rare pour une jeune fille de son âge, l'endroit où elle est allée le plus souvent pendant son séjour demeure sans contredit la librairie. Alice ne faisait pas que l'y conduire, elle arpentait tous les rayons avec elle et s'énervait comme une gamine quand elle croyait avoir découvert la perle rare. Jamais sa petite-fille n'oubliera ces moments. Il était fréquent que les deux femmes sortent avec une dizaine de livres dont les genres allaient dans tous les sens. Sa grand-mère les payait et Martine les dévorait à la vitesse de l'éclair. À mesure qu'elle les lisait, elle les apportait à sa mère. Simone savourait chaque livraison avec grand plaisir. Sa fille avait changé sur plusieurs plans, mais elle était restée la même à propos du choix peu orthodoxe de ses lectures.

Contrairement à Christine, elle a vu Thierry plusieurs fois après son départ. Ou il venait passer quelques heures à la maison d'Alice, ou il l'invitait au cinéma. Martine n'en revient toujours pas de la manière dont sa sœur l'a traité. Il n'y a qu'elle pour agir de manière aussi immature. Bien que son ami ne lui ait pas tout raconté, elle soupçonne que sa chère sœur a encore dû lui servir la carte de la virginité jusqu'au jour de son mariage. Christine est tellement vieux jeu que c'en est décourageant. Comment une fille de son temps, on est quand même en 1968, peut-elle encore vouloir se réserver pour son mari? *C'est d'un tel ridicule à notre époque!* se répète Martine chaque fois qu'elle y pense. Comme si elle ne lui avait pas fait suffisamment de mal, sa chère sœur est revenue de Belgique avec la ferme intention de le reconquérir. Pour une fois, elle a trouvé chaussure à son pied. Martine ne veut aucun mal à Christine. Seulement, il fallait bien que quelqu'un finisse par lui dire qu'on ne joue pas avec le cœur des gens comme avec des dominos. Thierry parle peu de ses amours ratées dans ses lettres, mais elle sait lire entre les lignes. Il se meurt pour sa belle et ce n'est qu'une question de temps pour qu'il lui tombe à nouveau dans les bras. Christine a vraiment beaucoup de chance qu'un gars comme Thierry s'intéresse encore à elle après tout ce qu'elle lui a fait endurer.

Martine reçoit peu de visiteurs et elle ne s'en plaint pas la plupart du temps. Au contraire ! D'abord, elle déteste profiter de passe-droit sous prétexte que son père est docteur et que la sœur supérieure l'aime bien. Aux dernières nouvelles, cette dernière se déplace même pour aller le consulter à son bureau privé. Évidemment, Martine ne l'a pas appris de la bouche de son paternel. Une de ses amies de classe a surpris une conversation entre deux religieuses qui se faisaient un malin plaisir à casser du sel sur le dos de leur patronne qui, il faut bien l'admettre, n'est pas toujours très douce avec elles. C'est qu'elle a ses préférées, tout comme parmi les pensionnaires, d'ailleurs. À Noël, son grand-père André lui a promis de venir la voir, mais il ne l'a pas encore fait. Aussi bizarre que cela puisse paraître, il ne lui en a pas reparlé à Pâques. Il n'est plus le même depuis le jour où il a appris que sa femme était malade. D'un côté, il semble beaucoup moins triste depuis qu'elle est morte et, d'un autre côté, il n'arrête pas de répéter à quel point Sonia lui manque. Martine a parfois du mal à comprendre les adultes. Tout le monde sait que ses grands-parents maternels avaient chacun leur préférée. Mais alors pourquoi Simone n'allait-elle pratiquement jamais voir sa mère chez Mme Rachel ? C'est du moins ce que les filles lui ont rapporté. Et pourquoi n'en parle-t-elle jamais ? Martine l'ignore tout autant qu'elle ignore la raison qui a motivé Françoise à abandonner les siens. Parce que c'est ce qu'elle a fait… Martine en a voulu un peu à sa grand-mère quand elle a appris que c'était elle qui avait offert en cadeau les services de leur bonne à Sonia. Il n'y avait qu'Alice pour penser à cela. En y réfléchissant un peu plus, elle en est très vite venue à la conclusion que la seule responsable est Françoise. C'est elle et elle seule qui a décidé d'aller vivre à Québec. De tous les membres de sa famille, Martine est probablement celle sur qui son départ a eu le moins d'effet. Elle l'aimait ni plus ni moins qu'elle aime Charles depuis qu'il est au service de sa famille et ce n'est pas parce qu'ils se ressemblent. Alors là, pas du tout. Françoise et lui sont aussi différents que le sont le jour et la nuit. Il est très guindé, mais tout de même accessible. Il est très cultivé, mais il n'étale pas son savoir à moins qu'on lui pose une question. Il est aussi réglé qu'une horloge dans tout ce qu'il fait et il faut se lever de bonne heure pour le faire changer de menu. Et que dire si on veut le détourner de son idée.

Martine regarde l'heure sur l'horloge de la salle d'études. La cloche annoncera très bientôt la fin de la séance. Tant mieux parce que ça fait déjà près d'une demi-heure qu'elle rêvasse en mordillant le bout de son crayon à mine. C'est chaque fois pareil. Alors que la plupart des filles gardent le nez dans leurs livres jusqu'à la dernière minute, elle a toujours trop de temps. Elle lit ce qu'elle doit apprendre une seule fois et elle le sait suffisamment pour le réciter sans aucune hésitation. Son père lui a dit qu'elle avait beaucoup de chance d'avoir une mémoire photographique et qu'elle serait la candidate parfaite pour faire sa médecine. Elle aurait aimé lui avouer qu'elle en rêve depuis qu'elle est toute petite, mais ce n'est pas le cas. Loin de là!

Martine sourit sans s'en rendre compte… Elle pense à leur nouveau deuxième voisin. Un beau grand brun taciturne aux cheveux longs. Elle l'a entrevu le jour de Pâques en passant devant la maison où sa famille vient d'emménager. Quand elle en a parlé à ses sœurs, leurs visages se sont illuminés instantanément. Elles ne connaissaient alors de lui que ce qu'elles voyaient quand elles avaient la chance de l'apercevoir en passant devant chez lui, mais elles sont très vite allées aux nouvelles. Dans leur dernière lettre, Brigitte et Chantale lui en ont écrit une page entière sur le beau Mathieu. Elles l'ont aussi rassurée: il ne sort avec personne et Christine le trouve beaucoup trop jeune pour s'y intéresser. Martine sort sa lettre et c'est alors que la cloche la tire de sa rêverie. Elle la range dans son sac avec ses livres et ses cahiers, se lève et sort de la salle d'études.

***

Thierry ouvre tous les tiroirs et le placard de sa chambre d'étudiant pour être bien certain d'avoir emballé tout ce qui lui appartient. Heureusement pour lui, il n'aura pas besoin de tout ramener à Chicoutimi. Sonia lui a offert de ranger chez elle ce dont il ne se servira pas avant la reprise de ses cours en septembre. Il n'aura donc pour tout bagage que son sac de voyage quand il prendra la route avec le petit Émile, sa mère et Françoise. Il lui tarde de s'installer derrière le volant de son auto pour enfin se déplacer par ses propres moyens. Bien qu'elle lui ait manqué à quelques occasions, il est bien obligé d'admettre qu'elle ne lui aurait pas été d'une grande utilité ici vu la proximité entre sa chambre et le pavillon de la médecine où il passait le plus clair de son temps. Après un départ difficile, il a tout aimé de sa première année. Il sait maintenant hors de tout doute qu'il a fait le bon choix : soigner les gens est ce qui le rend le plus heureux. Les connaissances qu'il a acquises dans les livres du Dr Thibault lui ont servi dans tous ses cours et, d'après ce qu'il a pu constater, elles continueront à lui donner une longueur d'avance sur ses collègues jusqu'à ce qu'il termine sa formation. L'expérience pratique acquise les samedis à la clinique aux côtés de ses deux idoles et à l'hôpital de Chicoutimi l'été dernier lui a également été très bénéfique. Il comprend ce qu'on attend de lui et l'exécute avec l'assurance d'un jeune docteur. Enfin… aux dires de ses professeurs ! Plusieurs d'entre eux l'ont pris sous leur aile, ce qui ne lui a pas facilité la vie pour autant. Au contraire, ils exigeaient encore plus de lui. Par contre, leur intérêt pour sa personne lui a permis de se dépasser. Il est prêt à se tuer à l'ouvrage si c'est pour être un meilleur docteur.

Il a tout fait pour chasser Christine de ses pensées. Sans succès ! Chaque fois qu'il croyait y être arrivé et qu'il levait les yeux sur une fille, son image se substituait à celle qui était devant lui. Il avait beau secouer la tête, elle ne s'en allait pas. Il s'ennuie du temps pas si lointain où il écoulait des jours heureux avec Suzie. Elle n'était pas l'amour de sa vie, mais sa présence lui faisait du bien. Surtout quand ils faisaient l'amour! Il ne peut pas continuer à vivre ainsi. Il doit absolument voir Christine et voir s'ils ont encore une chance ensemble.

Il est content de retourner chez lui. Il s'ennuie des siens et encore plus de son petit frère Daniel. Le Dr Laberge lui a demandé de l'assister comme l'été dernier, ce qu'il a accepté avec empressement. Cet homme jouit d'une telle reconnaissance dans son domaine que tout le milieu médical du Québec le vénère sans même l'avoir rencontré. Encore mieux, sa réputation dépasse largement les frontières. Si Thierry se fie à l'an dernier, il passera pratiquement tout son temps à l'hôpital. Cet homme ne connaît pas la fatigue et encore moins l'heure. La médecine est sa raison de vivre et il impose une discipline de fer à tous ceux qui travaillent à ses côtés. Aux dires de M. Thibault, il ne se fait pas pire bourreau que le Dr Laberge. Si, par respect, Thierry s'est toujours retenu d'abonder dans son sens, il n'en pense pas moins. Une session universitaire de quatre mois n'est rien comparée à l'été qui l'attend.

Thierry profitera de ses trois semaines de congé avant de commencer à l'hôpital pour donner un coup de main à son père. Ce n'est plus le même homme depuis que Mme Alice lui a offert sa maison en échange du montant obtenu pour la vente de la sienne, c'est-à-dire pour une bouchée de pain. Il ne s'explique pas encore pourquoi elle a fait tout ça pour sa famille. Il fallait voir le sourire de sa mère la première fois qu'elle est entrée dans cette grande maison à laquelle elle ne se serait jamais permis seulement de rêver. Si Thierry osait, il dirait que ses parents ont grandi depuis qu'ils ont déménagé. Il suffit de les regarder de plus près pour voir qu'ils se tiennent plus droit et qu'ils sourient en permanence alors qu'ils travaillent plus qu'avant. La liste des clients de son père ne cesse de s'allonger. Encore là, il doit une fière chandelle à Mme Alice. Elle s'est fait un point d'honneur à parler de lui à tous ceux qu'elle rencontre. Devant l'affluence de contrats, elle l'a encouragé à quitter son emploi pour consacrer tout son temps à son entreprise, ce qu'il a fait en début d'année. Son père a une confiance inébranlable en cette femme, et elle en lui. Thierry sourit. Qui aurait pu seulement prétendre qu'un jour sa famille aurait la chance de se sortir de sa médiocrité grâce à quelqu'un d'aussi bien nanti qu'elle ? De là, il n'y a qu'un pas à franchir pour croire aux miracles. À moins que ce ne soit plutôt à la grande générosité de la famille Thibault. Thierry secoue la tête. Si Christine était là, elle lui rappellerait gentiment que la seule raison pour laquelle les siens ont aidé sa famille repose sur leur potentiel. Le sien et celui de son père.

Et voilà que ses pensées le ramènent à Léo. Il regrette de ne pas avoir été là quand la pauvre bête s'est fait renverser. Il y était très attaché… et son maître encore plus que lui s'il se fie à son discours et à son ton lorsque M. Thibault l'a appelé le jour même pour l'informer de ce qui était arrivé à leur chien.

Des petits coups secs frappés sur la porte de sa chambre le sortent brusquement de sa rêverie.

— Entrez ! s'écrie-t-il d'une voix enjouée.

— Salut, jeune homme ! lance Sonia, à bout de souffle après avoir monté trois étages au pas de course.

Ce n'est qu'en la voyant que Thierry réalise qu'il a oublié l'heure. Il devait l'attendre en bas avec toutes ses affaires et il n'en a rien fait.

— Désolé, dit-il en haussant les épaules, j'ai complètement oublié de...

— Avec un peu de chance, l'interrompt Sonia d'un ton faussement sévère, je devrais arrêter de t'en vouloir d'ici une heure… ou deux. Tant qu'à être là, aussi bien me rendre utile. Désigne-moi ce que tu as de plus léger, ça exclut tes livres, et je me charge de descendre le tout.

— Pas question !

— Tu me connais bien mal si tu crois que je vais retourner d'où je viens les mains vides. Allez! Et plus vite que ça!

Il y a longtemps que Thierry a cessé de s'obstiner avec Sonia. Si elle veut forcer en transportant ses affaires, eh bien, il va tout faire pour la satisfaire.

— Organise-toi pour me charger comme il faut parce que ce sera mon seul voyage, annonce-t-elle comme si elle lisait dans ses pensées.

Thierry fait un tour rapide de ses quelques boîtes et en conclut très vite que son sac de voyage est le seul dont le poids est supportable pour elle.

— Tant pis pour toi! s'exclame-t-elle avant de sortir de la pièce avec son bagage.

Cinq allers-retours plus tard, il prend place côté passager. Elle le regarde et lui sourit avant de lui dire:

— Ça m'arrive rarement de vous envier, les hommes en général, je veux dire, mais j'avoue le faire chaque fois que je suis à même de constater le peu de choses dont vous avez besoin comparativement à nous, les femmes. Je parie que j'aurais eu au moins deux fois plus de boîtes que toi, et encore. Prêt? On file chez moi. Tu débarques tes boîtes, Jérôme t'a fait de la place dans la pièce où il conserve ses vieux dossiers. On avale un sandwich en vitesse et on part pour Chicoutimi avec Émile et Françoise. Je ne sais pas pour toi, mais j'ai très hâte de revoir tout le monde.

— Moi aussi!

5

— Chez tes parents ou chez Christine ? lui demande Sonia alors qu'ils viennent de passer devant le terrain de golf de Chicoutimi.

— À la même place que toi ! répond Thierry d'un ton assuré. Je n'en peux plus de toujours penser à elle. Ou ça passe ou ça casse, mais je te garantis que j'ai fini de me morfondre comme un imbécile si je suis le seul à le faire.

— Sage décision ! lance Françoise en s'avançant sur le bout de son siège. Pas toujours facile à suivre, la belle Christine.

— Il ne faut pas vous en prendre à elle, confesse Thierry, je suis le seul responsable. J'ai carrément refusé de lui parler chaque fois qu'elle m'a supplié de nous donner une deuxième chance. J'espère seulement qu'elle ne sera pas aussi bornée que moi.

— Tu ne devrais pas tarder à le savoir, avance Sonia, on sera chez elle dans quelques minutes. Dans le cas où ça ne tournerait pas comme tu veux, je te conduirai chez tes parents.

Thierry la regarde avec des yeux de chien battu, ce qui lui fait tout de suite réaliser qu'elle aurait pu s'abstenir de prononcer sa dernière phrase.

— Excuse-moi ! lui dit-elle. Je ne voulais pas te décourager, mais connaissant ma nièce, j'aime autant te dire que ce n'est pas gagné d'avance. Je ne t'apprendrai rien si je te dis qu'elle est têtue comme une mule et, aux dernières nouvelles, elle ne se privait pas pour se plaindre de toi.

Françoise met sa main sur l'épaule de Sonia et la serre légèrement dans l'espoir de l'inciter à changer de sujet.

— Je trouve qu'elle a changé depuis qu'elle est revenue de Belgique, poursuit quand même Sonia. On jurerait qu'elle a oublié sa joie de vivre à Bruxelles. Je l'ai invitée autant comme autant à venir passer quelques jours chez moi et elle a toujours refusé.

— Moi, j'irai chez Rachel, lance Françoise pour faire diversion.

Son intervention lui vaut deux paires d'yeux dans lesquelles on peut lire l'étonnement total.

— Vous avez bien fait de me le rappeler, ironise Sonia, parce que je vous aurais laissée chez Alice.

— J'irai certainement la visiter, mais pas aujourd'hui ; je vois la maison.

— Et moi un grand chien blond ! s'écrie joyeusement Thierry. Quelle belle bête !

Son cœur s'emballe aussitôt qu'il aperçoit celle qui tient la laisse. Christine dans toute sa splendeur ! Il ne pouvait pas mieux tomber. Il lui tarde de descendre de l'auto avant qu'elle prenne ses jambes à son cou en posant les yeux sur lui. Elle les voit, mais elle ne se donne pas la peine de venir embrasser sa tante, son cousin et son ancienne bonne. Tout au plus, elle leur fait un signe de la tête en passant à leur hauteur et elle se met à courir comme si elle avait une meute de loups à ses trousses. Thierry sort de l'auto en coup de vent et s'élance à sa poursuite. Pas question d'attendre son retour.

Elle vient de dépasser la maison de Rachel lorsqu'il la rejoint. Il l'attrape par le bras pour l'obliger à s'arrêter.

— Lâche-moi, lui ordonne-t-elle, je n'ai rien à te dire.

— Moi oui et je te garantis que tu vas m'écouter ! répond-il sans se laisser démonter par son ton cinglant.

— Pourquoi je t'écouterais alors que ça fait des mois que tu m'évites ?

— Parce que je suis le pire des imbéciles et que je suis en train de devenir fou sans toi.

Le visage de Christine s'adoucit d'un coup. Elle se frotte les yeux comme si elle venait enfin de sortir d'un mauvais rêve et pousse un grand soupir. Elle plonge ensuite son regard dans celui de Thierry et lui sourit. Il l'attire à lui et l'embrasse avec toute la fougue qu'il portait en lui depuis leur dernier baiser. Un coup de klaxon les ramène brusquement sur terre.

— Je te présente Voyou, ton nouveau chien.

— Avez-vous trouvé son nom dans une boîte de Cracker Jack ?

— Disons plutôt qu'il venait avec lui, répond Christine en riant. Laisse-moi t'expliquer sa petite histoire.

Elle s'acquitte de sa tâche en deux temps trois mouvements et fait les présentations officielles. Il ne ressemble en rien à Léo, mais Thierry l'a aimé à la seconde où il l'a vu et Voyou aussi s'il se fie au nombre de coups de langue qu'il lui a donnés depuis qu'il s'est accroupi pour le flatter.

— Allons au parc, suggère le jeune homme, il faut qu'on parle.

Christine le prend par la main. Ils gardent le silence jusqu'au moment de s'asseoir sur le premier banc libre. La nervosité se lit sur leurs visages, mais aussi le plaisir de s'être enfin retrouvés.

— Je ne m'explique toujours pas pourquoi tu as rompu avant de partir pour l'Angleterre, s'enquiert Thierry d'une voix mal assurée, et pourquoi j'ai accepté.

— Je ne voulais pas que tu te morfondes à m'attendre, répond-elle en se tordant les doigts.

— Échec total! Qu'est-ce que tu penses que j'ai fait? Je n'ai pas arrêté de m'inquiéter pour toi… pour nous. J'ai reçu une seule lettre de ta part et c'était pour m'annoncer ton retour. Comment penses-tu que je me suis senti?

Thierry a une boule dans la gorge qui l'empêche de respirer normalement et, comme si ce n'était pas suffisant, voilà que son regard se voile.

— Je suis tel…

— Laisse-moi finir! Je ne comprenais pas pourquoi tu avais fait ça… Je croyais que tu m'aimais. J'étais tellement perdu que si Sonia et Françoise ne m'avaient pas porté à bout de bras, parce que c'est ce qu'elles ont fait, j'aurais échoué tous mes cours et j'aurais pu faire une croix sur la médecine.

Elle lui presse le bras pour lui signifier qu'elle veut parler, mais il ne s'en préoccupe pas le moins du monde. Il en a trop sur le cœur pour s'arrêter maintenant.

— Je m'étais enfermé dans ma peine et je ne trouvais plus le moyen de m'en sortir. J'étais là en apparence alors qu'en réalité j'étais roulé en petite boule et je pleurais ton absence. Je t'aimais trop, bien trop pour ma capacité à te sortir de moi le jour où tu te fatiguerais de moi. Et tu l'as fait! Tu m'as laissé tomber comme une vieille chaussette et tu voulais revenir dans ma vie sans crier gare. C'était au-dessus de mes forces!

— Je te demande pardon, s'écrie Christine, le visage baigné de larmes.

— Pas la peine ! lance-t-il en balayant l'air de la main. Plus maintenant ! Sonia m'a fait comprendre que je pouvais continuer à me laisser dévaster chaque fois que mes amours ne tourneraient pas rond, avec toi ou avec qui que ce soit, et qu'à l'inverse, je pouvais aussi apprendre à garder la tête hors de l'eau. Et surtout à continuer à vivre malgré ma peine puisque de toute façon elle s'en irait seulement quand j'en aurais fini avec elle. Sonia m'a aussi appris à dire les choses au lieu de tout garder en dedans. Françoise et elle m'ont écouté vomir la même histoire jusqu'à ce que je me relève enfin.

Thierry lui caresse la joue et lui sourit avant de reprendre la parole :

— J'ai essayé de toutes mes forces de t'oublier sans pouvoir te sortir de ma tête et de mon cœur. Alors, à moins que tu me dises qu'il n'y aura plus jamais de nous pour toi et moi, je voudrais que tu nous donnes une autre chance.

Christine se jette à son cou et lui souffle un « Je t'aime » à l'oreille. Jamais deux mots n'auront mis autant de baume sur son cœur. L'instant d'après, ils s'embrassent avec passion sous la supervision d'un grand Voyou blond.

— Alors ? lui demande Thierry en s'éloignant un peu pour mieux la voir.

— Nous avons encore un nous et je suis impatiente de nous mettre à l'épreuve.

Elle se lève et va se placer devant lui. Elle lui prend la main et lui dit sur un ton mi-figue mi-raisin :

— Veux-tu sortir avec moi et faire ce qu'il faut pour que nous ne soyons plus qu'un ?

Les paroles de sa dulcinée mettent plusieurs secondes avant de prendre tout leur sens. Sitôt fait, Thierry l'attire à lui et couvre son visage de petits baisers. Et c'est à cet instant précis que Christine accepte d'oublier son projet de découvrir l'Ouest canadien. Sa mère n'avait pas encore baissé sa garde, mais elle avait son père de son côté et ça lui suffisait amplement pour passer outre l'autorité maternelle. Elle irait annoncer la nouvelle à son amie ce soir… leur départ était prévu dans deux jours.

***

Françoise a préféré aller directement chez Rachel cette fois. Si Simone ne la malmène pas quand elle entre la saluer, elle ne peut pas dire non plus qu'elle lui déroule le tapis rouge. Elle lui fait la conversation du bout des lèvres sans même lui offrir de s'asseoir. Jamais elle n'aurait cru que son départ lui vaudrait autant d'indifférence de la part de celle qui prétendait haut et fort qu'elle faisait partie de la famille. Le pire, dans tout ça, c'est que Françoise n'y voyait que du feu. Elle croyait dur comme fer qu'elle comptait aux yeux de sa patronne et cela a été le cas jusqu'au jour où elle a démissionné. Il lui arrive parfois de regretter de s'être investie autant avec elle. La réaction de Simone a jeté de l'ombre sur la joie qu'elle se faisait de déménager à Québec, et pas rien qu'un peu. On ne la reprendrait plus à se donner corps et âme à son travail. Il lui a fallu seulement quelques semaines pour se rendre compte qu'elle n'a pas encore compris parce qu'elle agit exactement de la même manière avec Sonia. Elle a pour son dire qu'elle est différente de madame docteur, ce qui est vrai, mais le sera-t-elle encore le jour où Françoise la quittera ? Elle ose croire que oui.

Les trois plus jeunes des filles Thibault lui manquent beaucoup. Connaissant Sonia, elle les avertira qu'elle est chez Rachel, et Chantale et Brigitte débarqueront sitôt revenues de l'école. Avec un peu de chance, elles emmèneront Catou. Dans le cas contraire, il suffira de leur demander d'aller la chercher. Ces petites étaient le rayon de soleil de sa vie, tout comme l'est d'ailleurs Émile aujourd'hui. Françoise aime les câliner, leur montrer comment se servir d'une fourchette, faire des boucles, jouer au ballon. Elle adore les aider à grandir. C'est pourquoi une seule chose figure dans la colonne des regrets du grand livre de sa vie et elle se lit comme suit : *Ne pas avoir eu d'enfant.* Ça ne l'empêche pas de dormir la nuit, seulement de dire que sa vie est parfaite. Le plus dur reste de se faire à l'idée que ça ne risque pas de changer. Elle s'est toujours donnée corps et âme à son travail. Elle s'est oubliée pour lui et elle le fera jusqu'au jour où elle raccrochera définitivement son tablier. Elle n'y peut rien, elle est faite comme ça.

— Françoise ! lance Rachel en lui pressant l'avant-bras de sa main libre. Fais attention, c'est bouillant.

— Merci ! Est-ce que tu es triste de partir ?

— Seulement quand Chantale vient me voir. Avoue qu'elle te manque à toi aussi !

— Oh oui ! On n'aura qu'à l'inviter à venir passer quelques jours à Québec quand on sera installées.

— La connaissant, je mettrais ma main au feu qu'elle va vouloir venir avec Brigitte.

— Aucun problème pour moi ! confirme aussitôt Françoise. On pourrait demander à leur grand-père de nous les emmener.

Rachel rougit jusqu'à la racine des cheveux en entendant la dernière phrase de son amie et, comme si ce n'était pas assez, elle passe tout près de s'étouffer avec sa gorgée de thé.

— Pourquoi ai-je l'impression que tu me caches quelque chose ?

Il faut voir avec quelle ardeur son amie se mord la lèvre inférieure dans l'unique but de se donner une certaine contenance.

— Il m'a invitée au restaurant hier soir, finit-elle par confesser après quelques secondes en rougissant de plus belle.

— Et après ? la presse Françoise d'une voix enjouée.

— Il m'a dit qu'il avait des sentiments pour moi et qu'il se sentait très mal à l'aise parce que je m'étais occupée de Jeannine.

— Continue…

Rachel hausse les épaules et lève les yeux en l'air.

— Tu ne me croiras pas ! Il a ajouté qu'il était même prêt à vendre sa maison et à déménager à Québec seulement pour avoir une chance avec moi. Je…

— Pas question que tu t'arrêtes ici ! Allez !

— Je suis aussi folle que les patients de l'Hôpital Saint-Michel-Archange de Québec ! Peut-être même plus. Je m'entends encore lui répondre un « oui » à peine suffisamment audible pour qu'il comprenne de l'autre côté de la table. Il s'est avancé et il m'a embrassée. Pour tout dire, j'ai fait une folle de moi et, le pire, c'est que je referais la même chose.

— Je te l'avais bien dit qu'il avait un faible pour toi. Et après ? lui demande Françoise avec un petit sourire en coin.

— Si tu veux tout savoir, on n'a rien fait d'autre que s'embrasser. Ah oui, il m'a invitée à souper chez lui demain. Je lui ai dit que tu serais là aussi.

— Pas question que je vous serve de chaperon ! J'en profiterai pour donner un cours de cuisine à Alice si elle est disponible. Promets-moi de ne pas attendre aux calendes grecques pour lui sauter dessus.

— Je te rappelle que ma patience a des limites !

Rachel est tout sourire depuis qu'elle parle d'André. Elle l'avait trouvé très bel homme la première fois qu'elle l'avait vu. Mal à l'aise d'éprouver un tel sentiment pour le mari de son amie mourante, elle s'était empressée de l'oublier, ce qui somme toute n'avait pas été trop difficile puisqu'elle ne l'a revu qu'au salon funéraire. Hier soir, avant de lui dire qu'elle l'intéressait, il a pris le temps de lui expliquer pourquoi il avait agi ainsi. Elle l'a écouté jusqu'à la fin alors que Jeannine lui avait tout raconté. Il était mort de peur à la seule pensée qu'elle le juge pour sa mauvaise conduite, ce qu'elle n'a pas fait pour la simple et unique raison qu'elle comprend sa réaction.

— Est-ce que ses filles sont au courant de ses sentiments ?

— Pas à ma connaissance ! Je ne m'inquiète pas trop pour Sonia, elle va être folle de joie si jamais André vient me trouver. Quant à Simone, je redoute un peu sa réaction. Elle a perdu sa mère, sa sœur, sa bonne, Thierry, et maintenant son père. Ouf ! J'aime mieux ne pas y penser !

— Dans le temps comme dans le temps ! lance Françoise. Il faut fêter ça.

— Tu tombes mal, avoue Rachel, mon bar est vide.

— Tu le rempliras quand tu seras à Québec. En attendant, tu nous emmènes à la Régie des alcools, tu choisis une bouteille de ce que tu voudras et je la paie.

— Tant qu'à sortir, tu me fais penser que j'ai un paquet de vieilleries et quelques meubles dont je veux me départir. Penses-tu qu'on pourrait en profiter pour arrêter voir M. Dionne ?

— Si tu veux.

***

Pascal s'est mis dans une position très inconfortable en se rangeant du côté de Christine. Il savait que Simone lui en voudrait, pas qu'elle ne lui adresserait plus la parole. Et ça dure depuis cinq jours. Il entre dans une pièce, elle en sort. Et si par malheur il l'effleure au passage, elle rugit comme un lion. Le docteur en lui s'inquiète pour sa santé. Et le mari pour son mariage. Il l'aime comme au premier jour, mais il a du mal à imaginer qu'il devra endurer ses réactions extrêmes jusqu'à la majorité de Catou. Il ne pensait jamais dire ça un jour: il a peur pour Simone. Il lit tous les articles en lien avec les sautes d'humeur et les réactions violentes pour se convaincre que sa femme n'est pas malade, qu'elle a seulement mauvais caractère. S'il lui arrive de croire la deuxième option, ça ne dure jamais très longtemps. Il a bien l'intention de chercher jusqu'à ce qu'il puisse nommer avec assurance le mal qui la gruge. Quitte à se la mettre à dos, il va continuer à défendre ses filles. Il tient mordicus à leur offrir une vie normale. D'ailleurs, il a décidé de moins travailler à l'hôpital pour être plus présent à la maison. Il en profitera aussi pour accorder plus de temps à son nouveau chien. N'eût été l'insistance de Christine, il aurait attendu avant d'en avoir un autre.

Personne ne sait qu'il a versé toutes les larmes de son corps, assis sur une des chaises droites de sa salle d'attente, après avoir enterré Léo à la pluie battante au fond du jardin. Il avait eu une journée de fou à l'hôpital. C'était à qui aurait les symptômes les plus bizarres. Conséquence: il avait passé son temps le nez dans ses livres et son moral était au plus bas. Il avait fait sa médecine pour aider les gens, les soulager et les guérir le plus souvent possible. Pas pour être face à son incompétence après chaque patient. Il n'était pas fier de lui ce jour-là.

La mort de Léo lui est tombée dessus comme une tonne de briques. Il rêvait depuis qu'il était gamin d'avoir un chien et, maintenant qu'il s'était enfin décidé à s'en offrir un, il fallait qu'il meure. Il ne l'avait pas depuis des années sauf qu'il y était très attaché. Il lui arrivait régulièrement de se reprocher de ne pas être là pour lui autant qu'il l'aurait souhaité alors qu'au fond il ne l'est guère plus pour sa famille.

Il se remet à frotter sa moto. Lorsqu'il a retiré la housse sous laquelle elle hiberne chaque année même si elle est dans le garage, son premier réflexe a été de la changer. Surtout que les nouveaux modèles sont à couper le souffle. Au lieu de se précipiter au magasin, il a pris le temps de l'examiner sous tous les angles. Son premier constat : elle est impeccable et elle n'a pas de millage. Son deuxième constat : elle est encore bonne pour cinq autres années. Inutile de changer pour une machine plus performante et plus récente tant et aussi longtemps qu'il la prendra seulement pour aller à l'hôpital les jours de beau temps et faire quelques petites virées aux alentours les rares fois où son horaire le lui permet.

Alerté par le rire de Christine, Pascal lève la tête et dépose son chamois sur son guidon lorsqu'il aperçoit Thierry. Il ne le crie pas sur les toits, mais son protégé lui manque beaucoup depuis qu'il étudie à Québec.

— Salut, vous deux ! s'écrie-t-il en venant les rejoindre. Depuis quand es-tu en ville, toi ?

— Je viens juste d'arriver !

— Et tu préfères aller marcher avec notre Voyou plutôt que de venir me saluer ?

— Moi aussi, je suis content de vous voir ! lance Thierry en le prenant par le cou.

La seconde d'après, Pascal le serre dans ses bras et lui donne deux bonnes tapes dans le dos. Ils ont toujours autant de plaisir à se retrouver.

— Et moi donc ! Quand est-ce qu'on va pêcher ?

— C'est quand vous voulez, je commence à travailler pour le Dr Laberge dans trois semaines seulement.

— Parfait ! Comment trouves-tu notre nouveau chien ?

— C'est une bonne bête.

Restée un peu en retrait jusque-là, Christine vient se placer devant son père et lui dit en le regardant dans les yeux :

— Je ne pars plus ! Thierry et moi nous sommes remis ensemble.

— Tant mieux !

— Où allais-tu ? s'inquiète aussitôt Thierry.

— Je t'en parlerai plus tard.

***

Devant le peu d'enthousiasme de Simone malgré le fait qu'elle lui avait annoncé sa visite une semaine plus tôt, Sonia a déménagé ses pénates chez son père une heure après son arrivée. Il fait beau et chaud et sa sœur a encore son humeur des grands froids. Très peu pour elle ! Brigitte et Chantale l'ont suppliée de les emmener. Devant autant de détermination, Sonia leur a dit d'apporter leur pyjama au cas où elle n'aurait pas envie de les ramener ce soir, ce qui lui a valu deux tours de cou et une volée de baisers. Se doutant que le réfrigérateur de son paternel serait aussi vide que d'habitude, elle a acheté tout ce qu'il faut pour le souper avant de prendre la route pour Jonquière. Le temps où elle sortait de chez les Thibault les mains pleines de denrées ou avec des plats cuisinés est révolu. Si Charles s'en tire plutôt bien en cuisine, elle préfère de loin celle de Françoise, et pour cause. Sonia n'aime pas quand on met les petits plats dans les grands et c'est l'impression qu'elle a eue chaque fois qu'elle s'est assise à la table des Thibault depuis qu'il est arrivé. Elle espère sincèrement que Simone va changer d'humeur avant qu'elle retourne à Québec. Elle a essayé de lui tirer les vers du nez pour savoir ce qui la mettait dans cet état sans parvenir à lui faire cracher le morceau. Elle commence sérieusement à se demander si Simone a encore besoin d'une raison pour avoir son air de bœuf. Sonia en glissera un mot à Pascal quand elle le verra demain pour parler de la fondation et évaluer les nouvelles candidatures qu'ils ont reçues.

Installées sur la banquette arrière de chaque côté de son fils, ses nièces parlent sans arrêt, ce qui fait rire Émile aux éclats.

— Est-ce que je pourrais dire qu'Émile est mon frère ? demande Chantale à brûle-pourpoint d'un ton sérieux.

— Mais non, voyons ! lui répond Brigitte d'un ton autoritaire, c'est ton cousin.

— Je sais tout ça, mais avoue que ce serait comme papa et Thierry.

— Que veux-tu dire, au juste ? lui demande sa tante en réprimant un sourire.

— Laisse-moi t'expliquer, tatie ! Chaque fois que papa appelle Thierry, maman n'arrête pas de répéter qu'il est le fils qu'il n'a pas eu. C'est pareil pour Émile parce que c'est le frère que je n'aurai jamais. Je te rappelle que je n'ai que des sœurs.

— Tu es folle ou quoi ? lui demande Brigitte.

— Laisse-moi tranquille ! C'est à tatie que je parle, pas à toi ! Alors ?

Sonia réfléchit quelques secondes avant de lui répondre :

— Rien ne t'empêche de dire que c'est ton frère d'adoption.

— C'est quoi, un frère d'adoption, tatie ?

— Quelqu'un qui ne fait pas partie de notre famille et qu'on aime assez pour avoir envie de l'adopter. Quand j'avais le même âge que toi, c'est comme ça que j'appelais notre voisin. D'ailleurs, je me demande bien ce qu'il est devenu.

Une image très claire du beau Michel s'impose à elle alors qu'elle n'a pas eu une seule pensée pour lui depuis au moins vingt ans.

— On est arrivés, tatie ! s'écrie Chantale sans plus se préoccuper du rôle qu'elle voulait attribuer à Émile.

André apparaît comme par magie à sa portière avant que Sonia n'ait le temps d'éteindre son moteur. Il l'ouvre et lui tend la main pour l'aider à sortir. Il la serre ensuite dans ses bras et l'embrasse sur les joues.

— Quelle belle surprise ! Tu m'as tellement manqué ! Est-ce que je rêve ou tu m'as emmené mes deux petites tannantes ?

— J'arrive, grand-papa, s'écrie Chantale avant de faire le tour de l'auto en courant pour venir se jeter dans ses bras.

André la bécote partout dans le cou pendant qu'elle se contorsionne tant elle est chatouilleuse. Et c'est ensuite au tour de Brigitte. Satisfaites de son accueil, les petites ricanent pendant qu'il va chercher Émile dans l'auto. Contrairement à ses cousines, il pleure à fendre l'âme aussitôt que son grand-père lui tend les bras.

— Je ferais mieux de lui laisser le temps d'arriver, dit André en se reculant, il ne m'a pas vu très souvent depuis qu'il est au monde.

Sonia va chercher son fils et il se colle sur elle.

— As-tu quelque chose à rentrer ?

— Tout ce qui est dans la valise, répond-elle en lui faisant son plus beau sourire. J'espère que ça ne te dérange pas si on dort ici. Ma chère sœur avait sa face d'enterrement et je n'avais pas envie de la supporter.

— Maman est fâchée après papa parce qu'il veut que Christine parte en voyage sur le pouce et pas elle, raconte Brigitte.

— Papa appelle maman « Miss Bougon », confesse Chantale, et elle n'aime pas ça du tout.

— Venez m'aider, mes deux petites pies, s'écrie André en riant.

— Aimerais-tu savoir ce qu'on a acheté pour souper ? lui demande Chantale.

— Du bœuf haché, des patates, des oignons et des carottes, répond Brigitte avant qu'André ait le temps d'ouvrir la bouche.

— Pourquoi tu l'as dit? s'indigne Chantale. Je voulais qu'il le devine.

— Et moi je voulais le dire et je l'ai dit. Et pour dessert...

— Des galettes à la mélasse, s'empresse d'ajouter Chantale en ne manquant pas de faire une grimace à sa sœur sitôt son dernier mot prononcé.

André et Sonia éclatent de rire. Autant elles s'entendent bien la plupart du temps, autant elles se crêpent le chignon à la première occasion.

— J'en connais un qui va être bien triste si Christine s'en va, avance Sonia.

— Première nouvelle que j'en ai, dit André, mais remarque que c'est un peu normal. Je suis presque gêné de te le dire, mais je vais chez Simone seulement quand tu descends. Après ton déménagement, je l'appelais pour annoncer ma visite et elle trouvait toujours une excuse pour ne pas que je passe. J'ai vite compris et j'ai arrêté.

— J'imagine qu'elle vient te voir...

— Je te rappelle que j'habite à Jonquière, ironise André. Sérieusement, elle ne m'a pas honoré de sa visite une seule fois. Entrons, on sera mieux à l'intérieur.

Sonia se doutait bien que son père ne passait pas son temps chez Simone, il ne l'a jamais fait. Par contre, elle se serait au moins attendue à ce que sa sœur l'invite à l'occasion. Elle comprend que son départ et celui de Françoise ont chamboulé sa vie, sauf qu'il serait temps qu'elle en revienne. On dirait que tout l'irrite. Décidément, son aînée ne s'améliore pas en vieillissant. Et Sonia plaint Pascal de tout son cœur d'avoir à la supporter. Heureusement pour les filles, il ne s'est jamais gêné pour s'opposer à toute décision qui lui semblait injuste ou exagérée. Nul doute que Simone lui en fait payer le prix.

Chantale et Brigitte ont à peine mis les pieds dans la cuisine qu'elles demandent quand le souper sera prêt.

— Quand la bonne aura eu le temps de le préparer, ironise leur tante, ce qui les fait rire.

— Ta bonne n'est même pas là, s'écrie Chantale.

Sonia dépose son fils par terre, attrape le tablier sur le crochet près de la cuisinière et l'enfile.

— Tant pis, alors, je ferai la bonne. Qui veut m'aider ?

Deux mains se lèvent en même temps.

— Chantale va éplucher les patates ; et Brigitte, les carottes. Et toi, papa, tu couperas le tout en petits morceaux. Je m'occuperai des oignons et de la viande.

Il n'est pas encore huit heures et les trois enfants dorment déjà à poings fermés, ce qui n'a rien d'étonnant vu que leur grand-père a joué à la cachette avec eux jusqu'à ce qu'ils tombent de fatigue.

Le départ de Sonia a créé un grand vide dans la vie d'André. Au point qu'il n'a pas hésité à s'aventurer dans le parc des Laurentides en plein cœur de janvier pour aller la voir alors qu'il déteste sortir de la région au volant de son auto, l'hiver. Et ce n'est pas la seule fois qu'il y est allé. Depuis son déménagement, il s'est pointé chez elle pas moins de six fois. Ses nombreux séjours lui ont permis de découvrir la ville de Québec au gré des saisons et d'en apprécier le charme un peu plus à chacune de ses visites. Il aime tout de cette ville : le Vieux, le port, les plaines d'Abraham, le Château Frontenac et sa promenade, la Citadelle… Il en a profité pour mieux connaître son gendre et l'apprécier à sa juste valeur. Vivre sous son toit lui a permis de mesurer l'étendue de l'amour qu'il porte à Sonia. Il était temps que le vent tourne pour elle. Il a aussi été à même de constater que le fait d'avoir une bonne n'avait changé en rien le comportement de sa fille. Elle traite Françoise avec le plus grand respect et ne se prive pas de la complimenter et de la remercier d'être là. Ça le rend fier de voir comment elle se comporte avec les gens.

— Parle-moi de Mario, maintenant, dit André en lui tendant une bière.

— Il n'y a pas grand-chose à dire sinon que j'ai demandé à Jérôme de le voir ailleurs qu'à la maison, ce qu'il fait depuis que je lui ai parlé. Je supporte de plus en plus mal sa présence. J'ai beau me répéter qu'il ne fera rien pour me nuire ou pour me faire du mal, mais c'est plus fort que moi. J'ai peur.

Sonia est prise d'un grand frisson et, l'instant d'après, ses yeux s'embuent. Elle les ferme dans l'espoir de retenir ses larmes et renifle discrètement. André lui tend son mouchoir.

— J'avais enfin réussi à le sortir de ma vie et il a trouvé le moyen d'y revenir en passant par Jérôme. Il y a des jours où je pense que Mario est plus intelligent que nous tous réunis.

— Pourquoi dis-tu ça ?

— Parce que Jérôme était son seul lien avec moi puisque j'avais refusé sa deuxième demande en mariage.

— Je ne te suis pas.

— C'est pourtant simple. En se rapprochant de lui, encore mieux en devenant son ami, il demeure informé de tous mes faits et gestes.

André se répète en boucle ce qu'il vient d'entendre sans parvenir à lui donner du sens.

— Es-tu en train de me dire que Jérôme a gobé tout ça ?

— Je suis convaincue qu'il n'a rien vu venir, pas plus que moi, d'ailleurs, dans le temps. Toujours est-il qu'une solide amitié s'est établie entre eux avant que j'apparaisse dans le portrait et je te rappelle que Jérôme était aussi sonné que moi le jour de notre mariage. Il ne comprenait pas le geste de Mario et il y a fort à parier qu'il ne le comprend toujours pas lui non plus.

— Pourquoi alors n'a-t-il pas mis fin à leur amitié ?

Sonia hausse les épaules et lève les yeux au ciel.

— Si seulement je le savais ! Je lui ai posé la question plusieurs fois et tout ce que j'ai obtenu comme réponse c'est que tout le monde a droit à une deuxième chance.

Loin de le rassurer, la bonté de son gendre l'insécurise. Mario n'est pas une mauvaise personne de prime abord. Seulement, il aimerait mieux le savoir loin de sa fille et de son petit-fils.

— Tu devrais insister pour que Jérôme arrête de le voir.

— Je me vois mal lui demander de le faire. Mario était son ami avant qu'on sorte ensemble.

— Étais-tu au courant ?

— Non ! En fait, Jérôme m'en a parlé seulement après qu'on a décidé de se marier. Je venais de lui dire que j'étais enceinte. Il paraît que j'étais blanche comme un linge. J'ai réussi à prendre sur moi et je lui ai fait jurer de ne pas l'inviter à notre mariage. Mets-toi à ma place, je ne pouvais pas et je ne peux toujours pas lui interdire de le voir. En mon âme et conscience, je n'ai aucun droit de choisir ses amis.

— Si tu avais su…

Sonia part dans ses pensées. Elle a refusé que le spectre de Mario vienne jeter une ombre sur son nouveau bonheur à ce moment. Pire, elle a oublié jusqu'à son nom.

— Difficile à dire, d'autant que j'aime Jérôme de tout mon cœur.

La sonnerie du téléphone les fait sursauter. André se dépêche d'aller répondre pour ne pas réveiller les enfants.

— Parfait, Simone ! Veux-tu que je te passe Sonia ? Compte sur moi, je lui transmets ton invitation à l'instant.

Il raccroche et revient dans le salon.

— Ta sœur nous invite à souper demain. Elle a invité Françoise, Alice, Germaine, et même Rachel. Elle était tellement de bonne humeur que j'ai dû me pincer pour être certain que c'est à elle que je parlais.

André se rassoit et part dans la lune.

— Est-ce qu'il y a quelque chose qui ne va pas, papa ?

— Ne me juge pas trop sévèrement, je t'en prie. J'avais invité Rachel à venir souper ici demain.

Un grand sourire illumine aussitôt le visage de Sonia. Première nouvelle qu'elle a que son père s'intéresse à Rachel.

— Il me semblait, aussi, que tu devais avoir une bonne raison pour avoir rempli ton frigidaire. C'est nouveau ?

— Pas tant que ça, répond-il timidement. Remarque que j'ai ouvert mon jeu seulement hier soir, par exemple.

— Et ?

— Si j'ai bien compris, c'est réciproque. Promets-moi de ne pas en parler à Simone.

— Aucune crainte ! Je te laisse l'honneur de le faire à ton heure. Dois-je comprendre que tu serais même prêt à déménager à Québec ?

André rougit comme s'il venait de se faire prendre en défaut.

— À moins que tu sois contre l'idée !

Sonia se lève et vient se jeter dans ses bras. Elle le serre de toutes ses forces et l'embrasse sur les joues.

— C'est quand tu veux, papa, et le plus vite sera le mieux !

— Tu permets que j'appelle Rachel pour fixer un autre jour ?

6

Alice est tellement contente de voir Françoise qu'elle lui saute au cou en arrivant chez Pascal et Simone, au grand étonnement de tout le monde, et encore plus de la principale intéressée. À la fois surprise et touchée, Françoise a besoin de quelques secondes avant de s'abandonner à autant d'exubérance de la part de celle qu'elle qualifiait de bourreau à une époque pas si lointaine.

— J'ai un cadeau pour vous, lui dit Alice en reculant d'un pas. Je vous ai préparé un plat de chaque recette que vous m'avez montrée pour que vous me donniez votre avis. Je les ai tous identifiés.

— C'est très gentil ! confirme Françoise d'une voix émue. Vous feriez peut-être mieux de les mettre dans le congélateur.

— Rassurez-vous, je les ai laissés dans le mien. Vous n'aurez qu'à venir les chercher avant de partir.

C'est du Alice tout craché. Elle a enfin trouvé une raison pour montrer sa nouvelle maison à Françoise. La connaissant, elle ne s'est pas préoccupée une seconde qu'elle pourra y aller seulement si Sonia accepte de la conduire.

— Est-ce que je pourrai l'accompagner ? lui demande Sonia en réprimant un sourire.

— J'espère bien que vous ne resterez pas dans l'auto. D'ailleurs, la prochaine fois que vous descendrez, je vous recevrai tous à manger.

Pascal passe à un cheveu de s'étouffer avec sa gorgée de bière. Il se retient même de rappeler à sa mère que ce n'est ni Noël ni Pâques. La seule raison qui l'en empêche est qu'il a peur qu'elle le prenne mal. Déjà que François ne perd pas une occasion de la critiquer pour tout et pour rien, il se verrait très mal en rajouter, même pour plaisanter. Son imbécile de frère a toujours en travers de la gorge le fait qu'elle a donné sa maison pour une bouchée de pain à des pauvres et qu'elle s'en soit fait bâtir une flambant neuve à son âge.

— Promettez-moi de faire un *roast-beef*, lance Pascal.

Tous les regards se tournent vers Alice. Depuis quand réussit-elle à en servir un qui soit mangeable ?

— Je vous assure qu'il fond dans la bouche, ajoute-t-il. Vous n'avez qu'à demander à Germaine, si vous ne me croyez pas !

— C'est le meilleur que j'ai mangé, confirme celle-ci, mais je ne vous dis pas le nombre de rôtis qu'on a dû transformer en pot-au-feu tellement ils étaient raides.

Il n'en faut pas plus pour que tous éclatent de rire. La cuisine et Alice n'ont pas toujours été les meilleures amies du monde, loin de là.

Françoise les regarde tour à tour. Elle a encore du mal à se considérer comme une invitée. Ce n'est pas que les fourneaux lui manquent, elle les a abandonnés seulement pour quelques jours. Disons plutôt qu'elle a l'impression de ne pas être à sa place. Elle ne fait ni une ni deux et file à la cuisine en se disant qu'elle sera sûrement plus utile là-bas.

— Accepteriez-vous un peu d'aide d'une vieille bonne qui ne demande pas mieux que de s'occuper les mains ? lance-t-elle en faisant son entrée.

— Au risque de vous paraître impoli, répond promptement Charles, je ne demanderais pas mieux. Pour être tout à fait franc, je préfère vous avoir dans mon camp plutôt que dans l'autre. Je suis mort de trouille quand je dois cuisiner pour vous.

Il va ensuite chercher un tablier dans le tiroir et le lui tend en souriant.

— Vous ne devriez pas, pour la simple et unique raison que je ne vous arrive pas à la cheville en cuisine.

— Ne soyez pas si humble, tout le monde ici préfère la vôtre et personne ne se gêne pour me le faire savoir.

Françoise fronce les sourcils. Les Thibault se permettent de faire des commentaires désobligeants sur la cuisine de Charles ? En même temps, ça lui fait un petit velours de savoir qu'ils ne l'ont pas complètement oubliée.

— Désolée, je les croyais plus polis.

— Si ça peut vous rassurer, jamais ils ne l'expriment en mots.

— Je vois ! Comment puis-je vous être utile, maintenant ?

Si quelqu'un s'est rendu compte du départ de Françoise, personne ne l'a souligné. Les conversations vont bon train au salon et les éclats de rire fusent de partout. Resté un peu en retrait, Pascal observe sa famille élargie en sirotant sa bière. Ces moments de grâce, comme il aime les appeler, se font de plus en plus rares ici et ça l'attriste. Avec raison ! N'eût été le fait que Christine a décidé de ne plus partir, ce souper n'aurait pas eu lieu. Simone était toujours en pétard contre lui et leur fille, au point qu'elle avait même fait fuir Sonia chez André. Son humeur a changé du tout au tout à la seconde où elle a appris la nouvelle. Il fallait voir avec quelle ardeur elle a sauté au cou de Thierry dès qu'elle a su. Elle le serrait tellement fort que le pauvre avait du mal à respirer.

Sonia vient le trouver. Elle ne le voyait guère plus souvent quand elle restait à Chicoutimi, mais le simple fait de le savoir proche la rassurait, d'une certaine façon. Pascal aura toujours une place de choix dans son cœur. Elle l'aime comme un frère, l'apprécie autant qu'un ami et serait prête à tout pour éviter qu'il souffre.

— Veux-tu bien me dire ce que tu lui as fait pour la faire changer d'humeur ?

— Moi ? Absolument rien ! Il y a longtemps que ta sœur ne m'écoute plus. D'après ce que je sais, Thierry a réussi à convaincre Christine de leur donner une deuxième chance. J'espère seulement qu'il ne le regrettera pas. J'adore ma fille, mais j'avoue qu'elle est plutôt dure à suivre en amour. Elle l'a plaqué juste avant de partir pour l'Angleterre et, d'après ce qu'elle m'a dit, elle lui a écrit tous les jours.

— Thierry m'a pourtant dit qu'il avait reçu une seule lettre et que c'était pour lui annoncer son retour.

— Tu sais bien qu'elle ne les lui a pas envoyées… Ç'aurait été bien trop simple. Elle les a brûlées. Résultat : ma chère fille s'est morfondue pendant des mois plutôt que de profiter de son séjour.

— Dis-moi que c'est une blague !

— J'aimerais ça, mais c'est la stricte vérité. Christine est encore plus vieux jeu que ma mère à son âge pour tout ce qui touche les hommes. « Pas avant le mariage ! » On est en 1968, pas en 1928 ! À son âge, ça faisait un sacré bail que Simone et moi faisions l'amour.

Sonia met la main sur le bras de son beau-frère pour qu'il baisse le ton un peu. Il la regarde et lui demande à brûle-pourpoint si ça lui dirait d'aller marcher avec Voyou.

— Le temps de demander à papa de s'occuper d'Émile et je te rejoins à la cuisine.

L'arrivée de son maître met Voyou en émoi. Il quitte son tapis et vient lui lécher la main. Pascal lui flatte la tête et va chercher sa laisse sur le crochet.

— J'en connais un qui est content d'aller marcher avec vous, dit Françoise.

Pascal l'embrasse sur la joue en passant à sa hauteur, ce qui lui fait chaud au cœur.

— On y va? demande Sonia en faisant son entrée.

— N'oubliez pas de venir souper! lance Françoise avant que Pascal referme la porte.

Aucun des deux n'a commenté le fait que Françoise soit aux fourneaux plutôt qu'au salon avec les autres. Ils ont vite compris que c'est inutile puisque c'est ici qu'elle finit toujours par se retrouver à chacune de ses visites quand elle ne s'accroche pas les pieds sitôt arrivée.

Surpris par le vent frais, ils remontent le col de leur manteau à leur maximum. L'hiver a été rude et le printemps s'est cru obligé d'en faire autant.

— As-tu eu le temps de regarder les candidatures que je t'ai envoyées? lui demande Sonia.

— Seulement hier! Désolé pour le délai, je ne sais plus où donner de la tête ces temps-ci. Enfin! Quatre ont retenu mon attention. Les deux de Chicoutimi, celle de La Baie, et celle de la fille de Jonquière.

— J'ai craqué pour les mêmes que toi. Reste maintenant à les rencontrer. Vas-tu pouvoir te libérer ou je ferais mieux de demander à un des membres du conseil?

— Je vérifie mon horaire en arrivant à l'hôpital cette nuit et je t'appelle.

— Pourrais-tu attendre à demain matin ?

— Petite comique ! lui dit Pascal en la poussant du coude. Je te promets de ne pas t'appeler avant huit heures.

— Crois-tu que la fille a de bonnes chances d'être acceptée ?

— Si elle est aussi intéressante en personne que sur papier, je te promets qu'ils ne pourront pas la refuser. Je suis d'avis qu'on a besoin de plus de femmes dans notre profession et notre fondation doit donner l'exemple.

— J'en connais qui vont ruer dans les brancards.

— Je les attends de pied ferme !

***

Thierry et Christine sont allés se réfugier dans la bibliothèque et, pour une fois, personne n'est venu les embêter sous prétexte de leur offrir quelque chose à boire ou à manger. La seule chose dont ils ont besoin, c'est d'être ensemble.

— Je n'en reviens pas que tu aies annulé ton voyage dans l'Ouest canadien.

— Ça aurait été trop bête de partir au moment où tu revenais. Je te rappelle que c'était pour t'oublier. J'en connais une qui n'est pas près d'oublier. Guylaine était tellement furieuse contre moi que j'ai eu peur qu'elle me saute dessus. Ça faisait des semaines que j'essayais de la convaincre et au moment où elle a fini par dire oui, je change d'idée.

— Assez parlé d'elle ! Raconte-moi plutôt ton séjour en Belgique.

— Pas avant que tu m'aies embrassée.

Thierry met immédiatement une main derrière la tête de son amoureuse. Il laisse ensuite errer un regard brûlant sur elle, l'attire à lui et goûte ses lèvres d'abord très doucement. La passion monte à une vitesse vertigineuse de part et d'autre et ils s'y abandonnent totalement. Jusqu'à ce que Christine sente le désir de son homme battre la chamade sur sa cuisse. Elle se lève sans crier gare comme si elle venait de se faire piquer par une colonie d'abeilles. Thierry la regarde pantois.

— Pas ici! Je ne veux pas... Je ne peux pas... Tu ne comprends pas...

— Mais de quoi parles-tu?

— Je t'en prie, ne fais pas l'innocent!

Il se lève et va se placer devant elle. Pourquoi a-t-il été assez bête pour croire que les choses seraient plus faciles maintenant?

— Je ne comprends pas ta réaction, Christine. On était juste en train de s'embrasser. Il est où, le problème?

— Tu es bandé comme un cheval et j'ai pris peur.

Thierry se prend la tête à deux mains et expire bruyamment tout l'air de ses poumons.

— Est-ce que je t'ai déjà obligée à faire quelque chose contre ton gré? Jamais, et je n'ai pas l'intention de le faire non plus. Je suis juste content de te retrouver et je ne m'attends pas à ce que tu t'offres à moi aussi facilement. On ferait mieux de retourner au salon.

— Pas avant que je me sois expliquée.

— Ménage ta salive, je sais déjà tout ce que j'ai à savoir. Ta tête veut faire l'amour avant le mariage, mais pas ton corps. Et j'ai assez d'amis, lance-t-il avant de sortir de la pièce sans se retourner.

Il n'a pas envie de faire semblant que tout va bien, alors au lieu d'aller rejoindre les autres, il marche jusqu'à la porte qui donne sur la cour arrière et sort. Il longe ensuite la clinique et fait irruption dans la rue au moment où Pascal et Sonia reviennent de leur marche avec Voyou. Thierry blêmit en les voyant.

— Où t'en vas-tu comme ça, jeune homme ? lui demande Pascal.

— Chez moi.

— Ça doit être vraiment sérieux pour que tu partes avant le souper, lance Pascal dans l'espoir de le dérider un peu.

— Je démissionne... Ça ne marchera jamais.

Ces quelques mots suffisent amplement pour qu'ils comprennent de quoi il en retourne.

— Je m'occupe de Christine, annonce Sonia.

— Peux-tu rentrer Voyou ? Je vais aller faire un tour d'auto.

— Elle est dans la bibliothèque, l'informe Thierry.

— La tienne ou la mienne ? lui demande Pascal.

— Montez ! Vous pourrez vérifier si je suis un bon chauffeur.

Ils font claquer leur portière en même temps.

— Conduis-nous à l'Hôtel Chicoutimi.

Thierry se serait bien passé de cette petite virée, d'autant que M. Thibault ne lui apprendra rien sur sa fille qu'il ne sait déjà. Il se stationne près de la porte et les deux hommes entrent dans l'établissement sans échanger une seule parole. Ils s'installent au bar et Pascal commande deux bières.

— Dis-moi qu'elle ne t'a pas encore sorti son histoire de préserver sa virginité pour son mari !

— Plus ou moins, répond Thierry du bout des lèvres.

Déjà qu'il n'est pas très à l'aise de traiter de sexualité, le faire avec le père de sa soi-disant blonde lui rend les choses encore plus difficiles.

— Je ne la comprends pas, avoue Pascal entre deux gorgées de bière. Elle va avoir dix-huit ans et elle se comporte comme une gamine.

— Ce n'est pas tant le fait qu'elle ne couche pas qui me tue, c'est l'espoir qu'elle me donne. Je n'aurais pas tous ces problèmes si je m'étais contenté d'être son ami!

— On peut contrôler beaucoup de choses dans la vie, mais pas les sentiments qu'on a pour quelqu'un. J'aimerais te dire qu'elle va changer d'idée. Seulement, les chances sont si minces que ça se produise qu'il vaudrait mieux que tu l'oublies. Et le plus tôt sera le mieux!

— Plus facile à dire qu'à faire!

— Tu ne trouves pas que ma chère fille t'a assez gâché la vie?

— Je n'arrive pas à l'oublier.

Pascal ne peut que s'incliner devant l'amour que porte Thierry à sa Christine et, en même temps, il va faire tout ce qu'il peut pour l'aider à passer à autre chose. Il lui doit bien ça.

Sonia n'a pas trouvé Christine dans la bibliothèque, mais dans sa chambre. Elle pleurait à chaudes larmes et jetait ses vêtements dans son sac à dos sans se donner la peine de les plier. Elle a décidé de partir… seule ou avec Guylaine. Elle s'est laissé attendrir par Thierry et c'était une erreur. Il est trop tard pour recoller les morceaux. Aussi bien se rendre à l'évidence: il n'y aura plus jamais de nous pour eux. Y en a-t-il même déjà eu un?

Sonia se racle la gorge pour l'avertir de sa présence et avance jusqu'à elle. Sa nièce se jette dans ses bras.

— C'est fini, tatie ! C'est fini par ma faute. Il faut que je me fasse oublier, je m'en vais.

— La seule place où je te laisserai aller dans cet état, c'est chez moi et ce n'est pas négociable.

— Je t'ai déjà assez cassé les oreilles avec mes histoires d'amour qui finissent toujours mal. Je pars pour l'Ouest canadien si Guylaine veut bien me pardonner de l'avoir laissée tomber la veille de notre départ. Sinon, je pars quand même. J'ai besoin de changer d'air.

— Sans vouloir tourner le couteau dans la plaie, je te rappelle que tu as passé quatre mois en Belgique l'année dernière et que tu étais au même point à ton retour. Pars avec moi demain. Tout ce que je peux te promettre, c'est que je serai là pour t'écouter chaque fois que tu auras besoin d'une oreille. Par contre, ce ne sera pas gratuit. Je te garderai à la condition que tu travailles et que tu me paies une pension. Il est hors de question que tu passes tes grandes journées à t'apitoyer sur ton sort.

Le ton utilisé par sa tante la surprend autant qu'il la rassure. Sonia la traite en adulte et c'est déjà ça de pris.

— Tu n'as qu'à me dire à quelle heure tu penses partir et je te suivrai avec mon auto.

— Le transport en commun fonctionne très bien à Québec et je préfère que tu embarques avec moi. Ou plutôt avec nous. Départ à deux heures demain après-midi, on doit aller chez Alice avant de s'en aller. Va te passer un peu d'eau sur le visage et reviens me voir, je vais te mettre du fond de teint pour que ça paraisse moins que tu as pleuré.

— Et pour Thierry ?

— Je serais surprise qu'il revienne. Tu n'auras qu'à dire qu'il a dû retourner chez lui. Ça devrait suffire pour que personne ne te pose de questions. Dans le cas où ce serait trop dur, tu n'auras qu'à t'éclipser avant le dessert.

— Et pour maman ?

— Je m'en occupe.

***

— Approche ton verre que je le remplisse, dit Simone.

— Pas question ! s'oppose Sonia. Si je prends une seule gorgée de plus, je ne pourrai pas monter l'escalier.

— Tu n'auras qu'à dormir sur le divan.

— Non merci ! Je déteste les lendemains de veille et tu le sais. Je vais me chercher un verre d'eau. Veux-tu que je t'en apporte un ?

— Tu devrais savoir depuis longtemps que je n'ai pas l'habitude de mélanger.

Sonia lui sourit. C'est fou ce qu'elle lui manque et, malgré cela, Simone se permet de lui faire la tête chaque fois qu'elle franchit le seuil de sa maison. Et pourtant, à part pour son déménagement à Québec, Sonia n'a jamais été responsable de sa mauvaise humeur de quelque manière que ce soit. Disons plutôt qu'elle la subit comme tout le reste de la famille. Simone s'en veut de malmener les siens de cette manière. C'est du moins ce qu'elle dit à qui veut l'entendre dès qu'elle revient à de meilleures intentions.

— Je t'en ai apporté un au cas où tu changerais d'idée. As-tu eu des nouvelles d'Hedwig dernièrement ?

— Dans sa dernière lettre, elle m'a écrit combien sa vie avec Henry est merveilleuse. Je l'ai trouvé très gentil quand je suis allée à leur mariage. Mais tu ne sais pas la meilleure… Il paraît que mon imbécile de beau-frère a réussi à trouver leur adresse et qu'il a débarqué chez eux par un beau samedi soir. Il était tellement chaud qu'il avait peine à tenir sur ses jambes. Henry mériterait une médaille pour ce qu'il a fait. Il ne l'a pas laissé entrer, il a griffonné quelques mots sur sa carte professionnelle, l'a glissé dans sa poche de veston, lui a appelé un taxi et lui a dit de le ramener à son hôtel. Et quand Hedwig lui a demandé ce qu'il avait écrit, il lui a dit que c'était un secret entre François et lui. Je ne m'explique toujours pas comment une femme aussi intelligente qu'elle a pu croire aux belles paroles d'un homme sans scrupules tel que mon cher beau-frère. Il faut être aveugle pour ne pas le voir venir avec ses gros sabots !

La dernière phrase de Simone la ramène instantanément à Mario. Si elle avait été le moindrement attentive à sa manière de se comporter, elle aurait vu tout de suite qu'il y avait quelque chose qui ne tournait pas rond chez lui. Au lieu de ça, elle s'est enfermée dans la tour d'ivoire qu'il avait érigée pour elle. Et si, par malheur, elle parvenait à ouvrir un œil pour voir plus loin que le bout de son nez, il lui suffisait qu'il lui fasse un compliment ou qu'il lui offre une babiole pour qu'elle retombe dans son état de béatitude. Celui-là même qu'elle attendait depuis tellement longtemps qu'elle n'a jamais pensé à le remettre en question. Elle avait enfin trouvé l'amour et elle ne laisserait personne la dévier de sa route.

— Il suffit parfois de bien peu pour nous faire tomber dans le panneau, avance Sonia.

— Parlant de la bête, est-ce qu'il te fait la vie dure ?

— Beaucoup moins depuis que j'ai demandé à Jérôme de le voir ailleurs que chez nous.

— Veux-tu bien me dire pourquoi il continue à le voir après ce que Mario t'a fait endurer ?

Sonia se contente de hausser les épaules. Simone lui pose la même question chaque fois qu'elle vient et elle lui répond la même chose. Sauf ce soir ! Elle n'a plus envie de jouer à ce petit jeu.

— Et Maggie ? lui demande-t-elle d'un ton détaché.

— Elle me manque ! lance Simone dans un cri du cœur. Tellement que si je ne me retenais pas, je courrais m'acheter un billet d'avion pour Bruxelles.

— Tu devrais peut-être le faire !

— Ce serait trop bête, et égoïste de ma part, de partir maintenant. Au cas où tu l'aurais oublié, c'est pratiquement le seul moment de l'année où je suis vivable. Et puis, j'ai une dizaine de jardins à revamper cet été. J'irai plutôt en novembre. Ça me donnera un peu de *yahou* avant d'entrer dans l'hiver.

— À ta place, je demanderais à Maggie à quoi ressemble la Belgique l'automne. Déjà que tout est gris en plein soleil, j'imagine assez facilement combien ça doit être déprimant sous la pluie.

Simone la regarde d'un air découragé. Emportée par son désir grandissant de revoir son amie, elle a oublié que ce n'est pas la destination idéale pour recharger ses batteries, d'autant qu'elle le sait puisque Maggie n'arrête pas de lui décliner dans ses lettres la monotonie du gris qui l'entoure sur tous les tons plus de la moitié de l'année. Elle se redresse sur sa chaise et soupire un bon coup.

— En réponse à ta question, Maggie va très bien. Elle file toujours le parfait bonheur avec Louis et, aux dernières nouvelles, ses fils seront avec elle tout le mois de juillet. Inutile d'ajouter qu'elle est folle de joie.

— Wow ! Jacinthe a vraiment une bonne influence sur Rémi.

— Encore plus que tu penses ! Je suis allée faire un tour la semaine dernière et ce n'est plus le même homme. Je ne te mens pas, il est presque aussi gentil que Pascal. Et il partait de loin !

— Tu n'as pas eu envie de te rendre à Québec…

— Je pourrais te sortir toutes les excuses du monde alors qu'en fait la seule raison pour laquelle je ne suis pas allée te voir tient en un mot et tu le connais aussi bien que moi.

Simone fait une pause de quelques secondes sans quitter sa sœur des yeux.

Sonia lève le regard au ciel et secoue la tête de côté. Elle en a plus qu'assez des caprices de madame docteur. Si seulement elle descendait de son piédestal une minute, elle s'apercevrait que le monde peut très bien tourner sans elle.

— Pourquoi l'avoir invitée à souper si tu lui en veux autant ?

— Parce que Pascal ne m'a pas donné le choix. Il a même osé me dire que l'époque de l'esclavage était révolue depuis longtemps. Comme si je considérais Françoise comme mon esclave. Des fois, j'ai l'impression qu'il prend un malin plaisir à me contredire.

— Pas encore assez, si tu veux mon avis. Tu vieillis mal, ma sœur, et ça me fait peur.

Simone résiste difficilement à l'envie de lui tomber dessus. Depuis que Sonia est mariée, elle la trouve différente et ça lui déplaît au plus haut point. Elle a toujours quelque chose à redire sur ce qu'elle fait, ce qu'elle pense, ce qu'elle dit et ça lui tombe royalement sur les nerfs. Si ce n'était pas qu'elle part avec Christine, elle n'hésiterait pas à se faire plaisir.

— Arrête de t'inquiéter pour moi ! dit-elle du bout des lèvres. Avant que j'oublie, je te remercie de t'occuper de ma fille. J'avoue que je ne sais plus par quel bout la prendre. Ça ne me disait rien de bon qu'elle sorte avec Thierry et c'est à regret que je suis obligée d'admettre que j'avais raison. Ça ne pourra jamais fonctionner, ils ne sont pas du même monde…

— Non mais pour qui te prends-tu ? lui demande Sonia avant de pouffer de rire.

Interloquée par sa réaction, Simone se demande ce qu'elle a dit de si drôle alors qu'elle n'a dit que la vérité. Thierry vient d'une famille très pauvre, ce qui n'est pas un déshonneur en soi, mais une simple réalité. Ses origines sont différentes de celles de Christine et, malheureusement, ça change tout. Qu'on le veuille ou non, les classes sociales existent et elles ont leur raison d'être.

Aussitôt calmée, Sonia va porter son verre à la cuisine et, lorsqu'elle revient au salon, elle annonce d'une voix neutre qu'elle va se coucher. Elle a entendu suffisamment de vacheries sortir de la bouche de sa sœur pour aujourd'hui.

7

Trois jours plus tard après sa nouvelle rupture avec Christine, Thierry est toujours d'humeur massacrante, ce qui ne lui ressemble guère. Alors que les siens étaient contents de le revoir, tous s'organisent pour ne pas être dans la même pièce que lui, à commencer par sa mère qui ne sait plus comment l'aborder. Elle n'en peut plus de le supporter. C'est pourquoi, en se réveillant, elle a décidé que son règne de terreur prendrait fin ce matin. Elle lui prépare son déjeuner comme elle l'a toujours fait et attend patiemment qu'il avale sa dernière bouchée, ce qui ne tarde pas à se produire compte tenu de la vitesse à laquelle il mange.

— Merci, maman ! dit-il en se levant de table.

— Rassieds-toi mon garçon, il faut qu'on parle.

C'est à contrecœur que Thierry repose les fesses sur sa chaise. Étant donné qu'il connaît parfaitement le sujet dont elle veut l'entretenir, il lui sourit et prend les devants.

— Je te promets de changer d'humeur à compter de maintenant.

— Ta souffrance me dérange pas mal plus que ta mauvaise humeur. Raconte-moi ce qui s'est passé avec Christine… Parce que je me doute un peu que c'est à cause d'elle que tu es dans cet état.

Sa mère a toujours lu en lui comme dans un livre. Il la regarde sans la voir à travers les larmes qui viennent de poindre à ses yeux en entendant son prénom. Il inspire à fond et lui raconte sa dernière discussion avec celle qui a le don de lui briser le cœur en moins de temps qu'il n'en faut pour crier «ciseau».

— J'aime beaucoup Christine, mais je t'aime encore plus, lui dit-elle.

Elle joint ses mains devant sa bouche et réfléchit avant de poursuivre. Elle ne connaît pas grand-chose à l'amour. Elle est mariée au même homme depuis près de vingt ans. Il était le premier et, si Dieu lui prête vie, il sera aussi le dernier.

— Cette fille n'est pas pour toi. Et le fait que son père soit docteur n'influence en rien mon avis. M. Thibault est un homme charmant, un homme bon comme il en existe peu de nos jours. Christine n'est pas une fille pour toi parce qu'elle ne te rend pas meilleur. Parce que la vie avec elle est trop compliquée. Parce que vous passez plus de temps à discuter qu'à être heureux. Parce que même si tu lui décrochais la lune, ce ne serait jamais assez. L'amour n'est pas supposé faire mal.

— Mais je l'aime.

— Je sais, sauf que ça ne te mènera nulle part et j'aime autant t'avertir que je vais te talonner jusqu'à ce que tu retrouves la raison. Réalises-tu seulement le pouvoir que cette fille a sur toi?

— Oh oui!

Sa mère allonge le bras sur la table pour que Thierry dépose sa main dans la sienne, ce qu'il fait sans hésiter. Elle lui caresse le bout des doigts et lui sourit.

— Et c'est maintenant que ça commence! annonce-t-elle d'une voix assurée. Je veux voir un sourire sur tes lèvres en permanence.

— Je te promets d'essayer.

— Ce ne sera pas suffisant; tu dois réussir.

Il a parfois du mal à reconnaître sa mère depuis le déménagement. Autant elle était effacée quand ils habitaient dans leur ancienne maison, autant elle a pris de l'assurance. Tout comme son père, d'ailleurs. Même ses frères ne se comportent plus de la même manière. Nul doute, le changement de décor a eu un effet bénéfique sur chacun des membres de sa famille.

— Et tu devrais donner un coup de main à ton père avant de commencer à l'hôpital.

— Je lui ai offert mon aide au début de la semaine, mais il a refusé. Tu l'as sûrement entendu, tu étais en train de laver la vaisselle.

— J'en aurais fait autant. Ton père n'a pas le temps de se préoccuper de ton humeur quand il est chez un client.

Thierry accuse le coup. Sa mère a raison, il doit passer à autre chose.

— Et si je ne parviens pas à l'oublier ?

— Personne ne te le demande non plus. Christine aura toujours une place dans ton cœur et c'est correct. La seule chose qui doit changer, c'est d'en faire une toute petite pour un nouvel amour.

— Je ne sais pas si je parviendrai à aimer quelqu'un d'autre un jour.

— Moi, je suis convaincue que tu y parviendras et ça peut arriver pas mal plus vite que tu crois.

— As-tu quelqu'un à me présenter ?

— Pas encore ! répond-elle avant de se mettre à rire. En attendant, va te préparer, j'ai besoin d'un chauffeur pour aller faire mes courses. Premier arrêt : chez Mme Alice.

— Depuis quand tient-elle un magasin ?

— Je vais juste lui porter quelques petites gâteries.

***

Sonia a beaucoup de mal à se concentrer ce matin. Elle a devant elle une douzaine de nouvelles candidatures provenant principalement de Limoilou et du quartier Saint-Roch. Tout ce qu'elle a réussi à faire depuis une heure a été de changer sa pile de place. En fait, elle en est à sa troisième lecture et elle demeure incapable de dire pour qui elle a un coup de cœur, et encore moins de les classer par ordre d'intérêt. Elle n'arrête pas de penser à Simone et à leur dernier échange. Elle ne la reconnaît plus. Ses propos à l'égard de Thierry résonnent encore dans sa tête sans qu'elle puisse s'expliquer comment son aînée a pu en arriver à croire qu'elle valait mieux que lui. Il est vrai que toutes les femmes n'ont pas la chance d'unir leur destinée à celle d'un docteur ! Sonia avait l'habitude de dire qu'il a suffi d'un battement de cils pour que Simone s'adapte à sa nouvelle vie. Elle venait de plonger dans une mer d'abondance et elle s'y sentait comme un poisson dans l'eau. Alors que Jeannine s'empressait de la faire taire chaque fois que Sonia s'échappait devant elle, André ne manquait pas de renchérir. Devenir madame docteur est monté à la tête de Simone et rien ni personne ne pourra la ramener sur le plancher des vaches.

Sonia préfère ne pas penser à la réaction qu'aurait Pascal si les paroles de sa tendre épouse venaient à ses oreilles. Le connaissant, jamais il n'aurait tenu de tels propos envers qui que ce soit et encore moins envers son protégé. Il respecte bien trop les gens pour s'élever sur leur dos. Alors qu'Alice est devenue une personne agréable à côtoyer, Simone est en train de se transformer en un monstre bien pire. Si elle continue sur cette voie, Sonia va espacer ses visites. Peut-être même qu'il viendra un temps où elle coupera les ponts avec elle. Il y a des jours où elle se dit que sa chère sœur préférait la garder dans sa médiocrité et à proximité. Elle pouvait ainsi avoir un certain contrôle sur elle et une influence indéniable sur ses faits et gestes. Pourquoi son nouveau bonheur l'a-t-il éloignée à ce point ? Plus Sonia réfléchit, plus elle se dit qu'il n'y a qu'une seule explication. Sa sœur est malade. Et si c'était parce qu'elle est jalouse d'elle ! Il faut entendre Simone en rajouter chaque fois qu'elle raconte quelque chose qui lui est arrivé. C'est immanquable, madame docteur a une vie bien au-dessus de la mêlée. Jamais Sonia n'oubliera le jour où elle lui a raconté sa visite de l'Expo 67. Certes, elle n'y a passé en tout et pour tout que deux jours alors que Simone y est allée une semaine complète avec toute sa famille. Bien sûr, ils ont résidé à l'hôtel. Elle n'a pas allongé le discours sur ce dernier, il était bien en deçà de ses exigences habituelles. Quand Sonia lui a fait part de ses coups de cœur pour les pavillons, elle s'est empressée de donner les siens avec force arguments. Elle n'a pas manqué non plus de lui décrire avec moult détails les restaurants qu'elle a eu la chance de découvrir. Alors que Sonia se faisait un plaisir de partager l'expérience inoubliable qu'elle avait vécue à l'Expo, Simone l'avait balayée du revers de la main sous prétexte que la sienne allait bien au-delà. C'est ainsi qu'elle a monologué pendant ce qui lui a paru une éternité.

Sonia secoue la tête et regarde l'heure. Elle est assise ici depuis une heure et elle n'a pas avancé d'un iota. Ni sur ses dossiers ni sur le cas de Simone. Comment le pourrait-elle alors qu'elle ignore totalement comment la prendre ? Plus le temps passe, plus sa sœur s'avère être un vrai mystère. Sonia bâille à s'en décrocher la mâchoire, ce qui lui confirme qu'elle a besoin de bouger un peu. Elle se lève, saisit son verre, se rend à l'évier et le remplit d'eau. Elle déteste quand elle perd son temps comme ça. Elle aura beau passer sa journée à penser à Simone, elle ne changera rien à ce qu'elle est devenue. Elle prend une gorgée d'eau et va se rasseoir.

— Bonjour, Sonia, s'écrie joyeusement Françoise.

— Ne bougez surtout pas, lance Sonia, je viens vous libérer de mon petit loup.

Elle le prend et le serre dans ses bras comme si elle ne l'avait pas vu depuis des jours alors qu'il est parti avec sa nounou il y a moins de deux heures. Elle le dépose ensuite sur la table, lui retire son chandail de laine et le bécote dans le cou, ce qui le fait immanquablement rire aux éclats.

— Je me dépêche de rentrer les sacs d'épicerie et je m'en occupe.

— Prenez tout votre temps.

Françoise aimerait être capable de ralentir et elle s'y applique. Seul problème, ça ne dure guère plus de quelques minutes. De nature vive, sa vitesse de croisière habituelle revient sans crier gare. Sa mère avait coutume de dire que sa fille avait deux vitesses : vite et plus vite. Et c'est toujours le cas aujourd'hui même si ses jambes la font souffrir de plus en plus à la fin de ses journées. Évidemment, elle n'en a soufflé mot à personne, et surtout pas au Dr Thibault quand elle l'a vu pour son examen annuel en janvier. Elle aime croire qu'elle est en parfaite santé.

— Où est passée Christine ? demande Françoise en rentrant ses premiers sacs d'épicerie.

— Je l'ai envoyée se balader dans le Vieux-Québec avec une liste de bars et de restaurants où elle pourra tenter sa chance pour travailler. Elle n'était pas chaude à l'idée de se chercher un emploi et je l'ai vite convaincue en lui rappelant les conditions pour rester ici.

— Avouez que ça fait tout un changement pour elle. Elle a eu deux emplois en tout. Elle a obtenu le premier parce qu'elle allait à l'école avec la fille du propriétaire et le deuxième parce que l'amoureux de la meilleure amie de sa mère a fait aller ses relations. Je serais morte de peur, à sa place.

— Ma mère avait l'habitude de dire que ça prend un commencement à tout. Et je vous interdis de la plaindre, ajoute Sonia en lui faisant son plus beau sourire. Ma nièce a été élevée dans la ouate et il est plus que temps qu'elle grandisse un peu.

Françoise retourne à l'auto. Elle voue la plus grande admiration à sa patronne. Elle en avait déjà plein les bras et elle a quand même accepté de prendre Christine chez elle. Sonia aimerait dire qu'elle l'a fait pour aider Simone alors qu'en vérité c'est pour enlever un peu de pression sur les épaules de Pascal et aussi parce qu'elle a toujours été proche de Christine. Par conséquent, elle a à cœur de l'aider à reprendre pied. C'est beau, l'amour, mais pas lorsqu'il prend toute la place alors qu'il s'en est allé. Sonia en connaît passablement sur le sujet. C'est pourquoi elle se croit capable d'aider sa nièce.

— Je crains d'être obligée de retourner à l'épicerie demain, lance Françoise d'un ton découragé en déposant les derniers sacs sur le comptoir.

Sonia plisse aussitôt le front et se met en frais de compter le nombre de sacs d'épicerie qui jonchent le comptoir. Huit remplis à ras bord.

— Ah ! Françoise ! Vous devriez savoir que j'ai horreur de manquer de beurre.

— Aucune chance ! Aux dernières nouvelles, il y en avait huit livres dans le congélateur. Êtes-vous bien certaine de ne jamais avoir manqué de nourriture quand vous étiez petite ?

— Absolument ! Vous devriez me remercier, ça vous évite d'aller à l'épicerie trop souvent.

Françoise rit toute seule pendant qu'elle range les provisions. Elle pourrait argumenter qu'il n'y a plus de place pour rien, que le congélateur du garage est rempli, que le réfrigérateur déborde.

Rien n'y ferait. Depuis que Sonia habite ici, elle se fait un point d'honneur à tout avoir en quantité. Pourquoi ? Personne ne le sait. Pas même elle !

— Croyez-vous que Thierry va finir par oublier Christine un jour ?

— Comment savoir… C'est aussi pour qu'il ne tombe pas toujours sur elle que j'ai insisté pour l'emmener ici.

— S'il est aussi occupé cet été qu'il le prétendait avant de partir, annonce Françoise, il n'aura pas une minute pour penser à elle.

— Croyez-moi, on trouve toujours le temps de se pourrir la vie quand on ne voit plus clair tellement on a de la peine. J'espère sincèrement qu'il trouvera quelqu'un pour l'aider à se relever comme on l'a fait l'automne dernier. Et surtout, je lui souhaite de rencontrer une fille formidable et pas compliquée. Changement de sujet, est-ce que je vous ai dit que Mario va passer l'été en Gaspésie chez une de ses sœurs ?

— Quelle bonne nouvelle ! Quand part-il ?

— Le premier juillet.

— Dans mon temps, l'été commençait le 21 juin…

— Et c'est toujours le cas, répond-elle en riant. Je vous en prie, ne tirez pas sur le messager. Je ne fais que répéter ce qu'on m'a dit et je me réjouis à l'idée de savoir qu'il brillera par son absence au moins pendant quelques semaines.

Sonia se garde bien d'ajouter comment elle l'a su. Si elle lui en souffle mot, elle aura droit à des remontrances méritées. Françoise fait tout ce qu'elle peut pour l'aider à distancer Mario alors qu'elle accepte de lui parler à la première occasion. Elle pourrait se défendre en lui disant qu'il ne lui a pas donné le choix, ce qui, dans les faits, est la stricte vérité. Elle sortait d'un restaurant près de place D'Youville avec M. Lavigne lorsqu'il est apparu devant elle comme par enchantement. N'eût été la manière pour le moins chaleureuse dont son compagnon a salué Mario, elle s'en serait débarrassée vite fait. «J'ignorais que vous vous connaissiez ! » a dit M. Lavigne d'un ton léger.

Sonia s'est contentée de sourire.

— Où avais-je la tête ? a-t-il ajouté l'instant d'après. C'est sûrement Jérôme qui a fait les présentations.

Un éclair est passé dans les yeux de Mario, ce qui a donné la chair de poule à Sonia. Il n'allait quand même pas lui raconter leur histoire. Pas à un pur étranger.

— Attendez, a lancé M. Lavigne avant que Mario n'ait le temps d'ouvrir la bouche, vous étiez à leur mariage, si je ne m'abuse.

Mario s'est empressé de confirmer d'un hochement de la tête pendant que Sonia sentait la colère la gagner. Comment avait-il osé prétendre qu'il avait été invité alors qu'il s'était imposé ? La seconde d'après, elle prétextait un autre rendez-vous, s'excusait en vitesse et abandonnait les deux hommes sur le trottoir. Ou elle s'en allait, ou elle se mettait à crier comme une perdue. Malheureusement, c'était sous-estimer Mario de croire qu'il ne lui courrait pas après. Elle déverrouillait sa portière quand il est apparu à côté d'elle. Elle l'a regardé droit dans les yeux et lui a demandé aussi gentiment qu'elle en était capable de s'en aller. Elle n'avait rien à lui dire. Ni maintenant ni plus tard. Elle voulait qu'il sorte de sa vie à jamais. Était-ce si difficile à comprendre ? Pour lui, il était clair que ça tenait de l'impossible. Elle le savait, mais elle refusait d'y porter attention. Mario et elle, c'était du passé et il en serait ainsi, que ça lui plaise ou non.

Elle l'a écouté monologuer pendant près d'une demi-heure. Il ne lui a rien appris de neuf. Il lui a rappelé sur tous les tons à quel point ils étaient heureux lorsqu'ils sortaient ensemble et que si elle avait accepté de se marier avec lui ils le seraient encore plus.

Ils auraient sûrement eu un petit Émile, eux aussi. Plus il parlait, moins Sonia l'écoutait. Elle n'avait qu'une idée en tête: trouver le moyen de mettre fin à cette mascarade qui ne menait nulle part. Allez savoir pourquoi, elle n'a pas eu besoin de le faire. Arrivé au bout de son laïus, Mario lui a fait la bise sur les joues sans qu'elle fasse quoi que ce soit pour l'en empêcher. Il a reculé d'un pas et lui a annoncé qu'elle n'entendrait pas parler de lui de l'été puisqu'il le passerait en Gaspésie chez une de ses sœurs. Il est ensuite reparti comme il est venu.

— Sonia! Sonia! dit Françoise d'une voix forte pour attirer son attention. Ça fait trois fois que je vous pose la même question. Je ne sais pas où vous étiez, mais ça devait être drôlement plaisant pour que vous ne m'entendiez pas!

— Beaucoup moins que vous le croyez! Que voulez-vous savoir?

— Ce que vous aimeriez manger pour dîner.

— Faites-moi une surprise.

— Vous ne vous en tirerez pas aussi facilement, cette fois. Steak haché, hachis ou *hot chicken*?

— Comme vous voulez, j'aime les trois.

Françoise la regarde. La Sonia qu'elle connaît ne refuse jamais de choisir le menu. Au contraire! Elle peut changer d'idée un nombre incalculable de fois entre deux éclats de rire, mais jamais elle ne refuse une telle offre. Il y a forcément quelque chose qui lui échappe. Françoise l'observe avec plus d'attention.

— C'est à vous qu'il l'a dit?

Sa question fait sursauter Sonia. Sursauter et rougir. Françoise était la dernière personne à qui parler des intentions de Mario. Cette femme a toujours eu un sixième sens et ça ne date pas d'hier.

— Je vais passer un marché avec vous. Je choisis le menu du dîner et vous me racontez tout ce qui concerne Mario.

Sonia secoue la tête de côté et soupire.

— Pas question ! Je choisis le steak haché avec beaucoup d'oignon rôti et je vous parle de ma rencontre avec l'illustre Mario. J'ai un urgent besoin de vider ma tête. Il me hante !

***

Passer l'avant-midi avec sa mère lui a fait beaucoup de bien. Comme prévu, ils ont commencé par aller chez Mme Alice, ce qui leur a pris pas mal de temps. Thierry a été le premier surpris de voir combien elle semblait contente de les voir. À moins que ce ne soit pour les petits plats que sa mère venait de lui donner ! Toujours est-il que Mme Thibault a insisté pour qu'ils rentrent. Elle leur a offert à boire et a sorti une grande boîte de biscuits tous plus beaux les uns que les autres. Alors que sa mère se contentait de les regarder en raison du fait qu'elle ne se sentait pas encore très à l'aise avec leur bienfaitrice, Thierry leur a fait honneur pour deux. Alice le regardait manger avec un petit sourire en coin, même qu'elle poussait un peu plus la boîte vers lui dès qu'il avalait sa dernière bouchée. Elle s'est même permis de lui dire que le sucre était le remède parfait pour passer à travers un chagrin d'amour. Quelqu'un d'autre lui aurait dit ça qu'il se serait offusqué alors qu'il lui a souri. C'était sa façon de lui dire qu'elle sympathisait à son malheur et c'était plus qu'il n'espérait de sa part. Christine est quand même sa petite fille !

Mme Alice leur a répété en long et en large pour la énième fois combien elle est fière du travail de son protégé. L'écouter en parler en termes aussi élogieux fait chaud au cœur, et pour cause. À sa grande satisfaction, le nom de M. Dionne circule de plus en plus dans son cercle d'amis. Il est très vite devenu l'ouvrier à engager pour tous types de travaux. Certains l'appellent « l'homme aux mains d'or ». Aux dernières nouvelles, il faut attendre près de deux mois pour seulement être honoré de sa visite afin d'évaluer les travaux et les coûts. Qui aurait dit qu'un jour son père gagnerait le plus clair de son argent en travaillant pour les grosses poches de Chicoutimi ? Pour ce qui est de sa réputation, elle ne surprend aucunement Thierry.

Il est près de midi quand ils reviennent à la maison. Heureusement, les enfants ne sont pas encore arrivés de l'école. Thierry sort les sacs d'épicerie de l'auto en vitesse et aide sa mère à les vider. Il lui donne ensuite un coup de main pour préparer le dîner sans même qu'elle le demande. Elle lui serre le bras au passage et lui sourit. Il lui a beaucoup manqué.

— Il m'arrive encore de me pincer pour être certaine que je ne rêve pas, avoue-t-elle en dressant la table en vitesse.

— Ça va sûrement finir par te passer, maman.

— Tu ne comprends pas, j'aime me rappeler d'où je viens.

Thierry fronce les sourcils.

— Si ça peut te rassurer, je ne veux jamais y retourner.

Il refuse de penser à tout ce qui leur manquait du temps où ils habitaient dans leur petite maison au bout de la rue Racine. C'est derrière lui et il s'en porte on ne peut mieux. Et puis, sa vie a changé du tout au tout depuis qu'il est entré à l'université. Il devait se concentrer s'il voulait survivre. C'est pourquoi il a appris à vivre l'instant présent à cent pour cent. À vrai dire, c'est d'ailleurs le seul moyen qu'il a trouvé pour passer à travers la somme colossale d'études, de travaux théoriques et pratiques et d'examens propres à la médecine. Si regarder derrière lui faisait perdre un temps précieux, se projeter dans le futur le paralysait. Sa tâche était tellement grande qu'il valait mieux la faire au jour le jour et oublier temporairement ce qui s'en venait. Il avait même dû apprendre à mettre sa peine de côté. Il y arrivait, mais il ne se passait jamais beaucoup de temps avant que celle-ci refasse surface au moment où il s'y attendait le moins. Et le voilà au même point. Alors qu'il avait réussi à la mater, voilà qu'elle a repris du service par sa faute. Pourquoi s'entête-t-il à vouloir un nous avec Christine alors que c'est impossible ? Qu'attend-il pour jeter son dévolu sur une fille qui l'aimera pour ce qu'il est et non pour ce qu'elle aimerait qu'il soit ? Il serre les poings sans s'en rendre compte. Il est le seul responsable de ce qui lui arrive et il va tout faire pour s'en sortir. Et c'est ce soir qu'il va commencer à se soigner. Il se mettra sur son trente-six et il sortira en ville. Seul ou avec un ami dans le cas où il lui en reste encore. Son meilleur ami travaille sur le traversier de Rivière-du-Loup jusqu'en septembre. Le déménagement de sa famille dans un beau quartier et son départ pour l'université en ont éloigné plusieurs. Il a du mal à comprendre leur geste parce qu'au fond il est toujours le même gars, celui-là même qu'ils viendront consulter quand il sera reçu docteur.

L'entrée fracassante de ses frères le sort brusquement de ses pensées. Daniel prend son élan et vient se jeter dans ses bras. L'impact est si violent que Thierry perd l'équilibre et se retrouve étendu de tout son long sur le plancher de la cuisine. Il rit comme un malade. Il n'en faut pas plus pour que ses trois autres frères se jettent sur lui à leur tour. Il est enfin de retour ! C'est dans cette position que leur père les trouve lorsqu'il fait son entrée. Il va embrasser sa femme et va s'asseoir au bout de la table.

— Debout, tout le monde ! lance-t-il d'une voix qu'il veut autoritaire alors qu'il résiste à l'envie d'aller rejoindre ses fils sur le plancher.

— Viens m'aider, papa ! s'écrie Daniel.

M. Dionne ne fait ni une ni deux et il saute dans la mêlée sous le regard amusé de celle qui a donné la vie à ces cinq beaux garçons qui la rendent si fière. Elle dépose le grand plat de macaroni au jus de tomate qu'elle vient juste de réchauffer au centre de la table et, pour une fois, elle décide de se servir en premier.

— À table, les gars ! clame-t-elle d'une voix forte. Maintenant !

8

Martine n'en peut plus de rêver au beau Mathieu. Elle se réveille et s'endort en pensant à lui et ça commence à bien faire. En désespoir de cause, elle sort sa tablette de papier de son sac d'école et inscrit la date sur la première ligne. Ses chances de passer pour une folle sont excellentes, mais c'est le seul moyen dont elle dispose pour se libérer l'esprit de cette image plus qu'insistante.

Cher Mathieu,

Ne perds pas ton temps à essayer de te souvenir de moi, c'est inutile puisque tu ne me connais pas. Je m'appelle Martine. Je suis la deuxième fille du docteur Thibault, votre troisième voisin. C'est nous qui avons le grand chien blond, c'est le chien de mon père. Je t'ai aperçu à Pâques et je t'ai trouvé très beau. Vraiment très beau ! Je n'en reviens pas que j'aie écrit ça. Rassure-toi, je ne suis pas internée dans un hôpital psychiatrique, je suis seulement pensionnaire et j'adore ça. Au cas où tu ne comprendrais pas, sache que tu n'es pas le seul. Mes sœurs me traitent de tous les noms quand elles me voient repartir avec ma valise le sourire aux lèvres. Pour moi, c'est comme si je rentrais à la maison. Ça peut paraître un peu fou et ce l'est sûrement, mais j'ai besoin de tout ce qui se trouve entre les quatre murs de notre couvent pour être bien. Sans entrer dans les détails, le pensionnat m'a sauvé la vie d'une certaine manière. Disons que je m'étais engagée sur une pente plutôt glissante il y a une couple d'années et que mon entrée obligée ici m'a remis les yeux en face des trous. Plutôt brusquement, j'en conviens !

Ne va pas croire que je suis devenue une fille modèle pour autant. Comme mon père dirait, je suis plus vivable qu'avant, ce qui n'est pas rien considérant ce que j'ai fait endurer à ma famille. Je n'ambitionne pas une seconde de devenir parfaite pour autant, je déteste tout ce qui s'approche de la perfection.

J'adore lire. D'ailleurs, tu devrais voir la bibliothèque qu'on a à la maison. S'il y a une seule chose qui me manque ici, c'est elle. Ma mère étant elle-même une grande lectrice, elle l'a remplie de livres de tous genres. Il n'existe aucune règle pour les classer et aucune restriction en raison de ton âge ou du genre. Tu en prends un, tu le lis et tu le déposes sur le rayon de ton choix au moment de le rapporter. Chez nous, il n'y a aucune censure. Tu lis ceux que tu veux même s'ils sont à l'index parce que ma mère croit que tous les lecteurs font le bon choix au bon moment. Inutile d'ajouter que c'est loin d'être le cas ici! Je me demande bien pourquoi je te raconte tout ça sans même savoir si tu aimes lire.

J'ai passé l'été dernier chez ma grand-mère Alice. Elle habite sur le bord de la rivière Saguenay, sauf que, contrairement à nous, il n'y a rien pour obstruer sa vue. Je ne me fatigue pas de regarder l'eau. Je suis par contre très frileuse à la seule idée de tremper mon gros orteil dedans à part bien sûr quand je vais à la plage de Shipshaw. Je ne me vois pas non plus monter à bord d'un bateau pour naviguer des jours durant. Je préfère de loin être sur la terre ferme. Et toi?

Martine regarde l'heure sur l'horloge accrochée au mur près de la porte du réfectoire. Elle a tout juste le temps de terminer sa lettre et de griffonner quelques mots à l'adresse de Chantale et de Brigitte pour qu'elles aillent la porter à l'élu de son cœur dès qu'elles la recevront. Elle les trouve très drôles et elle sait qu'elle peut leur faire confiance. Chaque fois qu'elle leur demande un service, ses petites sœurs s'en acquittent avec brio. Ceci étant dit, elle soupçonne qu'elles finiront par lui tomber sur les nerfs au quotidien. Et leur babillage encore plus! Son petit doigt lui dit que quelques jours suffiront. Elle n'aura alors qu'à aller lire au fond du jardin de sa mère les jours de beau temps, à s'enfermer dans la bibliothèque les jours de pluie ou, pourquoi pas, à aller passer quelques jours chez sa grand-mère. Elle lui manque tellement qu'elle lui a écrit une longue lettre la semaine dernière. Elle a hâte de voir si elle va lui répondre avant la fin de l'année scolaire. Alice l'a prévenue qu'elle détestait écrire. Reste seulement à espérer qu'elle fera un effort pour elle.

Martine sursaute lorsque la cloche annonce la fin de la période d'études.

***

Françoise pose un regard sévère sur chacun des murs de son futur salon. Elle vient tout juste de faire la troisième et dernière couche de peinture. Elle aurait préféré en mettre seulement deux, peinturer n'a jamais été son fort, mais ils étaient bleu foncé alors qu'elle les voulait jaune pâle. Satisfaite, elle sourit. La pièce est lumineuse et ça lui plaît beaucoup. Il lui restera seulement à installer le rideau de dentelle et la toile qu'elle a achetés. Les fenêtres sont si grandes qu'aucune des parures qu'elle avait dans son logement de Chicoutimi ne convient. Rachel lui a dit que c'était un mal pour un bien. Elle n'a pas pu s'empêcher de lui rappeler qu'elle n'avait pas ses moyens et qu'elle se serait passée de cette dépense. Malgré cet imprévu et quelques autres, elle a très hâte de s'installer ici. Elle ramasse son pinceau et le regarde de travers. L'envie de le jeter aux poubelles plutôt que de le nettoyer la titille. Elle déteste l'odeur de la térébenthine et encore plus en avoir sur les mains même si elle fait très attention. Elle promène son regard entre la boîte qui tient lieu de poubelle et le vieux pot de verre qui contient un liquide opaque. Prise d'un haut-le-cœur, elle le lance dans la poubelle, récupère le sac, l'attache et le lance au pied de l'escalier. Pas question que ses mains empestent pendant deux jours.

— Hé! s'écrie Marguerite qui arrive au même instant. Un peu plus et tu m'attrapais!

— Désolée de t'avoir manquée, blague Françoise.

— Ha! ha! Je t'ai apporté à manger. Est-ce que je peux monter sans crainte que tu me jettes un gallon de peinture par la tête?

— À la condition que tu te dépêches parce que je meurs de faim. Allez! Qu'est-ce que tu attends pour venir voir mon nouveau salon?

Son amie secoue la tête. Françoise est de loin la personne la plus vive qu'il lui a été donné de rencontrer. Même dans ses jeunes années, jamais Marguerite n'a eu la moitié de sa vitalité. Et c'est encore pire depuis que la maladie s'acharne sur son cas. Les bons jours, elle a l'air d'une tortue sur son déclin à côté d'elle. Et les mauvais, elle préfère s'abstenir d'en parler. Marguerite ne s'empêche pas de vivre. Seulement, ses problèmes de santé lui ont imposé un rythme de croisière qu'elle n'a pas pu refuser bien qu'il ne fasse pas son affaire du tout.

— De trouver le courage de mettre le pied sur la première marche! répond enfin Marguerite.

Si seulement il était possible de partager un peu de son *yahou*, il y a longtemps que Françoise l'aurait fait. Son amie a toute son admiration de mener une vie somme toute relativement normale malgré ses nombreux problèmes de santé. Pour être honnête, elle la plaint de tout son cœur de devoir fournir autant d'efforts seulement pour exister. Elle la regarde monter sans rien dire. Elle irait bien l'aider sauf qu'elle ne serait pas la bienvenue.

— J'aurais dû prendre le premier étage, confesse-t-elle lorsque Marguerite la rejoint enfin sur la galerie.

— Veux-tu bien arrêter de dire des bêtises! Le jour où je ne pourrai plus monter, tu n'auras qu'à venir me voir. J'y pense, c'est toi qui aurais dû descendre. On aurait pu s'asseoir sur la pelouse.

— Des plans pour attraper des hémorroïdes ! Non merci ! Sérieusement, la terre est à peine dégelée. Viens voir mon salon et on s'installera dans la cuisine pour manger. Sonia m'a prêté deux chaises pliantes et une petite table de salon.

— Ça ne m'étonne pas ! dit Marguerite entre deux inspirations pour reprendre son souffle. Au risque de me répéter, je ne lui ai pas encore trouvé de défauts.

— Moi, un seul. Un jour, sa bonté la perdra. Le beau Mario l'a encore piégée. As-tu parlé à Jérôme ?

— Pas rien qu'une fois à part ça ! Autant il a l'habitude de m'écouter quand je lui parle, autant j'ai l'impression de m'adresser à un mur quand il est question de Mario. Des fois, j'ai l'impression qu'il le vénère.

Marguerite est intervenue autant comme autant auprès de son fils à la demande de Françoise, mais ça n'a jamais rien donné. Mario représente beaucoup plus qu'un ami pour Jérôme, ce qui ne lui facilite pas la tâche. La dernière fois qu'elle lui a parlé, il lui a avoué qu'il était le frère qu'il n'avait jamais eu. Elle s'est retenue juste à temps d'ajouter qu'il aurait pu en choisir un autre.

— Aux grands maux, les grands moyens ! lui confie Françoise d'un ton décidé. Loin de moi l'idée de casser du sucre sur le dos d'un malade, je le plains de tout mon cœur. Ceci étant dit, je ne le laisserai pas faire du mal à Sonia. Il lui en a déjà assez fait. À moins d'avis contraire, j'ai l'intention d'aller voir Mario la semaine prochaine. S'il le faut, je suis prête à l'implorer à genoux pour qu'il la laisse tranquille. Penses-tu que je ferais mieux d'en aviser Jérôme ?

— Non ! Il risquerait de te convaincre de ne pas le faire.

— Tant et aussi longtemps que je vivrai, personne ne m'empêchera de protéger Sonia. Il est plus que temps que Mario sorte de sa vie et je ferai ce qu'il faut pour que ça se fasse.

Françoise se pousse pour la laisser entrer dans le salon. L'effet que le jaune pâle produit sur Marguerite est instantané et rassurant. Ses yeux s'agrandissent et elle met sa main sur sa bouche en signe d'émerveillement.

— Tu n'aurais pas pu choisir une plus belle couleur, finit-elle par dire. Si tu n'habitais pas si haut, je viendrais te voir tous les jours. J'adore la couleur ! Combien de pièces te reste-t-il à peinturer ?

— Une seule : la salle de bain. Il y a tellement de découpage à faire que ça me décourage.

— As-tu ta peinture ?

— Bien sûr ! Et je mets une seule couche de blanc pour la rafraîchir.

— On mange, je découpe et tu roules. À deux, on en a à peine pour une heure.

— Mais tu risques de tacher tes vêtements.

— Tant mieux ! Ça me donnera une bonne raison de m'en acheter des nouveaux.

L'arrivée de Françoise dans sa vie a donné des ailes à Marguerite. Si elle ne souffre pas moins qu'avant, elle a retrouvé le sourire et ça vaut de l'or. Pour elle et pour tous ceux qui la côtoient. Elle ne se plaint presque plus et elle est tout le temps de bonne humeur. À l'inverse, son départ de chez elle risque de créer un grand vide dans sa vie. Elle lui a fait promettre de conserver sa journée de cuisine, ce que Françoise a accepté sans se faire prier moyennant rétribution. Comme elle l'a dit à son amie, elle le fera jusqu'à ce qu'elle trouve deux jours en tant que bonne ailleurs que chez Sonia pour remplir sa semaine. À moins qu'elle s'en tire mieux qu'elle le croit financièrement avec quatre seulement ou... ou qu'elle offre des cours de cuisine pour combler sa cinquième journée. Elle caresse cette idée depuis son premier cours à Alice.

Elle adore montrer. Elle a envisagé différents scénarios sans souffler mot à qui que ce soit de son projet jusqu'à maintenant. Elle pourrait aussi offrir ses services pour préparer des buffets pour différentes occasions.

— Je me porte volontaire pour t'accompagner, s'exclame joyeusement Françoise. J'ai tellement jeté de vêtements avant de m'en venir à Québec que je n'ai pratiquement plus rien à me mettre sur le dos. C'est encore pire depuis que je travaille pour Sonia ; elle refuse que j'endosse la tenue de bonne.

— Alors, je t'annonce officiellement que je vais échapper quelques gouttes de peinture sur moi dans les prochaines minutes.

Les deux amies pouffent de rire. Elles ont toujours beaucoup de plaisir à être ensemble. Certains, dont le mari de Marguerite, prétendent qu'elles rient pour rien, ce qui n'est pas toujours très loin de la vérité, quoiqu'il serait plus juste de dire qu'elles rient souvent pour des riens. Comme on dit, elles ont le bonheur facile et elles l'assument totalement.

— As-tu trouvé quelqu'un pour peinturer en bas ?

— Oui et je l'ai décommandé le lendemain, répond Françoise en haussant les épaules. Imagine-toi donc que le père de Sonia a pris une semaine de vacances pour venir faire tous ses travaux. Aux dernières nouvelles, il arrive demain. Avec Rachel, bien entendu. Vois-tu, c'est une autre bonne raison pour que j'aille magasiner. À moins de remettre ce que je portais au mariage de Sonia et de Jérôme, je n'ai rien d'assez chic.

— Parce qu'ils vont se marier ?

— À moins qu'ils s'accotent, mais ça m'étonnerait beaucoup. De toute manière, j'imagine que ce n'est pas pour demain que les bans seront publiés, ils sortent ensemble depuis quelques semaines seulement. C'est juste que je déteste être prise de court.

— Pas question de te faire souffrir plus longtemps ! ironise Marguerite. Départ demain matin à neuf heures pour Place Laurier et Place Sainte-Foy.

— Et peut-être Place Fleur-de-Lys si nécessaire !

***

Simone admire le fruit de son travail depuis plusieurs minutes sans pouvoir se résoudre à rentrer. La bruine a abruptement mis fin au nettoyage de sa dernière plate-bande. Elle fait des changements chaque année dans son jardin et, cette fois, ça y est. Elle croit avoir atteint l'équilibre parfait entre les couleurs, le temps de floraison et la grosseur des plants. Nul doute, son jardin lui vaudra de nombreux compliments et autant de jaloux. Elle leur dira combien d'années et d'heures elle a investies pour arriver enfin à ce résultat. Développer un jardin digne de ce nom ne se fait pas sans effort… sans beaucoup d'efforts. Si les gens comprennent ses mots, ce n'est qu'au moment de mettre les mains dans la terre qu'ils commencent à mesurer l'ampleur de la tâche. Ajoutons à cela que jardiner est un éternel recommencement. Vous finissez de désherber à un bout et vous recommencez l'instant d'après à l'autre.

Alice a hérité de tous les plants qu'elle a enlevés au début du printemps. Simone s'est même portée volontaire pour aller les planter, ce que sa belle-mère a accepté avec empressement à la condition qu'elle en réserve une partie pour Germaine. Deux jours plus tard, l'immense plate-bande devant leur jumelé et le grand bandeau au bout de leur terrain derrière étaient garnis. À sa grande surprise, Alice s'est mis les mains dans la terre. Juste assez longtemps pour se salir, mais au moins elle l'a fait. Quand Simone a raconté ça à Pascal, il s'est mis à rire. Il avait beau essayer d'imaginer la scène, il n'y arrivait pas. Toujours aussi volontaire, tante Germaine s'est agenouillée en même temps que Simone pour se relever seulement à la fin des travaux. Histoire de se racheter, Alice s'est mise aux fourneaux et leur a mitonné de bons petits plats.

Se faire servir par sa belle-mère était la dernière chose que Simone pensait vivre un jour et elle avoue sans se faire prier qu'elle se défend plutôt bien en cuisine. En tout cas, pas mal mieux qu'avant. Comme Pascal se plaît à dire, sa mère est allée à bonne école. Il est vrai que Françoise n'a pas son pareil pour faire à manger. Contrairement à Charles qui a la manie de mettre les petits plats dans les grands, elle ne fait jamais rien de compliqué. Entre ses mains, un simple pâté chinois prend des airs de fête. Aux dires des filles, tout ce qui sort de ses casseroles goûte le ciel et, sur ce point, Simone se rallie sans se faire prier.

— Maman ! Maman ! s'écrie Chantale de sa petite voix aiguë. Je t'ai cherchée partout ! Qu'est-ce que tu fais dehors ? Tu ne vois pas qu'il pleut ?

Simone lève les yeux au ciel avant de se retourner. Si elle pouvait sauter les vacances scolaires cette année, elle le ferait volontiers. Il lui arrive encore de se demander comment elle a fait pour survivre à celles de l'été passé. Elle a emmené les filles à la plage comme elle avait l'habitude de le faire avec Sonia, mais ce n'était pas pareil. Même Françoise n'arrivait pas à lui faire oublier son absence.

— Maman, je te parle ! lance Chantale en lui secouant le bras. Est-ce que tu as reçu un paquet de Maggie pour moi ?

— Quoi ?

Chantale soupire aussi fort qu'elle peut. Il lui tarde de vieillir pour cesser d'être obligée de rendre des comptes à sa mère. Elle la regarde comme si elle avait tué quelqu'un, ce qui est pourtant loin d'être le cas.

— Ah ! s'écrie-t-elle, les baguettes en l'air. Je lui ai juste écrit pour lui demander de m'envoyer des pralines.

— Qui t'a donné son adresse ?

— Je l'ai ramassée dans la poubelle quand elle t'a envoyé ton cadeau de Noël et j'ai demandé à M. Charles de la copier sur mon enveloppe. Il ne faut pas le chicaner, je lui ai dit que tu étais d'accord. Est-ce qu'on pourrait rentrer ? Je reçois plein de gouttes d'eau et je gèle.

— Pas avant que tu m'aies tout dit et je te conseille de ne rien oublier.

Nouveau soupir de la part de Chantale. Elle aurait dû écouter Brigitte et ne pas lui en parler. Avec un peu de chance, Charles aurait mis son colis de côté et le lui aurait remis en douce. Elle l'aurait caché dans sa garde-robe et aurait dégusté ses pralines en paix sans lui en donner une seule.

— Si tu veux tout savoir, je lui ai envoyé vingt dollars pour les payer… Grand-papa André m'en avait donné dix à Noël et dix à ma fête. Comme tu peux voir, ça ne te coûtera pas un sou.

— Je t'interdis de t'adresser à moi sur ce ton, jeune fille. Je n'apprécie pas du tout que tu aies écrit à Maggie sans m'en parler. Je te rappelle que c'est mon amie et non la tienne.

— C'est justement pour ça que je l'ai fait sans t'en parler.

— Une autre phrase comme celle-là et je t'envoie réfléchir dans ta chambre.

— Pas la peine, maman, je suis capable d'y aller toute seule. Est-ce que tu caches encore tes pralines dans ta boîte à chapeau ?

— Je t'interdis d'y toucher ! lui ordonne Simone avant de descendre les quelques marches qui la séparent de son jardin. La pluie a redoublé d'ardeur, mais elle vaut mieux qu'une seule autre minute à écouter délirer Chantale.

Elle remonte son col et s'agenouille près de la plate-bande à droite de l'escalier. Si elle était là, Sonia aurait éclaté de rire pour ensuite porter sa nièce aux nues pour s'être aussi bien débrouillée alors que tout ce que Simone a trouvé à faire a été de la prendre en défaut. La vie était beaucoup plus facile quand sa sœur était là. Avec elle, il n'y avait jamais rien de grave. Simone arrache les mauvaises herbes en faisant attention de ne pas tirer les jeunes pousses. Autant s'occuper de son jardin lui fait du bien, autant s'occuper de ses filles lui demande un effort et elle est loin d'être au bout de ses peines. Catou vient tout juste d'avoir quatre ans. Il y a des jours où elle se demande comment elle va faire pour tenir le coup jusqu'à sa majorité. C'est sans compter que le retour de Martine lui fait peur. Certes, elle a insisté pour que Pascal la convainque de passer l'été en famille plutôt que chez Alice. En son âme et conscience, c'est le rôle des parents de s'occuper de leurs enfants, pas celui des grands-parents. Si elle a apprécié ce qu'elle a vu de sa fille à Noël et à Pâques, ça ne l'empêche pas de se demander s'il en sera de même pendant toutes les vacances. Elle a l'intention de se rapprocher d'elle… Reste maintenant à savoir comment elle va s'y prendre. À première vue, Martine paraît plus docile, mais l'est-elle vraiment ? Se laissera-t-elle apprivoiser ? Acceptera-t-elle de se laisser aimer ? Voudra-t-elle seulement discuter de ses lectures avec elle comme avant ? Autant de questions qui resteront sans réponse jusqu'à ce que Martine débarque avec armes et bagages à la fin des classes.

Pendant que Simone se fait mouiller la tête, Chantale pleure toutes les larmes de son corps assise au bout de la table de cuisine. N'écoutant que son cœur, Charles vient s'asseoir à côté d'elle et il lui met la main sur le bras pour l'encourager à parler.

— Ma mère est méchante, monsieur Charles, déclare-t-elle entre deux sanglots. On dirait que tout ce que je fais la met de mauvaise humeur. Après le tapis de grand-maman Jeannine, c'est au tour des pralines. Elle est fâchée que j'aie écrit à Maggie sans lui dire.

— Oups ! J'aurais peut-être dû…

— Il ne faut pas vous inquiéter, le coupe Chantale, je lui ai dit que tout était de ma faute.

Elle renifle deux fois plutôt qu'une. Elle rêve depuis plus de deux mois de recevoir un colis de la Belgique et voilà que sa mère a réussi à jeter un brouillard si épais sur son espoir qu'elle n'arrive plus à y croire. Elle lève la tête et sourit à son allié à travers ses larmes. Charles lui caresse doucement le dos jusqu'à ce que la sonnette de la porte de cuisine leur crève les tympans. Il s'empresse d'aller voir qui ça peut bien être.

— Bonjour! J'ai un colis pour Mlle Chantale Thibault. Veuillez signer ici, s'il vous plaît.

Le livreur n'avait pas fini de dire son nom que Chantale était aux côtés de Charles.

— C'est pour moi! s'écrie-t-elle en s'essuyant les yeux du revers de la main.

— Ça vient de la Belgique et, ma foi, c'est assez pesant.

— Je vous promets de vous en donner une, dit-elle en s'emparant de son trésor qu'elle colle aussitôt sur son cœur. Merci beaucoup, monsieur Charles.

Elle retourne à sa place et déchire le papier sans précaution. Une lettre trône sur le dessus de sa boîte de pralines. Elle la saisit et se met à la lire à haute voix.

Ma belle Chantale,

Ta mère m'avait confié que tu aimais les pralines, mais jamais je n'aurais cru que c'était au point d'investir autant d'argent, surtout pour une petite fille de ton âge, pour en avoir rien qu'à toi. J'ai dépensé jusqu'à la dernière cenne pour t'en acheter comme tu me l'avais demandé. J'ai suivi à la lettre la liste de tes préférences. Je vais te confier un secret, ç'a été d'autant plus facile que tu aimes les mêmes que moi. Je me suis permis d'en ajouter quelques-unes de mon propre chef, je veux que tu les goûtes et que tu m'écrives pour me donner ton appréciation. Elles sont sur le dessus.

Écris-moi aussi souvent que tu en auras envie même si ce n'est pas pour me commander des pralines. Je serai toujours ravie de te lire.

Dans le cas où ta mère te ferait la vie dure pour ce colis, tu n'auras qu'à lui remettre la feuille adressée à son nom. Je t'autorise même à la lire si le cœur t'en dit.

Je t'embrasse très fort.

Maggie

— Elle est vraiment très gentille, l'amie de ta maman.

— Bien plus qu'elle.

Charles se garde d'ajouter quoi que ce soit concernant sa patronne. Autant elle peut être gentille, autant elle peut être une vraie peau de vache. Pas en ce qui le concerne puisqu'à ce jour elle a toujours été d'une politesse exemplaire. Il ne connaît pas encore tous les tenants et les aboutissants qui la poussent à agir ainsi et il ne partira pas en quête de réponses à ses questions non plus. Mme Simone est ce qu'elle est et il compte bien s'en accommoder, d'autant qu'il adore ses filles et le Dr Thibault. Cet homme est d'une telle gentillesse qu'il lui fait oublier sa femme par sa seule présence. Qu'elle s'en prenne à Françoise, à Mme Alice ou à Sonia passe encore parce qu'elles sont toutes capables de se défendre. C'est lorsqu'elle s'en prend à une des petites de manière injuste comme elle vient de le faire avec Chantale que Charles sent la colère monter en lui. Il n'a aucune difficulté avec le rôle parfois ingrat que doivent jouer les parents pour éduquer leurs enfants. Par contre, jamais il ne tolérera que quelqu'un s'en prenne à eux de manière injuste et violente. Il a déjà fait écran pour le plus vieux de la dernière famille pour qui il a travaillé et il le referait sans hésiter même si ça lui a coûté son emploi. Son seul regret: ne plus être là pour le protéger de son père.

Chantale prend le mot adressé à sa mère et en fait la lecture à haute voix.

Bonjour Simone,

Un petit mot pour te dire que j'ai reçu avec grand plaisir la gentille lettre de Chantale et que je l'ai encouragée à récidiver. Promets-moi de ne pas manger toutes ses pralines. Je t'écrirai sans faute cette semaine, j'ai un tas de choses à te raconter.

Maggie

— Qu'est-ce que ça veut dire, récidiver? lui demande Chantale.

— Recommencer.

Un large sourire s'affiche aussitôt sur les lèvres de Chantale en repliant la lettre de sa mère.

— Pourriez-vous surveiller mes pralines et ma lettre? Je ne voudrais pas que Brigitte se serve. Je reviens dans une minute.

Elle sort de la cuisine en coup de vent, traverse la maison au pas de course et sort sur la galerie d'en arrière. Ne voyant sa mère nulle part, elle revient sur ses pas et s'arrête devant son atelier. Elle pousse la porte et lui dit d'une voix autoritaire:

— Maggie est bien plus gentille que toi. Tiens, c'était dans mon colis. Je m'en vais chez Mme Rachel.

Simone lit la courte et touchante lettre de Maggie et s'appuie sur le cadrage de la porte. Elle est blanche comme un drap. Quand on est rendu à un point où même votre amie qui habite de l'autre côté de l'océan croit nécessaire de vous écrire pour ménager votre fille, c'est que vous avez un sérieux problème et que vous feriez mieux d'arrêter de penser que vos sautes d'humeur ne sont pas si graves que ça. Il y a longtemps qu'elle aurait dû accepter la médication proposée à maintes reprises par Pascal. Elle n'en peut plus de vivre en dents de scie. En plus de trouver épuisant d'être toujours en réaction excessive pour tout et pour rien, il vient toujours un moment où elle s'en veut de faire endurer sa misère à ceux qu'elle aime. Elle avait espoir que ça lui passerait avec le retour de la belle température, ce qui n'a pas encore été le cas cette année. Elle est sur le point de commencer ses cours et elle mord tous ceux qui s'approchent un peu trop près d'elle. À ce jour, Charles est le seul à ne pas avoir goûté à sa médecine. Sur sa personne, du moins, parce qu'il a été témoin de plus d'une scène démesurée dont les filles ont été victimes depuis son arrivée. Contrairement à Françoise, il n'intervient jamais. À tout le moins, pas directement. Il n'a pas besoin de le faire en mots pour que Simone saisisse sa position, son regard en dit long.

Elle vit très mal le départ des siens et anticipe celui de Rachel avec beaucoup d'inquiétude. Qui Chantale ira-t-elle voir quand elle ne sera plus là ? Simone n'ose pas y penser. Sa fille voue un amour sans bornes à leur voisine. Elle pourra toujours se tourner vers son grand-père, mais ce ne sera pas pareil. D'abord, André n'habite pas la maison d'à côté et, de plus, il a abandonné sa grand-mère Jeannine adorée alors que Rachel l'a prise chez elle. Tout serait tellement plus facile si elle était une mère normale. Si, au lieu de s'en prendre à ses filles à la moindre occasion, elle était là pour les consoler. Ainsi, Christine n'aurait pas été obligée de s'expatrier à Québec pour guérir de sa peine d'amour. Martine n'aurait pas insisté pour retourner pensionnaire. Chantale ne passerait pas autant de temps chez Rachel, et Brigitte ne la supplierait pas pour aller dormir chez Alice dès qu'elle est en congé. Il ne lui reste que Catou, et encore. Sa plus jeune passe le plus clair de son temps avec Charles et ses sœurs, ce qui est tout sauf normal. C'est sa fille et elle s'organise pour sauter tous les moments critiques de la journée sous prétexte qu'elle est trop occupée. À quoi sert de mettre des enfants au monde si c'est pour payer quelqu'un pour faire le travail à sa place ?

Simone se rend à la clinique de Pascal. Elle sort le livre des rendez-vous et inscrit son deuxième prénom et le nom de jeune fille de sa mère sur la première ligne disponible. Elle le remet à sa place et retourne à son atelier.

Pendant ce temps, Chantale montre à Charles comment manger une praline. Le regard fixé sur elle, il se mord l'intérieur des joues pour ne pas rire. Elle a commencé par se placer au-dessus de sa boîte et a observé chaque pièce avant d'en choisir deux. Elle lui en tend une et dépose l'autre devant elle.

— Interdiction d'en faire une seule bouchée, monsieur Charles, lui dit-elle en levant son petit index dans les airs. Vous ne tenez pas un chocolat Opéra dans votre main, mais une praline. Une praline qui a traversé l'océan ! Moi, je prends toujours le temps de la regarder avant de la croquer. Et de la sentir aussi ! Allez-y !

Bien qu'il se trouve un peu ridicule de faire autant de cérémonies pour un chocolat, Charles suit ses instructions à la lettre.

— J'aime autant vous dire que c'est un cadeau empoisonné que je viens de vous donner, clame-t-elle en haussant ses petites épaules, parce que vous ne voudrez plus manger autre chose.

— Est-ce que ça veut dire que je ne suis plus obligé de t'acheter des tablettes de chocolat ?

Chantale pâlit à vue d'œil.

— Mais non, monsieur Charles ! Ma boîte est si petite que j'en ai à peine pour deux heures.

— Tu ne vas quand même pas toutes les manger aujourd'hui ?

— Pensez-y une seconde ! C'est le seul moyen de ne pas me les faire voler et je ne veux surtout pas qu'elles blanchissent.

Cette fois, Charles ne peut réprimer un sourire. Cette enfant est aussi rafraîchissante qu'un verre de limonade glacée en plein cœur de juillet. Et puis, elle est jolie comme tout et tellement brillante. Il l'a aimée en la voyant. De tous les enfants dont il a partagé le quotidien au cours de sa vie professionnelle, elle est sa préférée.

— Tu vas avoir mal au cœur…

— Je n'ai jamais eu mal au cœur à cause des pralines. Vous pouvez en prendre une bouchée maintenant et la laisser fondre doucement sur votre langue avant de l'avaler.

Charles s'exécute et c'est là qu'il la voit fermer les yeux alors qu'un sourire se dessine sur ses lèvres. Il les ferme à son tour et la magie s'opère. Il ignorait qu'une praline pouvait avoir si bon goût.

— C'était délicieux ! Je suis curieux de savoir qui t'a montré comment manger une praline…

Elle commence par lever les yeux au ciel, puis elle soupire. La question de M. Charles lui rappelle un souvenir qu'elle ramène le moins souvent possible à sa mémoire.

— La première fois que maman a reçu des pralines de Maggie, sa boîte était au moins deux fois plus grosse que la mienne, je l'ai trouvée en cherchant quelque chose dans sa garde-robe et j'en ai mangé au moins une vingtaine en ligne. Dès ma première bouchée, j'ai su que je devais prendre le temps de les déguster. Je ne vous mens pas, monsieur Charles, j'ai dû passer une bonne demi-heure assise sur le pied de son lit à me régaler.

— Ta mère ne devait pas être contente…

— Oh non ! Elle était furieuse et elle m'a punie. Vous pouvez manger le reste de votre praline si vous voulez. Je finis la mienne et je cours chez Mme Rachel avant que Brigitte me supplie de partager ma boîte avec elle.

— Tu pourrais peut-être lui en donner une…

— Elle n'aura qu'à écrire à Maggie si elle en veut. Je serai revenue pour le souper. À plus tard !

9

Sonia sort du centre commercial en fredonnant un succès du jour. Aujourd'hui, elle a pris le temps d'entrer dans tous les magasins de Place Laurier et ça lui a fait le plus grand bien de penser seulement à elle. Elle aime s'offrir ce genre de petite virée de temps en temps. Elle avait l'habitude de le faire avec Christine quand elle vivait à Chicoutimi et parfois avec Simone. La seule raison pour laquelle elle s'est abstenue de le faire cette fois, c'était pour ne pas la détourner de sa mission. Sonia n'a pas acheté grand-chose, elle a dépensé cinquante dollars en tout, incluant son dîner. Elle fait partie des rares femmes qui n'ont pas besoin de posséder dix paires de chaussures pour être heureuses. Une fois dehors, elle sort le bout de papier sur lequel elle a inscrit l'endroit où elle a laissé son auto. Si elle ne l'écrit pas, elle peut tourner en rond pendant plusieurs minutes. Elle rit toute seule lorsqu'elle se rend compte qu'elle est sortie par la mauvaise porte. Elle retourne à l'intérieur et se rend à l'arrière. Elle aperçoit très vite son véhicule. À moins qu'elle se trompe, il y a quelqu'un qui est appuyé dessus. Elle se demande bien qui ça peut être, surtout que Françoise est la seule au courant de sa sortie. Elle s'approche d'un bon pas et un grand frisson la parcourt tout entière quand elle le reconnaît.

— Pas lui ! ne peut-elle pas s'empêcher de dire à voix haute.

Aucun doute, Mario la suit. À moins qu'il n'ait engagé un détective privé pour le faire à sa place, ce qui serait beaucoup plus plausible étant donné qu'elle connaît son auto. Elle voit rouge. Cette fois, c'est la goutte qui fait déborder le vase.

— Qu'est-ce que tu me veux, encore ? lui demande-t-elle après avoir résisté difficilement à l'envie de commencer par l'accabler de bêtises.

— Te parler !

— Si c'est pour me dire que tu vas passer l'été en Gaspésie, je suis déjà au courant.

Il la regarde avec des yeux de chien battu et ça la met encore plus de mauvaise humeur.

— Je t'en prie, Sonia, il faut absolument que je te parle.

— Je t'accorde exactement cinq minutes, pas une de plus, et c'est la dernière fois.

— Est-ce qu'on pourrait au moins s'asseoir dans ton auto ?

— On est très bien dehors.

Elle va porter ses sacs dans le coffre et vient se placer devant lui.

— Je t'écoute, lui dit-elle en croisant les bras.

La tête baissée, le pauvre homme se tord les doigts. Il le fait tellement vite que Sonia en a la chair de poule. Et voilà qu'un souvenir la frappe de plein fouet. Il a fait exactement la même chose les deux fois où il l'a demandée en mariage.

— Épouse-moi ! lance-t-il en relevant la tête et en joignant les mains sur sa poitrine pour empêcher ses doigts de bouger.

Les deux mots qu'il vient de prononcer ont l'effet d'une bombe sur elle au point qu'elle doit s'agripper à son miroir pour ne pas perdre l'équilibre. Si seulement elle vivait encore à Chicoutimi, elle appellerait Pascal pour savoir quoi faire avec lui. Mario ne va pas bien et elle non plus parce qu'elle en a déjà trop entendu.

— Épouse-moi parce que je ne peux pas vivre sans toi. J'ai essayé, mais… je n'y arrive pas.

De grosses larmes coulent sur ses joues, ce qui fait dire à Sonia qu'elle doit prendre les choses en mains et que le plus tôt sera le mieux. N'écoutant que son cœur, elle se dit qu'il est hors de question qu'elle l'abandonne maintenant, alors elle s'approche et le prend par le bras.

— Monte avec moi, lui dit-elle doucement, on va aller boire un Coke.

Il s'essuie les yeux et obéit sans se faire prier. Elle prend place derrière son volant et démarre son auto. Il faut qu'elle réfléchisse et vite à l'endroit où elle va l'emmener. Et ce ne sera pas au restaurant. Il ne va pas bien et ce n'est pas à elle de décider de la suite des choses. Il est hors de question qu'elle l'emmène chez elle, pas même jusqu'à ce que quelqu'un de sa famille vienne le chercher. Elle réfléchit en roulant et s'arrête devant la première cabine téléphonique qu'elle aperçoit.

— Ne bouge surtout pas ! Je dois absolument avertir Françoise que je vais retarder un peu.

Elle éteint son moteur, retire sa clé et sort de l'auto. Elle entre dans la cabine, prend une pièce de monnaie dans sa poche et compose son numéro de téléphone en priant pour que Françoise soit là. Un coup ! Deux ! Sonia se fait un sang d'encre.

— Résidence de…

— Françoise, la coupe-t-elle, soulagée d'entendre sa voix, c'est moi. J'ai besoin de votre aide. Mario est dans mon auto et il ne va pas bien. Allez demander à Jérôme l'adresse de sa sœur qui habite à Sainte-Foy. Je vais l'y conduire.

— Inutile, je l'ai. Je vais la chercher tout de suite.

Sonia se retourne et sourit à Mario. De l'endroit où elle est, elle remarque qu'il a l'air d'un petit garçon. Et elle, d'un pauvre petit lièvre pris au piège. Pourquoi a-t-il encore fallu qu'il la choisisse pour déraper ? Pourquoi ? Deux petites larmes s'enhardissent au coin de ses yeux, mais elle ne leur donne pas la chance de glisser sur ses joues. Elle les essuie d'un geste rageur et se met à taper du pied devant le temps que Françoise met à lui donner la fameuse adresse.

— Avez-vous ce qu'il faut pour la noter ?

— Croyez-moi, j'ai une excellente mémoire pour ces choses-là. Le temps de déposer mon paquet et je reviens à la maison.

— C'est derrière Place Sainte-Foy.

Au moment de retourner dans son auto, Sonia se rend compte que Mario s'est endormi. Elle ferme sa portière aussi doucement que possible, démarre son moteur et se met en frais de trouver la rue que Françoise vient de lui indiquer. Quelques minutes plus tard, elle aperçoit une femme de son âge faisant les cent pas sur la galerie d'un bungalow des années cinquante. Elle vérifie le numéro d'immeuble et entre dans la cour. Elle serait prête à parier qu'elle l'attendait : Françoise l'a avertie de son arrivée. Sonia immobilise son auto, descend et va à sa rencontre.

— Bonjour, dit-elle en lui tendant la main, je m'appelle Sonia.

— La Sonia que mon frère aime tant ?

— Si vous le dites ! laisse-t-elle tomber d'un ton neutre. L'auto de Mario est dans le stationnement arrière de Place Laurier. Il m'a demandé de l'épouser il y a quelques minutes alors que mon mari est un de ses amis, ce qui me fait dire qu'il ne va pas bien.

— Merci beaucoup de l'avoir ramené après tout ce qu'il vous a fait endurer.

— Il n'y a pas de quoi !

Sonia ouvre la portière côté passager et se pousse pour laisser la place à la sœur de Mario. Cette dernière le réveille doucement et le prend par la main pour l'aider à sortir de l'auto. Il passe devant elle sans la voir. De grosses larmes coulent maintenant sur les joues de Sonia, mais cette fois elle ne fait rien pour les en empêcher. Elle remonte dans son auto, roule jusqu'à la prochaine rue, se stationne en bordure du trottoir et laisse libre cours à toutes celles qui se bousculent au coin de ses yeux.

Ce n'est qu'une heure plus tard qu'elle rentre chez elle, les yeux rouges et enflés et le cœur en miettes. Françoise abandonne ses chaudrons à l'instant où elle entend tourner la poignée de porte. Elle commence à en avoir plus qu'assez des frasques de Mario et encore plus que ce soit toujours Sonia qui en fasse les frais. Elle l'attire à elle et la serre dans ses bras comme elle le ferait pour sa propre fille.

***

Brigitte et Chantale jubilent à l'idée que Martine les ait choisies pour aller remettre sa lettre au beau Mathieu. Leur sœur est devenue leur idole à l'instant même où elles ont lu leur mission.

— Je la trouve beaucoup plus gentille depuis qu'elle est pensionnaire, avoue Brigitte.

— C'est sûr, voyons ! réagit Chantale en levant les yeux au ciel comme si sa sœur venait de dire une niaiserie. Elle n'est pas là pour nous embêter et on peut jouer tranquilles au Monopoly sans crainte qu'elle lance le jeu dans les airs chaque fois qu'elle perd.

— Essaie seulement de dire que tu n'es pas contente qu'elle nous ait demandé d'aller voir le beau Mathieu.

Chantale relève les épaules et fait la moue.

— Mais oui je suis contente ! scande-t-elle en lui faisant son plus beau sourire, mais pas assez bête pour croire que Martine est parfaite pour autant. Qu'est-ce qu'on attend pour aller le voir ?

— Qu'on ait soupé. On n'est quand même pas pour le déranger pendant qu'il mange.

— C'est justement le meilleur moment de l'attraper chez lui. Arrive, on va avertir M. Charles qu'on sort quelques minutes.

— Maman va être furieuse si on est en retard!

— Elle n'est pas obligée de le savoir. Suis-moi!

Chantale décroche la photo de Martine lorsqu'elle passe devant le mur des souvenirs de famille.

— Tu aurais dû prendre celle qui est au-dessus, critique Brigitte.

— Apporte-la si tu veux, c'est juste pour lui montrer de quoi elle a l'air.

— Et s'il veut en garder une?

— Ha! ha!

Brigitte revient sur ses pas et décroche l'autre photo. Au cas où Mathieu voudrait la garder, elle n'aura qu'à lui dire qu'elle ne peut pas la lui laisser. Elle la cache sous son chandail et rejoint Chantale. Elles avisent Charles qu'elles doivent absolument sortir et qu'elles seront de retour dans quelques minutes.

— Et si jamais il bavasse à maman? s'inquiète Brigitte une fois qu'elles sont dehors.

— Notre maison pourrait passer au feu aussi tant qu'à y être. Arrête d'avoir peur d'avoir peur.

— Au lieu de dire des niaiseries, dis-moi plutôt si c'est la fin de semaine prochaine que Mme Rachel déménage à Québec.

— Je ne me souviens plus si c'est celle-ci ou la suivante… Ça me fait pleurer rien que de penser que je ne la verrai plus. Enfin, presque plus.

— Tu oublies que grand-papa nous a promis de nous emmener à Québec pour aller la voir.

— Tu ne comprends pas, plaide Chantale, Mme Rachel n'est pas encore partie et elle me manque déjà.

Les deux sœurs marchent en silence jusque chez Mathieu. Elles empruntent le petit trottoir de bois qui mène à la porte d'entrée et sonnent à tour de rôle pour être bien certaines que quelqu'un viendra leur ouvrir. Elles perdent l'usage de la parole lorsqu'un beau grand jeune homme de la même grandeur que leur père apparaît devant elles.

— Salut, les filles ! dit-il gentiment. Est-ce que je me trompe ou votre père est le Dr Thibault ?

Il obtient un hochement de tête pour toute réponse, ce qui le fait sourire.

— Moi, je suis le grand frère de Nicole et je m'appelle Mathieu. Ne me dites pas que le chat a mangé votre langue !

Chantale agrandit les yeux et inspire à fond dans l'espoir de sortir de sa torpeur.

— Martine aurait dû nous dire à quel point tu étais beau, lance-t-elle d'une voix qui ne ressemble en rien à la sienne.

Mathieu leur sourit.

— Qui est Martine ?

— C'est ma sœur, répond-elle avec plus d'assurance, elle est pensionnaire. Aimerais-tu voir sa photo ?

— Bien sûr, répond gentiment Mathieu sans savoir où tout ça va le mener.

— Moi aussi, j'en ai une d'elle, plaide Brigitte qui vient de recouvrer la voix. Tiens, la mienne est plus récente.

Chantale jette un regard noir à sa sœur pendant que Mathieu regarde les photos de Martine avec attention.

— C'est une belle fille.

Le jeune homme les observe pendant quelques secondes. Il les trouve très mignonnes, mais il aimerait bien savoir pourquoi elles sont là.

— Je suis vraiment mal élevé. Non seulement je ne vous ai pas offert d'entrer, mais je ne vous ai pas demandé qui vous étiez venues voir. C'est sûrement Nicole…

— On est venues pour toi, avoue Chantale en rougissant jusqu'à la racine des cheveux.

— Martine nous a demandé de venir te porter une lettre, ajoute Brigitte. Donne-la-lui !

— Il n'y a pas le feu ! Tiens !

Mathieu sourit de plus belle en prenant la lettre qu'elle lui tend.

— Moi, je m'appelle Chantale, elle, c'est Brigitte, et je trouve que Martine a beaucoup de goût.

Elle tourne les talons avant qu'il ait le temps d'ouvrir la bouche, accroche sa sœur par le bras et l'entraîne dans sa marche rapide.

***

Sonia renifle encore au bout de la table quand Jérôme fait son entrée dans la cuisine. Il se précipite aussitôt vers elle en ignorant totalement Françoise et son fils au passage. Quelque chose de grave s'est forcément passé pour que sa femme soit dans cet état, elle qui est toujours de bonne humeur. Sonia vient se blottir dans ses bras aussitôt qu'elle le voit et se remet à pleurer de plus belle. Il la serre contre lui.

— C'est à cause de Mario, se permet de dire Françoise.

Il se retourne aussitôt vers elle et la questionne du regard.

— Il l'attendait près de son auto à la sortie du centre d'achats et il lui a demandé de l'épouser.

Elle est consciente que ce qu'elle vient de dire a l'effet d'une bombe sur son patron et, franchement, c'est justement ce qu'elle recherchait. Les apparitions de Mario sont en train de tuer Sonia et c'est aujourd'hui que ça cesse.

— Quoi ?

Françoise lui répète mot pour mot ce qu'elle vient de lui dire en prenant soin de ralentir son débit afin de lui laisser le temps d'assimiler le message.

— Mon pauvre amour ! chuchote-t-il à l'oreille de Sonia. Si j'avais su…

— Eh bien, maintenant vous le savez, ajoute Françoise d'un ton tranchant. Vous devez couper les ponts avec Mario si vous tenez à votre femme et à votre mariage.

— Je vous rappelle que c'est mon ami et que ce n'est pas le moment de l'abandonner au moment où il a le plus besoin de moi.

Les pleurs de Sonia redoublent aussitôt d'ardeur. Comment a-t-elle pu être assez bête pour croire que son mari la soutiendrait ? Mario occupe une grande place dans sa vie et il ne s'en séparera jamais.

— Écoutez-moi bien, Jérôme, dit Françoise en venant se placer devant lui. Je conviens que Mario a besoin de vous, mais vous allez devoir choisir entre Sonia et lui, et c'est aujourd'hui que vous devez le faire. Votre femme n'endurera pas une nouvelle apparition de son ex-petit ami dans sa vie. J'ai l'impression que vous ne mesurez pas le mal qu'il lui a fait et qu'il lui fait encore chaque fois qu'elle est en sa présence. Mario est malade et il a une famille pour veiller sur lui.

Les propos de Françoise suscitent diverses réactions chez Jérôme. Il n'a rien vu venir. Il est vrai qu'il a toujours pris ce qu'elle lui racontait sur son passé avec Mario avec un grain de sel. Pourquoi ? Parce que l'homme dont elle lui parlait n'avait rien à voir avec son ami. Il ne pensait pas que sa seule présence chez eux la mettait à l'envers à ce point. Il a accepté de le voir à l'extérieur à la seconde où elle le lui a demandé. Il ne comprend pas pourquoi son ami s'entête à voir sa femme.

— Est-ce que vous trouvez ça normal que Mario fasse suivre votre femme ?

— Vous devriez faire attention à ce que vous dites, la met-il en garde.

Françoise se contente de soupirer. Jérôme vient de lui rappeler poliment son rôle et c'est une fois de trop. Elle commence à en avoir plus qu'assez de jouer à la bonne de service. Sans le savoir, il vient de lui donner le coup de pied dont elle avait besoin pour changer de métier. Quelque chose lui dit que ses jours sont comptés ici et dans toute autre famille. C'est pourquoi elle poursuit sur sa lancée en sachant parfaitement à quoi elle s'expose. Elle doit défendre Sonia.

— Je n'ai pas l'habitude de parler à travers mon chapeau. S'il ne la fait pas suivre, expliquez-moi comment il a su à quel restaurant elle dînait l'autre jour, qu'elle irait magasiner aujourd'hui et où elle stationnerait son auto.

Jérôme n'aime pas qu'on le prenne pour un imbécile et c'est ainsi qu'il se sent en ce moment. Il passe par toutes les émotions en quelques secondes seulement. De quel droit Françoise ose-t-elle lui parler sur ce ton ? Comment a-t-il pu se laisser berner de la sorte par Mario ? Pourquoi son ami se comporte-t-il de cette manière avec sa femme ? Trop de choses lui échappent pour qu'il puisse prendre une décision éclairée. On n'efface pas des années d'amitié du revers de la main.

Sonia arrête de pleurer d'un coup. Elle est heureuse que Françoise l'ait mis au parfum. Seulement, malgré ses propos on ne peut plus directs et justes, il faudrait être aveugle pour ne pas voir que son mari penche plus du côté de Mario que du sien. Elle le repousse doucement et lui fait un demi-sourire avant de lui dire en le regardant dans les yeux:

— Je ne veux plus jamais avoir affaire à Mario. Ni maintenant ni jamais. Ni de près ni de loin. Si tu le choisis, je sortirai de ta vie avec Émile sur-le-champ.

Alors que Françoise célèbre le courage de sa patronne, Jérôme se sent acculé au pied du mur, ce qui n'a rien pour lui plaire.

— Accorde-moi une heure, finit-il par dire.

Sonia n'a pas besoin d'en entendre plus pour savoir qu'il va rendre visite à son ami avant de faire son choix. Si une partie d'elle est déjà en train de penser à ce qu'elle fera s'il ne la choisit pas, l'autre comprend qu'il veuille le voir une dernière fois dans le cas où il déciderait de mettre fin à leur amitié. Elle est consciente de l'importance de sa demande, mais elle ne voit pas d'autre solution.

— Je te rappelle que tu es la femme de ma vie. Je t'aime de tout mon cœur et je tiens à toi et à Émile comme à la prunelle de mes yeux. Le problème, c'est que je tiens aussi à Mario et ça me tue de devoir choisir entre vous deux.

Françoise n'en revient tout simplement pas de ce qu'elle vient d'entendre. Ou Jérôme est plus bête qu'il en a l'air, ou il est aussi malade que Mario. Quel homme normal tolérerait la présence de l'ex-petit ami de sa femme? C'est pourtant facile à comprendre. La présence de Mario est en train de lui coûter son couple et tout ce qu'il trouve à dire c'est qu'il a besoin d'une heure avant de prendre sa décision. C'est à n'y rien comprendre. Les cris d'Émile la sortent brusquement de ses pensées. Elle dépose son torchon sur le comptoir, s'essuie les mains et sort de la cuisine avec Sonia sur les talons, mettant ainsi fin à cette discussion qui ne mène nulle part. Elles n'ont pas fait trois pas que la porte extérieure de la cuisine se referme sur Jérôme.

— J'ai l'impression que mon chien est mort, laisse tomber Sonia dans un murmure.

— Laissez-lui le bénéfice du doute au moins pour une heure.

— Il est cinq heures et dix. J'arrive, mon petit loup!

***

Simone entrouvre doucement la porte du bureau de Pascal. Il lui sourit en la voyant et lui demande d'un ton las:

— Ne me dis pas que ma patiente a annulé?

— Non!

— Peux-tu aller la chercher que j'en finisse? J'ai très envie d'aller marcher avec Voyou.

— Elle est devant toi.

Pascal se redresse sur sa chaise et incline la tête de côté. Il ignorait que sa femme avait pris rendez-vous avec lui. Alors qu'il hésite entre jouer le jeu et l'appeler Mme Dupuis et lui demander ce qui l'amène, Simone lui dit tout de go:

— Je veux que tu me soignes.

Même s'il désespérait qu'elle accepte son aide un jour, l'entendre avouer qu'elle ne va pas bien lui donne la chair de poule. Ses nombreuses recherches sur le sujet ne sont malheureusement pas très concluantes. Tout au plus, il pourra amoindrir ses états d'âme, pas les guérir.

— Je n'en peux plus de vivre ainsi, encore moins depuis que la belle température est là. Je suis à cran pour tout et pour rien avec tous ceux qui ont le malheur de croiser ma route. Je n'ai aucune patience et je déteste la femme que je suis en train de devenir. Mes propres filles me fuient tellement elles me craignent. J'ai réussi à me mettre mon unique sœur à dos et même Maggie essaie de protéger Chantale malgré l'océan qui nous sépare.

Plus Simone parle, plus elle a le souffle court, ce qui n'échappe pas à Pascal. Il lève la main dans les airs pour qu'elle prenne le temps de respirer.

— Laisse-moi finir pendant que j'en ai le courage ! Pas plus tard qu'hier, je m'en suis encore prise à ta mère alors qu'elle est juste arrivée au mauvais moment. J'en veux de toutes mes forces à mon père de ne pas être allé voir maman une seule fois chez Rachel alors que je n'ai guère fait mieux que lui. Il me manque, mais je suis trop bête pour passer à autre chose. Je suis morte de peur à l'idée qu'il arrive quelque chose à une de nos filles et tout ce que je trouve à faire c'est de tout tenter pour les garder dans mon giron. Je me suis même permis, la dernière fois que Sonia est venue, de lui dire que Thierry n'était pas du même monde que nous et que c'était pour cette raison que ça ne marcherait jamais entre Christine et lui. Je vous en supplie, docteur, dites-moi ce qui m'arrive et donnez-moi toutes les pilules qu'il faut pour me guérir.

La plaidoirie de Simone a un effet monstre sur lui. S'il était au courant de tout ce qu'elle vient de lui dire, l'entendre de sa bouche multiplie l'effet de ses paroles à l'infini. Le mari en lui irait volontiers s'asseoir à côté d'elle et la prendrait dans ses bras alors que le docteur qu'elle est venue voir doit garder ses distances s'il veut avoir une chance de l'aider. Il la regarde sans la voir pendant qu'il réfléchit à la suite des choses. Il donne toujours l'heure juste à ses patients et il ne fait jamais de promesses qu'il ne peut pas tenir. Simone le regarde avec une telle intensité qu'il est pris d'une bouffée de chaleur. Il voudrait lui dire qu'une seule petite pilule le matin la guérira de tous ses maux, mais il nage en plein mystère pour tout ce qui concerne le mal dont elle souffre et ça ne risque pas de changer demain matin.

— Je n'ai malheureusement pas de remède miracle pour ce que tu as, avoue-t-il d'un trait. Par contre, je pense avoir ce qu'il faut pour au moins diminuer l'intensité de tes réactions.

La déception se lit instantanément sur le visage de Simone.

— Je dois aussi t'avertir que tu t'engages dans un processus d'essai-erreur. Peut-être bien que la première pilule sera la bonne, mais peut-être aussi que ce sera la cinquième ou même la douzième.

Elle est sans voix. Elle a mis un temps fou à se convaincre que Pascal détenait la solution à son problème et voilà qu'il lui tient un tout autre discours. Elle ne veut pas essayer, elle veut réussir. Elle veut se débarrasser au plus vite de ce mal qui la ronge de plus en plus. De grosses larmes coulent maintenant sur ses joues. Ce n'est pas la première fois qu'une de ses patientes réagit ainsi, mais ça a toujours le même effet sur lui. Il voulait être docteur pour guérir les gens. Il voulait avoir les moyens de mettre fin à leur calvaire dès l'instant où ils entreraient dans son bureau. Il voulait faire la différence dans la vie de ses patients : les faire passer de la souffrance à la santé en un claquement de doigts. Il n'avait pas terminé sa première année d'études qu'il connaissait déjà les limites de la médecine. S'il en guérit un bon pourcentage et qu'il en soulage un autre, il ne peut rien pour une infime partie parce que la science a des décennies de retard sur les maux qui accablent le monde d'aujourd'hui. Certains d'entre eux n'ont pas encore de nom au moment où un patient vient le consulter.

N'en pouvant plus de rester de son côté de bureau, il se lève et vient la trouver. Il la prend dans ses bras et la serre contre lui.

— Je ferai tout ce que je peux pour au moins te soulager.

Au lieu de lui répondre, Simone laisse libre cours à toute la peine qu'elle refoule depuis des mois, voire des années.

***

Ma chère Martine…

— Enlève le *chère*, l'implore Chantale.

— Pourquoi je le ferais ? l'interroge Brigitte d'un ton chargé d'impatience.

— Parce que c'est les vieux qui mettent des « chère » partout, pas nous. Laisse-moi ta place, je vais lui écrire.

Brigitte se pousse sans rouspéter. Elle n'a pas envie d'avoir sa sœur au-dessus de son épaule à chaque mot qu'elle couchera sur le papier. Et, de toute façon, Chantale est bien meilleure qu'elle en composition.

— Écoute bien, je vais te la lire à mesure que je l'écris.

Salut Martine,

Brigitte et moi sommes allées porter ta lettre à Mathieu tout à l'heure. Tu aurais dû nous dire qu'il était aussi beau. On a eu l'air de deux vraies imbéciles devant lui. Je ne te mens pas, on a perdu la voix en le voyant et on a mis pas mal trop de temps à mon goût avant de pouvoir parler. Il est vraiment très gentil et surtout très beau.

Je t'embrasse très fort et Brigitte aussi.

— Je n'aurais pas fait mieux, conclut cette dernière avant de pouffer de rire.

10

Alors que son auto lui manque très peu à Québec, il ne se passe pas une seule journée sans que Thierry se demande ce qu'il ferait s'il ne l'avait pas. Quand il en a parlé à sa mère, elle lui a dit qu'on s'habituait très vite au luxe et qu'elle se posait la même question depuis qu'ils ont emménagé dans leur nouvelle maison.

— La seule réponse que j'ai trouvée, c'est qu'on a la capacité de s'adapter et, entre toi et moi, on n'a pas vraiment d'autre choix. On n'avait rien et on faisait des miracles. On a plus et on le tient très vite pour acquis. Je ne retournerais pas une seule seconde à notre ancienne vie et pourtant je n'ai vécu que du bonheur à l'état pur. Depuis qu'on vit ici, tout est beaucoup plus facile pour moi. Ma cuisine est mieux équipée que celle de la plupart des petits restaurants de la ville. Mes gâteaux ne sont pas meilleurs qu'avant, je fais toujours les mêmes recettes, mais je n'attrape plus de crampe dans le bras à force de battre mes œufs. Je remercie ma *mixette* chaque fois que je la range à sa place et je ne m'ennuie pas une miette de mon batteur à main. Même chose pour mon balai. Autant je détestais nettoyer les planchers avant, car mon balai et moi n'avons jamais fait bon ménage, autant j'apprécie ma balayeuse au point que je trouve le bruit de son moteur presque aussi doux qu'une berceuse. Nous vivons dans trois fois plus grand qu'avant et ça me prend moins de temps pour nettoyer la maison en entier. J'aime ma nouvelle vie et j'adore Mme Thibault.

Thierry va marcher avec Voyou tous les jours depuis le départ de Christine pour Québec. C'est M. Thibault qui l'a appelé pour l'aviser. Il va sans dire que son attention l'a beaucoup touché. Ajoutons à cela que le fait de savoir qu'il ne court aucun risque de tomber sur elle le rassure drôlement. Il mentirait s'il disait qu'il l'a déjà oubliée. Dans ses moments d'apitoiement, parce qu'il en a régulièrement, il se rappelle les propos que lui a tenus sa mère sur l'amour le jour de son retour à la maison familiale. C'est ainsi qu'il s'efforce de sortir en ville le vendredi et le samedi soir. Il a même osé relancer Suzie il y a quelques jours. Elle était contente de lui parler, mais surtout de lui apprendre qu'elle est en couple depuis deux mois et que c'est sérieux. Il lui a souhaité bonne chance avec ses amours avant de raccrocher. Samedi dernier, il a rencontré une fille, il devrait plutôt dire une femme puisqu'elle est plus âgée que lui. De combien d'années, il l'ignore et ça ne lui cause aucun problème. Toujours est-il que la Josée en question travaille en comptabilité chez Alcan depuis sept ans. À son grand étonnement, elle l'a invité à aller prendre un dernier verre chez elle. Il a été tellement pris de court qu'il a refusé après avoir rougi jusqu'à la racine des cheveux. Il s'en mord encore les pouces trois jours plus tard. Reste maintenant à trouver le courage de lui téléphoner puisqu'elle a glissé son nom et son numéro de téléphone dans sa poche de chemise. N'eût été la vigilance de sa mère au moment de faire le lavage, jamais il n'aurait su qu'il l'intéressait.

— Promets-moi de l'appeler… à moins qu'elle soit vieille et laide, bien entendu !

Il s'est contenté de sourire. Son intérêt pour ses amours est touchant... et récent. Il ne promet pas de tout lui raconter, il serait bien trop gêné, mais il n'hésitera pas à l'informer en premier le jour où il tombera à nouveau amoureux. En espérant que ça lui arrivera encore !

Il se stationne devant la maison des Thibault, sort de son auto, court jusqu'à la porte de la cuisine et cogne plutôt que de peser sur la sonnette. La seconde d'après, Charles lui crie d'entrer.

— Tu arrives juste à temps pour le souper.

— Merci, mais je viens seulement pour faire marcher le chien.

Thierry reconnaît sans effort que Charles est aussi gentil que Françoise avec lui, ce qui le surprend encore puisqu'il le connaît très peu. Il n'est pas rare qu'il l'invite à manger ou qu'il lui mette des biscuits ou des galettes de côté. S'il accepte de partir avec un petit sac brun rempli de douceurs, il décline la majorité des invitations de Charles. Les filles ont beau le supplier, il reste sur sa position. En vérité, il supporte mal l'attitude revêche de la maîtresse de maison. Elle ne laisse rien passer et ça devient embêtant. Même M. Thibault a droit à ses foudres.

— Tu ne sais pas ce que tu manques !

— Difficile de l'ignorer, ça sent le *roast-beef* jusque chez Mme Rachel.

— Il n'y aura que monsieur et les filles ce soir, ajoute Charles d'un ton de confidence. Mme Simone est à Baie-Saint-Paul.

Lorsque Thierry entend le vrombissement de la moto de M. Thibault, il sourit.

— Vous m'avez convaincu, confirme-t-il. Où sont les filles ?

— Aux dernières nouvelles, elles lisaient au fond du jardin. Tu me fais penser que ça fait au-delà d'une heure que je ne les ai pas vues.

— Je peux aller aux nouvelles, si vous voulez.

— À la condition que tu les ramènes ici dans cinq minutes.

— C'est comme si c'était fait !

Depuis le temps qu'il mange à la table des Thibault, Thierry se sent toujours privilégié. En ce qui a trait au *roast-beef* de Charles, il est forcé d'admettre qu'il bat celui de Françoise à plate couture ; pourtant, il le trouvait bon. Très bon, même ! Son remplaçant a le don des sauces comme d'autres ont le don des langues et ça change tout. Elle est ni trop claire ni trop épaisse, ni trop salée ni trop douce, ni trop grasse ni trop maigre. Elle est tout simplement divine. Il l'aime tellement qu'il se retient de lécher son assiette ou d'en demander un verre.

Il entend les filles avant de les voir. Pour faire changement, Brigitte et Chantale s'asticotent pendant que Catou babille. Il s'approche à pas de loup en évitant de marcher sur la plus petite branche susceptible de trahir sa présence. Il adore les épier et il les trouve drôles.

— Tu es la sœur la plus égoïste que je connaisse, s'écrie Brigitte. Encore plus que Martine ! Ça ne t'aurait pas tuée de m'en donner une.

— Qu'est-ce que Martine vient faire là-dedans ? râle Chantale.

— Absolument rien ! C'était juste pour t'embêter. Vas-tu m'aider, oui ou non, à écrire à Maggie ?

— À la condition que tu me promettes de me donner cinq pralines en échange.

— Deux !

— Trois, et c'est à prendre ou à laisser !

Thierry choisit cet instant pour se manifester. Dès qu'elles l'aperçoivent, les trois sœurs viennent le trouver et se collent à lui. Il prend Catou dans ses bras et l'embrasse dans le cou, ce qui la fait rire aux éclats.

— Bientôt, je ne pourrai plus te lever, lance-t-il, tu es lourde.

— Je suis bien plus pesante qu'elle, réplique Chantale.

— Et plus égoïste aussi ! renchérit Brigitte.

— Tu me le dis une autre fois et tu écriras ta lettre toute seule ! réagit Chantale en lui jetant un regard noir. Je m'en vais !

— On vient avec toi, annonce Thierry, le souper est prêt.

— À la condition que tu restes manger avec nous, le supplie Brigitte.

— Tu devrais dire oui, ajoute Chantale, maman n'est pas là.

Il dépose Catou par terre et leur demande de ramasser leurs livres, ce qu'elles font toutes les trois sans se faire prier. Ils prennent ensuite le chemin de la maison et, curieusement, elles traversent le jardin de leur mère et la maison sans qu'un seul son ne sorte de leur bouche.

— Avez-vous perdu votre langue ? s'empresse de leur demander Charles dès qu'elles font leur entrée dans la cuisine.

— Pas du tout ! répond prestement Chantale. C'est juste que j'aime mieux me taire plutôt que de discuter avec Brigitte. Je prendrai deux tranches épaisses comme ça, s'il vous plaît. Avec beaucoup de sauce !

— Bonjour, tout le monde, lance Pascal en attrapant Catou au passage pour aller l'asseoir à sa place. Veux-tu une bière, Thierry ?

— À la condition que vous en preniez aussi.

— Pas question que je te laisse boire tout seul, mon gars.

M. Thibault est le seul ici à lui offrir autre chose à boire que de la limonade, ce qui le fait bien rire. Même à Québec, ni Sonia ni Françoise ne lui proposent d'alcool. Et pourtant, elles sont au courant qu'il en prend quand il va traîner dans le Vieux-Québec avec ses amis d'université.

— Et moi, se plaint Brigitte, tu ne m'offres rien ?

— Est-ce qu'un grand verre de Coke avec une montagne de glaçons ferait ton bonheur? lui demande gentiment son père.

— Maman serait très fâchée si elle était là, l'avise Chantale.

— Disons que ce sera notre petit secret, dit Pascal. Veux-tu la même chose que ta sœur?

Elle commence par soupirer et lève ensuite les yeux au ciel comme s'il venait de lui demander d'aller lui décrocher la lune.

— Je sais garder un secret, moi, lance-t-elle en jetant un coup d'œil à Brigitte. Je prendrai moins de glace et plus de boisson gazeuse.

— As-tu fini de te penser plus fine que tout le monde? lui demande Brigitte d'un ton cinglant.

— Ça suffit, les filles! leur ordonne leur père d'une voix autoritaire. À partir de maintenant, la première qui cherche le trouble à l'autre s'en ira dans sa chambre sans souper. Et toi, Catou?

— Du lait pour Catou, papa.

— Je m'en occupe, annonce Thierry en allongeant le bras pour saisir la pinte de lait qui trône au milieu de la table.

— Venez manger avec nous, Charles.

— Avec plaisir.

Il a travaillé pour des gens riches et très gentils aussi, mais aucun ne lui a jamais offert de s'asseoir à sa table. Il apprécie beaucoup le Dr Thibault. Il aurait toutes les raisons du monde de regarder les gens de haut alors qu'il est d'une simplicité désarmante. Ce qui n'est pas le cas de son frère François. La première fois qu'il est venu ici, Charles a tout de suite su qu'il ne s'entendrait jamais avec lui.

Cet homme est arrogant, mesquin, profiteur, égoïste, égocentrique, mal élevé… Il pourrait allonger la liste de ses défauts à l'infini. M. Pascal aime le monde et ça se voit au premier coup d'œil.

— N'en dites rien à ma mère, dit Pascal d'une voix basse, mais ce *roast-beef* est mille fois meilleur que le sien, et c'est peu dire.

— C'est à cause de la sauce, papa, ajoute Brigitte. Celle de grand-mère ne goûte rien.

— Je pourrais lui donner ma recette, propose tout bonnement Charles.

— À votre place, l'avertit Chantale, j'attendrais qu'elle me la demande.

Sa remarque fait rire tout le monde. La réputation d'Alice n'est plus à faire. Même ses petites-filles ont compris comment la prendre. Certes, elle est beaucoup plus gentille qu'avant, mais il lui arrive encore de prendre le mors aux dents pour une bagatelle.

Les discussions vont bon train pendant tout le souper. Alors que Pascal et Thierry se chargent de donner le bain à Catou, Chantale et Brigitte essuient la vaisselle. C'est la première fois qu'elles ne rouspètent pas. Leur père est le seul à les obliger à participer aux travaux de la maison de temps en temps. Il a pour son dire que ça leur permet non seulement d'apprécier la chance qu'elles ont d'avoir un domestique à la maison, mais aussi de constater qu'il n'y a rien de déshonorant à se mettre les mains dans l'eau de vaisselle ou à tenir un essuie-tout dans leurs mains. La première fois qu'il l'a fait devant Simone, elle a crié au meurtre, ce qui a eu pour effet de braquer les filles. Il lui a expliqué son point de vue et l'a avisée qu'il le ferait de manière sporadique dans l'unique but de faire de leurs filles de meilleures personnes. À son tour, elle lui a dit qu'elle était en total désaccord, mais qu'elle ne ferait rien pour lui faire obstacle.

Ce n'est que deux heures plus tard que Pascal et Thierry sortent de la maison en compagnie de Voyou.

— Ne me dites pas que vous êtes en congé jusqu'à demain matin?

— Mieux que ça! répond Pascal. J'ai pris une semaine de vacances. Ça s'est décidé tellement vite que Simone n'est même pas au courant.

— Est-ce que ça veut dire qu'on pourrait aller pêcher?

— J'allais justement te le proposer. Tu n'as qu'à me dire quand tu peux te libérer et on est partis.

— Deux ou trois jours?

— Allons-y pour trois!

— Vendredi, samedi et dimanche ou samedi, dimanche et lundi?

— Je passerai te prendre vendredi à sept heures tapant. Prépare-toi à prendre le plus gros saumon de ta vie, mon gars.

— C'est mon père qui va être content! lance Thierry avant d'éclater de rire.

***

Christine est allée donner son nom dans trois restaurants, cinq bars et deux hôtels, tous dans le Vieux-Québec, et les huit l'ont rappelée dans les vingt-quatre heures pour qu'elle rentre travailler le soir même. Histoire de disposer de quelques heures pour faire un choix éclairé, elle a promis de les rappeler au plus tard dans deux jours.

— À bien y penser, dit-elle à l'intention de Françoise et de Sonia, avec qui elle discute tranquillement pendant qu'Émile fait une sieste, je n'ai aucune envie de retourner dans un hôtel. Je ne me suis jamais autant ennuyée que derrière le comptoir de la réception de l'Hôtel Chicoutimi. Je ne vois aucun intérêt à louer des chambres, à faire l'impossible pour faire plaisir aux clients et à supporter toutes leurs critiques pour un salaire de misère.

— Je ne voudrais surtout pas décider à ta place, dit sa tante, mais ça risque de bouger pas mal plus ici.

— Plus de clients, plus de problèmes ! Non merci !

— Aimerais-tu travailler dans un restaurant ?

— Difficile à dire puisque je ne l'ai jamais fait. En même temps, si je me fie à ce que j'ai vu quand je me suis assise à la table d'un petit resto du carré D'Youville pour manger le jour où je suis allée donner mon nom, j'ai peur de virer folle. Je ne vous mens pas, les serveuses ne savaient plus où donner de la tête tellement il y avait du monde. À moins que j'accepte de travailler à l'accueil du restaurant du Château Frontenac. J'avoue que ça me plairait.

— J'adorerais me faire recevoir par toi, lance Françoise.

Christine lui sourit. Contrairement à sa mère, qui risque de la bouder jusqu'à la fin des temps, il lui a suffi de passer quelques minutes en sa présence dans son nouveau milieu de travail pour voir de ses propres yeux qu'elle est beaucoup mieux ici. Plus épanouie et plus heureuse aussi ! Françoise était avec sa famille depuis si longtemps que tout le monde avait fini par la tenir pour acquise. Personne, et encore moins sa mère, n'avait imaginé qu'elle pourrait les quitter un jour. Ceci étant dit, ça ne lui donnait pas le droit de la considérer comme sa propriété ne serait-ce qu'une seule seconde.

— Tu dois seulement savoir que tu vas gagner moins d'argent que les serveuses, l'avise gentiment Sonia.

— Je me suis informée à celle que je remplacerais et elle m'a dit qu'elle faisait plus de pourboires que les filles sur le plancher.

Devant le froncement de sourcils des deux femmes, Christine ajoute :

— Elle m'a promis de me donner quelques trucs au cas où j'accepterais le poste.

— Tant mieux ! Et les bars ? lui demande sa tante.

— Pour tout te dire, j'aurais dû comprendre après le premier que ce n'est pas pour moi. Je ferais pas mal plus d'argent, je le sais, mais je n'ai pas envie d'endurer les gars chauds à la fin de la soirée. Je ne parle pas à travers mon chapeau, j'ai été à même de constater samedi dernier, quand je suis sortie avec Marleen, que les rues du Vieux-Québec en sont remplies à l'heure de la fermeture des bars. Je n'ai pas ce qu'il faut pour les gérer. Je ne me vois pas non plus en train de passer mes soirées à discuter avec de purs inconnus et encore moins à devoir supporter leurs avances. Et pour couronner le tout, je déteste boire.

Christine inspire à fond avant de reprendre la parole :

— Bon ! En fait, le choix s'impose de lui-même, j'irai travailler au Château. Si seulement c'était toujours aussi simple…, soupire-t-elle. Ça fait des mois que je réfléchis à ce que je veux faire plus tard et je suis toujours au même point.

— On ne parle pas de la même chose ici, ma grande, lui dit doucement Sonia. L'emploi que tu t'apprêtes à accepter va durer seulement quelques mois alors que, comme tu le sais, tes études en sciences humaines te prendront deux ans de cégep et trois ans d'université pour te spécialiser. À moins que tu décides de faire seulement une technique. Là, tu épargnerais deux ans.

— C'était pas mal moins compliqué dans mon temps, ne peut s'empêcher de plaider Françoise.

— Dans le mien aussi, confirme Sonia. À ta place, je profiterais de mon été sans me préoccuper du reste. Tu connais ta date d'entrée au cégep de Chicoutimi et c'est tout ce qui compte pour l'instant. Je suis convaincue que tu sauras ce que tu veux faire avant la fin de ta première session.

Christine réalise une fois de plus combien sa tante lui est précieuse. Sonia a le don de simplifier les choses.

— Merci pour tout, tatie ! Merci aussi de m'avoir accueillie chez toi. Le simple fait que je ne risque pas de tomber sur Thierry en ville me rassure beaucoup.

Sonia sourit. Thierry lui a dit exactement la même chose la dernière fois qu'elle l'a eu au téléphone. Elle est bien placée pour comprendre comment on se sent quand on est en peine d'amour. De tous les maux, c'est sans contredit le plus violent, le plus sournois et le plus brutal. Il ravage tout sur son passage sans se préoccuper aucunement des conséquences. Il vous déroule le tapis rouge un jour et vous le tire de sous les pieds sans crier gare au moment où vous vous y attendez le moins.

— Tu pourras toujours compter sur moi, ma grande. Je continue à croire que ce n'était pas une bonne idée de te laisser partir à l'aventure dans l'état où tu étais, mais n'abandonne pas ton projet pour autant. Comme ma mère dirait : « Ta vie ne fait que commencer ! »

— Si j'osais, dit Françoise, je te demanderais comment va ton petit cœur.

— Beaucoup mieux que je ne l'aurais cru ! J'ai enfin accepté le fait que Thierry et moi n'avons aucun avenir ensemble. La seule chose que je regrette, c'est d'avoir perdu mon ami.

— Tu as au moins la satisfaction d'avoir essayé, ajoute Sonia. Crois-moi, il n'y a rien de pire que de se demander ce que ça aurait pu être.

— J'ai une autre question pour toi, lance Françoise. Trouves-tu que les gars de Québec sont plus beaux que ceux de Chicoutimi ?

Un grand sourire s'affiche instantanément sur les lèvres de Christine.

— Et comment ! répond-elle en rougissant. D'ailleurs, je me demandais si je pourrais aller prendre une marche avec Émile après le souper.

C'est au tour de Sonia et de Françoise de sourire. Son annonce leur confirme qu'elle est en plein processus de guérison, ce qui les réjouit. Plus vite elle jettera son dévolu sur quelqu'un d'autre, mieux ce sera pour elle.

— Aimerais-tu qu'on t'accompagne ? lui demande sa tante d'un ton moqueur.

— Euh... ce ne sera pas nécessaire, répond-elle sur le même ton.

— On veut un nom, annonce Françoise.

— Vous le connaissez sûrement, il habite de l'autre côté de la rue dans la maison à trois étages.

— Ne me dis pas que le beau Simon t'est tombé dans l'œil ! s'écrie Françoise alors que Sonia se demande encore de qui il est question. Il est beau comme un cœur et d'une rare gentillesse. Je ne voudrais pas jouer à l'éteignoir, mais il me semblait qu'il sortait avec une certaine Lili. Remarque que je peux me tromper.

L'étonnement le plus total se lit sur le visage de Sonia. Sa bonne travaille seulement trois jours par semaine ici et elle connaît leur troisième voisin et même le prénom de son amoureuse alors qu'elle ne soupçonnait pas l'existence de ce Simon. C'est à n'y rien comprendre !

— Marleen le connaît et elle m'a dit que c'était fini entre eux. Il paraît qu'il a trouvé sa copine au lit avec son meilleur ami. J'ai envie de tenter ma chance avec lui… On verra bien ce que ça donnera. Si toutefois ça ne marche pas, eh bien, je sortirai dans les bars du Vieux-Québec jusqu'à ce que je mette la main sur la perle rare.

Marleen et Christine ont sympathisé à la seconde où Françoise les a présentées l'une à l'autre. C'est la jeune voisine de Marguerite.

— Contente de savoir que la croqueuse d'hommes est de retour! laisse tomber Sonia.

— Une chance que maman ne t'entend pas, ce serait assez pour qu'elle te frotte la langue avec du savon. Parlant de la bête, je vous annonce que je vais passer l'après-midi avec elle.

— Simone est en ville? lui demande Sonia en s'efforçant de garder son calme.

— Tout ce que je peux vous dire, confirme Christine, c'est qu'elle y sera à deux heures. D'ailleurs, j'aimerais savoir si tu veux m'accompagner.

— Merci, mais je ne lui ferai pas ce plaisir… Elle connaît mon adresse.

— Je ferais mieux d'aller me préparer si je ne veux pas être en retard et subir ses foudres, dit Christine.

Sonia rêve du jour où l'attitude de Simone à son égard lui coulera sur le dos comme l'eau sur celui d'un canard. Si elle a développé une certaine habileté pour s'en aller avant d'être frappée, elle est incapable de demeurer de marbre quand sa sœur la rejette de manière aussi cavalière. Leur relation n'a jamais été un long fleuve tranquille, elles ont beaucoup trop de caractère pour ça. Elle a toujours fluctué au gré des humeurs de Simone, et Sonia s'en accommodait. Elle le faisait parce que ça restait dans les limites du raisonnable alors que maintenant c'est pire que pire. Les montagnes russes de La Ronde sont de la petite bière à côté des sorties de madame docteur. Elle n'a pas encore pris le temps d'en glisser un mot à Pascal, elle le fera la prochaine fois qu'elle le verra.

— C'est ma faute si elle ne vient pas vous voir, confirme Françoise au bout d'un moment.

— Je vous interdis de vous prendre la tête à cause de ma sœur. Parlez-moi plutôt de votre déménagement.

— À part une assiette, une tasse et quelques couverts, tout est dans les boîtes. À moins d'une malchance, je dormirai dans ma moitié de maison vendredi. J'ai encore du mal à croire que je serai enfin chez moi, complètement chez moi, je veux dire.

— Je suis vraiment contente pour vous, Françoise. J'ai parlé à papa hier soir et il m'a confirmé qu'ils arriveraient samedi, avant le dîner. Ils vont passer par ici avant d'aller chez vous. J'ai du mal à le reconnaître depuis qu'il est en amour.

— Idem pour Rachel. Vous savez quoi ? Je n'aurais jamais pensé que quelqu'un puisse changer à ce point en aussi peu de temps. Elle n'a vraiment plus rien à voir avec la chipie qu'elle était avant de se casser le bras.

— Moi, ça me console. Pensez à Alice, elle était loin d'être reposante.

— Tant qu'à ça ! Jamais je n'aurais cru que je prendrais plaisir à lui donner des cours de cuisine et, qu'en plus, je la trouverais drôle.

— Pour être drôle, elle l'est !

11

Même après avoir menti vertement à sa femme sur les liens réels qui l'unissent à Mario, Jérôme arrive à dormir comme un bébé. Il ignorait que cette amitié l'emmènerait aussi loin et, qui plus est, qu'il unirait sa destinée à celle que son meilleur ami avait lui-même demandée en mariage quelques années auparavant et encore dernièrement, à ce qu'il paraît. Il a trop de doigts sur une main pour compter le nombre de clients avec qui il a développé une relation autre que professionnelle. En réalité, trois autres personnes font partie de sa vie. Carole, une femme d'âge mûr avec qui il est sorti pendant près de deux ans aux débuts de sa pratique. On peut dire que c'est grâce à elle et à ses contacts qu'il a pu partir à son compte aussi vite. Elle vient le voir chez lui une ou deux fois par année. Sonia ignore qu'ils sont déjà sortis ensemble. René, un conseiller municipal à la ville de Québec avec qui il débat de sujets chauds sur l'heure du dîner au moins une fois par mois. Cet homme a également beaucoup contribué au développement de sa clientèle. Sonia ne l'a jamais rencontré. Et, pour finir, Gilles, un riche retraité sans famille qui l'a couché sur son testament en échange de quelques parties de golf et de curling jusqu'au jour de son dernier départ. Inutile d'ajouter que Jérôme ne débourse pas un sou lors de leurs sorties. Sonia lui a seulement parlé au téléphone et son valeureux mari ne croit pas nécessaire de la mettre au courant.

Jérôme a très vite appris qu'il avait intérêt à saisir toutes les occasions susceptibles de le faire avancer plus vite dans sa quête du succès. C'est ainsi qu'il se sert sans le moindre scrupule de tout ce qu'il apprend dans son bureau. Comme il se plaît à se le rappeler les rares fois où sa conscience se manifeste, il ne fait rien d'illégal puisque ce qui se dit dans son bureau reste dans son bureau. Tout au plus, il utilise quelques détails anodins à titre uniquement personnel. Tantôt pour mettre la main sur une propriété à prix réduit et la revendre avec profit le lendemain, tantôt pour acheter un terrain dont un de ses clients veut se départir au lieu de lui suggérer de le garder parce que la Ville compte l'acquérir à gros prix sous peu. Sonia ne sait rien de tout ça et il ne compte pas lui en parler non plus. Ce sont ces petits extra qui lui permettent de payer pour le superflu, par exemple pour les services de Françoise. Il avait largement les moyens de la payer pour cinq jours de travail, sauf qu'il a préféré rester dans les limites du raisonnable afin d'éviter les questions. Il pourra étaler ses réels moyens seulement le jour où son étude aura pignon sur le boulevard Charest et, pourquoi pas, sur la Grande-Allée. Tout ça reste à voir. D'ailleurs, il serait peut-être temps qu'il commence à parler de ses intentions de déménager et son bureau et la maison à Sonia.

Il avait vraiment l'intention de cesser de voir Mario le jour où il est allé lui rendre visite chez sa sœur. Son amour pour Sonia est si grand qu'il était prêt à le faire pour elle. Il comprenait parfaitement que son ami ne puisse pas continuer à apparaître devant sa femme et, encore moins, à pousser l'audace jusqu'à la demander en mariage. En son âme et conscience, Jérôme sait que Mario a largement dépassé les limites de l'entendement. Il a fait de nombreuses tentatives pour essayer de le raisonner, mais aucune n'a porté ses fruits. Il frissonne chaque fois qu'il repense au moment où il s'est retrouvé devant son ami ce jour-là. Il ne l'avait jamais vu ainsi. Il était là sans y être. Il le regardait sans le voir. On aurait dit un petit enfant sans défense.

— Tu es le seul ami qui lui reste, lui a dit la sœur de Mario comme si elle lisait dans sa tête. Tu es sa seule planche de salut.

Sans vouloir te mettre de pression, on devra le faire interner si tu le laisses tomber. Ce n'est certainement pas ce que tu souhaites pour lui.

Il aurait dû s'expliquer. Il aurait dû le faire pour Sonia, pour son mariage, pour son fils. Il l'aurait fait si seulement il avait pu supporter de le savoir à l'hôpital par sa faute. Il est allé lui rendre visite une fois et cela a été une fois de trop. Dans les circonstances, il n'a rien trouvé de mieux à faire que de s'approcher de Mario, de lui mettre la main sur l'épaule et de lui promettre qu'il serait toujours là pour lui.

Ce n'est qu'une fois dehors qu'il a regardé le bout de papier que venait de lui remettre la sœur de son ami à qui il avait pris soin de faire comprendre que son frère ne devait plus s'approcher de Sonia sous aucune considération. Elle avait fait un chèque au porteur de deux mille dollars et ce n'était pas le premier que Jérôme recevait de la famille de Mario pour services rendus. S'il lui arrivait d'avoir parfois un soupçon de remords, il vivait plutôt bien avec le fait d'être récompensé pour l'amitié qu'il lui portait. Et puis, ses parents lui avaient appris dès son plus jeune âge qu'on n'avait pas le droit de refuser un cadeau. Personne n'avait forcé la main de Mario pour devenir son ami. Les choses s'étaient faites naturellement, sans aucune arrière-pensée de part et d'autre. Jérôme l'avait trouvé sympathique à l'instant où il s'était assis devant lui. Qui plus est, il avait été charmé par son histoire d'amour. Ce n'était pas tous les jours qu'un homme faisait cadeau d'une somme d'argent aussi substantielle à une femme pour s'excuser de l'avoir fait souffrir. Le temps avait fait le reste tout seul comme un grand. Un premier chèque au porteur avait abouti sur son bureau un beau jour, puis un autre et un autre. Et encore un autre ! Et son amitié pour Mario n'avait pris aucune ride malgré les appels au secours répétés de Sonia ou l'insistance de Françoise. Au contraire !

Jérôme est revenu à la maison une heure plus tard comme convenu et a dit à Sonia qu'elle pouvait dormir tranquille. Il avait rompu tout lien avec Mario comme elle le lui avait demandé. Elle avait raison sur toute la ligne, c'était la meilleure solution. Elle s'est jetée dans ses bras et lui a répété sur tous les tons à quel point elle l'aimait. Témoin de la scène, Françoise souriait en se disant que cette fois sa patronne avait tiré le bon numéro. Il fallait voir à quel point ces deux-là s'aimaient.

Deux jours plus tard, Mario prenait le train pour la Gaspésie où l'attendait son autre sœur. La nouvelle avait enlevé un poids énorme sur les épaules de Jérôme. Il disposait en tout de deux mois de répit à compter d'aujourd'hui et il avait bien l'intention d'en profiter au maximum. Restait seulement à espérer que Mario oublie son numéro de téléphone pour toute la durée de son séjour. Dans le cas contraire, il aviserait.

— Jérôme ! s'écrie Sonia en venant s'asseoir en face de lui à la table, je te parle.

— Désolée, ma chérie, j'étais distrait.

— J'ai bien vu ça ! Est-ce que ton offre d'aller aider papa à déménager Françoise demain matin tient toujours ?

— Bien sûr ! Mon père a promis de nous donner un coup de main lui aussi.

— C'est très gentil de ta part ! Et pour nos vacances ?

— J'adore ton idée d'aller passer quelques jours à Ottawa en amoureux.

— Et moi de faire le voyage en train. Ça fait des années que j'en rêve. Promets-moi qu'on ira voir quelques musées, dont celui de la monnaie. Et la relève de la garde aussi !

— Tout ce que tu veux pourvu qu'on ait le temps de faire la visite guidée du Parlement.

— Réalises-tu que ce sera la première fois qu'on partira sans Émile ?

Jérôme lui sourit. Elle aime tout de cet homme : ses yeux bruns, sa petite fossette au menton, son corps d'athlète alors qu'il ne fait aucun exercice, sa manière de marcher, sa prestance dans son complet marine, la façon qu'il a de la regarder. Sans oublier les milliers de petites étoiles qu'il lui fait voir chaque fois qu'ils font l'amour. Des quelques hommes qu'elle a connus, aucun ne lui avait jamais fait autant d'effet. Autre trait de caractère qu'elle apprécie chez son Roméo : il ne ménage jamais les efforts pour lui faire plaisir. Elle imagine facilement ce que ça lui a coûté de mettre fin à son amitié avec Mario. Et pourtant, il l'a fait ! Sérieusement, elle a beaucoup de chance d'être aimée par quelqu'un comme lui.

***

Alice est encore sous le choc. Il y a deux jours, François l'a appelée pour l'inviter à manger chez lui. Elle se demande bien ce qui lui prend de se souvenir tout à coup de son existence. Elle le voit seulement aux fêtes de famille et, même là, son cher fils s'organise pour se tenir aussi loin d'elle que possible. Elle regarde l'heure pour la énième fois sur sa montre depuis qu'elle est habillée. Pas question d'être en retard ! Elle s'est mise sur son trente-six. Elle mettrait sa main au feu que Germaine va lui demander si elle s'en va à un mariage ou à un enterrement. C'est sa façon bien à elle de lui dire qu'elle en a trop fait. Qui plus est pour François. Il faut dire que sa belle-sœur ne le porte pas dans son cœur. Elle l'évite au moins autant qu'il évite Alice.

Elle va chercher la bouteille de gin qu'elle a achetée pour lui après s'être informée de ses goûts auprès de Pascal. Cela a été une autre occasion de réaliser qu'elle en sait très peu sur ses fils. En réalité, elle n'a jamais vraiment fait d'efforts pour les découvrir au-delà de l'image qu'ils projettent lorsqu'ils sont devant elle. Elle ne connaît ni leur couleur préférée, ni les pays qu'ils ont appréciés le plus, ni le plat qui les fait saliver juste à entendre son nom. Pour tout dire, il lui arrive même parfois de les débaptiser. En résumé, elle n'a aucune chance de remporter le titre de mère de l'année. Elle prend ensuite ses clés, verrouille sa porte et se rend à son auto, qu'elle laisse dehors depuis que le beau temps s'est pointé le bout du nez. Elle se glisse derrière le volant et regarde en direction de chez Germaine. Bizarre ! Les rideaux sont encore fermés et il est plus de onze heures. Elle ira aux nouvelles à son retour.

Chemin faisant, Alice rit toute seule. Chantale l'a appelée hier soir pour lui demander si Brigitte et elle pouvaient venir dormir chez elle demain soir. Recevoir ses deux petites pies, comme elle se plaît à les appeler quand ses oreilles sont trop pleines de leurs petites voix aiguës, la ravit. Elles donnent leur avis sur tout avec un tel aplomb qu'elles feraient rougir plus d'un adulte. Il faut les entendre discourir sur les humeurs de leur mère. La dernière fois qu'elles lui en ont parlé, Alice n'a pas été capable de garder son sérieux. C'était à qui l'imiterait le mieux. Une vraie grand-mère les aurait grondées au lieu de les encourager dans leur délire comme elle l'a fait. Alice ne s'en formalise pas une miette. Dans son livre à elle, le rôle des grands-parents se limite à aimer leurs petits-enfants, surtout pas à passer leur temps à les reprendre. Et c'est ce qu'elle fait depuis qu'elle a accepté de jouer à la grand-mère.

Elle vérifie l'heure avant d'activer son clignotant pour tourner sur la rue de François. Une fois de plus, elle a surestimé le temps nécessaire pour venir à Jonquière. Pas question qu'elle se présente chez lui avec vingt minutes d'avance. Des plans pour qu'il la laisse poireauter dehors jusqu'à midi. Elle se stationne en bordure du trottoir et pense à Pascal. Pas plus tard qu'hier, il lui a confié que Simone lui avait enfin demandé de l'aider.

— Si tu veux mon avis, il était plus que temps ! lui a-t-elle dit. Ta femme vieillit mal, mon garçon, et si tu ne trouves pas rapidement un moyen de la soulager, elle va se retrouver complètement seule avant la majorité de Christine. Et puis, tu mérites beaucoup mieux que ça. Je me demande encore comment tu fais pour endurer ses sautes d'humeur depuis aussi longtemps.

— S'il y a quelqu'un à plaindre, maman, c'est Simone. Soyez assurée que je vais faire tout ce que je peux pour elle. J'ai même demandé à quelques confrères de m'aider. Je maintiens qu'aucune maladie n'est mieux qu'une autre. Ceci étant dit, celles qui se passent dans la tête des gens sont sans contredit les plus difficiles à traiter.

De ses trois fils, il est certainement son préféré. Alors que la plupart des mères se targuent d'être incapables de donner ce titre à un de leurs enfants, Alice ne se prive pas de ce petit plaisir, elle. Pascal a hérité de la bonté de son père et de son intelligence aussi. Il est le docteur le plus aimé de Chicoutimi et un excellent père. Et, pour finir, il ne se fait pas mieux en tant que mari. De ça, Alice est certaine. Il a plus de valeurs à lui seul que ses deux frères réunis. Il est droit, juste, généreux et d'une simplicité désarmante.

Elle regarde l'heure. Elle pourra se présenter chez François dans moins de cinq minutes. Pas besoin de réfléchir très longtemps pour conclure qu'il a hérité de tous ses travers et que, d'après ce qu'elle voit, les chances qu'il fasse ne serait-ce qu'un effort pour devenir meilleur sont pour ainsi dire inexistantes. Pourquoi ? Parce que François n'aime que François et qu'il se fout éperdument du mal qu'il fait autour de lui. Il arrive parfois à Alice de se demander si seulement il s'en rend compte. Elle démarre son moteur et roule jusque chez lui en se croisant les doigts pour qu'il soit de belle humeur. Dans le cas contraire, elle partira. La voilà devant la porte d'entrée. Elle sonne et attend qu'il vienne lui ouvrir.

— Bonjour, maman ! Vous êtes en beauté aujourd'hui !

Alice sourit à pleines dents. Ce n'est pas tous les jours qu'elle voit François aussi joyeux, et il l'a même complimentée.

— Vous ne m'embrassez pas ? lui demande-t-il d'un ton joyeux.

— Est-ce que tu vas bien ? ne peut-elle s'empêcher de lui demander avant de s'exécuter.

— Très, très bien. Moi aussi, je suis content de vous voir.

Décidément, elle va de surprise en surprise et elle n'est pas encore entrée.

— Suivez-moi, je suis impatient de vous montrer ma nouvelle cuisine.

— Il me semblait que tu venais de changer tes armoires, la dernière fois que je suis venue.

— Vous avez une excellente mémoire ! Elles n'avaient pas encore deux ans. Vous savez ce que c'est. Je suis allée souper chez des amis et je suis tombé en amour avec les leurs au point que je ne pensais plus qu'à ça. Tadam ! Comment les trouvez-vous ?

Alice n'a pas de mots pour décrire ce qu'elle voit. Celles d'avant étaient belles alors que celles-ci sont tout simplement magnifiques. Elle a les moyens de s'offrir pratiquement tout ce qu'elle veut, mais son petit doigt lui dit qu'elle aurait refusé de mettre autant d'argent sur des armoires.

— Le moins que je puisse dire, c'est que tu as beaucoup de goût, mon fils.

— Et l'ouvrier beaucoup de talent.

— Je ne te le fais pas dire ! C'est vraiment très beau et pas seulement les armoires. Tout est parfait !

— J'aime tellement ma nouvelle cuisine, avoue-t-il candidement, que je m'amuse à cuisiner. Incroyable, mais vrai ! Je passe la majeure partie de mon temps libre dans mes chaudrons. D'ailleurs, je vous ai préparé votre mets préféré.

— Décidément, ajoute Alice en réprimant un sourire, tu ne cesseras jamais de me surprendre.

— Je vous ai mitonné le meilleur osso buco que vous aurez mangé de votre vie.

Cette fois, Alice éclate de rire. Les propos de François sonnent faux et ça commence drôlement à l'énerver. Il y a anguille sous roche et il lui tarde de découvrir ce que son cher rejeton a encore manigancé. Elle s'approche et le regarde droit dans les yeux.

— Tu mens comme tu respires, mon garçon. Si tu avais fait cuire ne serait-ce qu'un œuf, ça sentirait. C'est de la frime ! Les casseroles que tu as déposées sur ton poêle sont vides. Et, pour ton information, mon mets préféré est le pain de viande nappé d'une sauce tomate. Tu ne t'es jamais préoccupé de personne d'autre que de toi-même. Maintenant, vide ton sac !

Il met la main sur son cœur et prend un air offusqué, ce qui laisse Alice de marbre. Il remonte ensuite doucement ses lunettes et lui fait un petit sourire en inclinant la tête de côté.

— Aimeriez-vous connaître le nom de mon ouvrier ? On ne sait jamais, vous aurez peut-être envie de le recommander à vos amies. Où avais-je la tête ? Vous le connaissez déjà, c'est même vous qui me l'avez présenté.

Alice déteste jouer aux devinettes et encore plus lorsqu'elle est en colère. Elle est tellement furieuse contre lui qu'elle est incapable de penser.

— Je me sens tellement généreux aujourd'hui que je vais vous donner un indice, ajoute-t-il sur un ton rempli d'ironie. Écoutez bien parce que je ne le répéterai pas… Vous lui avez offert votre ancienne maison pour une bouchée de pain.

Ses paroles ont du mal à se frayer un chemin jusqu'à son esprit.

— Voudriez-vous savoir combien m'a coûté ma superbe cuisine? lui demande-t-il devant son silence prolongé.

François regarde sa mère avec un tel mépris que la pauvre Alice doit prendre appui sur le dossier d'une chaise pour assurer son équilibre. Elle redoute de connaître la suite, mais elle est incapable de parler.

— Une vraie aubaine, seulement mille dollars. Avouez que mon sens des affaires dépasse largement le vôtre.

Une bouffée de chaleur envahit Alice d'un coup. Son cher fils a arnaqué M. Dionne et pas rien qu'un peu à part ça. Elle a rencontré des gens méchants au cours de sa vie, mais aucun n'arrive à la cheville de son François. Comment a-t-elle pu croire une seule seconde qu'il voulait lui faire plaisir pour une fois dans sa vie? Elle inspire à fond, prend son courage à deux mains et sort de la cuisine sans se retourner. Elle traverse ensuite le long couloir, ouvre la porte et va se réfugier dans son auto. Elle démarre son moteur et roule doucement jusqu'à la prochaine rue. Elle tourne et se stationne en bordure du trottoir avant de se mettre à pleurer comme une Madeleine. Elle s'est fait avoir comme une collégienne et elle s'en veut à mort. Elle laisse tomber la tête sur son volant et elle maudit le jour où elle a mis cet enfant au monde. Ça prenait un sacré culot pour oser s'en prendre à M. Dionne. Le temps de reprendre ses esprits et elle ira le voir. Il est hors de question que le pauvre homme perde autant d'argent par la faute de François. Promesse d'Alice: son fils ne l'emportera pas au paradis, cette fois. Elle s'essuie les yeux d'un geste brusque, renifle un bon coup au lieu de se moucher et démarre son moteur de nouveau. À l'heure qu'il est, ses chances sont excellentes de trouver M. Dionne chez lui. Après, elle ira voir Pascal à l'hôpital pour l'informer de ses intentions face à François.

— Bonjour, madame Thibault, s'écrie joyeusement Mme Dionne en la voyant. Entrez, vous arrivez juste à temps pour le dessert.

— C'est très gentil, mais il faut absolument que je parle à votre mari. Je vais l'attendre ici si vous n'y voyez pas d'objection.

— Pas question que je vous laisse poireauter dans le portique, vous êtes toute pâle.

Ses paroles bienveillantes suffisent pour qu'Alice se remette à pleurer. Elle cligne des yeux à plusieurs reprises dans l'espoir de mettre à fin au flot de larmes qui inonde sa veste, sans succès. Mme Dionne la prend doucement par le bras et l'invite à la suivre au salon après lui avoir tendu son mouchoir de coton d'un blanc immaculé pour qu'elle s'essuie les yeux. Alice lui sourit à travers ses larmes. Son hôte lui désigne son ancien fauteuil, ce qui lui tire un sourire malgré elle. C'est fou ce que ce dernier peut avoir l'air différent alors qu'il est exactement au même endroit que lorsqu'elle habitait ici. Son ancienne maison revit depuis que cette famille l'habite et c'est tout à son honneur. On sent le bonheur à plein nez. L'entrée de M. Dionne la tire de ses réflexions. Elle se lève, lui tend la main et commence à parler avant qu'il n'ait le temps d'ouvrir la bouche.

— Je sors de chez mon fils François.

M. Dionne blêmit à cette simple mention, ce qui n'échappe pas à Alice.

— Permettez-moi d'abord de vous dire que vous vous êtes surpassé. C'est de l'excellent travail que vous avez fait chez lui, du travail digne des plus grands ébénistes. J'espère seulement que vous avez pris des photos.

— Uniquement de son ancienne cuisine.

— Je m'occuperai personnellement de vous en avoir de la nouvelle. Vous pourrez les utiliser pour montrer de quoi vous êtes capable.

Alice ferme les yeux le temps de remplir ses poumons d'air.

— Je ne débarque pas chez vous comme un cheveu sur la soupe pour vanter vos mérites, mais plutôt pour régler la facture de mon fils et m'excuser de la manière dont il vous a sûrement traité pendant toute la durée des travaux.

Le visage de M. Dionne reprend aussitôt des couleurs, ce qui fait dire à Alice que François a profité de sa trop grande bonté au maximum. Elle ne doute pas une seconde qu'au passage, il a sûrement saisi toutes les occasions pour le rabaisser. S'il y en a un qui est suffisant et arrogant, c'est bien lui. Au fond, son cher fils l'a embauché uniquement pour reprendre un peu de l'argent qu'il prétend avoir perdu dans le marché passé entre sa mère et lui. Alice se sent dépassée par les événements et totalement déçue de son aîné.

— Ce n'est pas à vous de le faire, avance-t-il alors que son avenir et celui de sa famille ne tiennent plus qu'à un fil depuis qu'il a eu la merveilleuse idée d'accepter de travailler pour François Thibault.

— Dites-moi combien il vous doit et je vais vous faire un chèque. Ou, plutôt, remettez-moi la facture que vous lui avez envoyée.

— Je suis prêt à faire mon bout de chemin.

— Hors de question que vous perdiez ne serait-ce qu'un sou à cause de mon imbécile de fils.

M. Dionne va chercher la fameuse facture à la cuisine. Il était justement en train de discuter de ce cas avec sa femme avant que Mme Thibault se présente à leur porte.

— Je suis très mal à l'aise d'accepter votre argent alors que je n'ai pas travaillé pour vous, dit-il en lui remettant une feuille de papier.

— Pas autant que moi de savoir que François est un voleur. Si ça peut vous rassurer, il va me rembourser la totalité.

Elle sort son chéquier, le dépose sur la table d'appoint et rédige un chèque au montant inscrit au bas sur la facture.

— N'oubliez pas d'enlever son acompte de mille dollars, l'avise M. Dionne.

— Ça compensera un peu pour ce qu'il vous a fait endurer.

Elle lui tend son chèque, lui sourit et se lève. Elle a un urgent besoin d'être seule. Alors qu'elle tient la poignée de porte dans sa main, elle se retourne et lui demande à brûle-pourpoint pourquoi il a accepté de travailler pour François après ce qu'il lui a dit lorsqu'il a su qu'ils avaient échangé leurs maisons.

— Je me disais qu'une femme comme vous ne pouvait pas avoir un fils aussi méchant. Qu'il avait sûrement traversé une mauvaise passe et qu'il reviendrait à de meilleures intentions si j'acceptais de travailler pour lui.

— Promettez-moi de vous tenir loin de François et, si je peux me permettre un conseil, exigez au moins le coût des matériaux avant de commencer les travaux chez un nouveau client. Encore plus s'il est en moyens !

C'est le regard voilé par les larmes qu'Alice parcourt la courte distance entre la maison et son auto. Elle ne se souvient pas d'avoir eu autant de peine. Pas même à la mort de son mari ni même de sa petite sœur adorée. Ce que François a fait à M. Dionne est impardonnable et elle n'a pas l'intention de le laisser s'en tirer aussi facilement. Il n'avait pas le droit de s'en prendre à son protégé sous prétexte qu'il désapprouvait son geste à elle. Alice compte bien demeurer maîtresse de son argent tant et aussi longtemps qu'elle vivra et elle ne se laissera pas intimider par lui. Quitte à le déshériter, elle va finir par réussir à lui mettre du plomb dans la tête. Elle s'essuie les yeux, s'assoit derrière le volant et tourne la clé. Elle se regarde dans son rétroviseur et conclut qu'il vaudrait mieux rentrer chez elle et remettre sa visite à Pascal à plus tard.

12

Plus le jour du départ de Mme Rachel approche, plus Chantale a le cœur gros. Elle rentre de l'école, fait ses devoirs et ses leçons de peine et de misère et ne mange presque rien, au grand dam de Charles qui commence sérieusement à s'inquiéter pour sa petite protégée. Elle est si attachée à cette voisine qu'il n'ose pas penser au jour où le camion de déménagement se pointera chez elle et repartira avec tous ses effets. À moins d'un changement de dernière minute, le tout devrait se faire pendant que Chantale sera à l'école. Comme elle est loin d'être bête, Charles ne serait pas surpris qu'elle simule une maladie passagère pour assister à son départ au moins de sa fenêtre de chambre.

— J'ai trop mal à la tête, monsieur Charles, se plaint-elle de sa petite voix.

Il s'approche, lui touche le front et lui dit :

— Tu es brûlante ! Je vais aller te chercher deux aspirines et une débarbouillette d'eau froide pour mettre sur ton front. Ne bouge surtout pas, je reviens dans une minute !

Même si elle voulait se sauver, elle en serait incapable. Elle a eu toutes les misères du monde à garder les yeux ouverts à l'école. Elle entendait ce que sa maîtresse disait, sauf qu'elle ne comprenait rien. Rien du tout ! Elle regarde son cahier de devoirs depuis une bonne demi-heure et elle ignore toujours ce qu'elle doit faire. Elle bâille maintenant à fendre à l'âme.

Charles lui donne les deux comprimés et un verre d'eau pour l'aider à les avaler. Elle les prend sans rechigner.

— Suis-moi au salon, lui dit-il. Je vais t'installer sur le divan et tu pourras te reposer jusqu'au souper.

— Est-ce que je pourrais aller me coucher dans mon lit ?

— Bien sûr ! Je vais monter avec toi.

— Est-ce que vous pourriez me porter, monsieur Charles ?

— C'est comme si tu y étais ! répond-il en la soulevant de terre.

Chantale se colle sur lui, ce qui lui fait chaud au cœur. Il aurait adoré avoir une petite fille comme elle et plusieurs autres enfants, sauf que la vie voyait les choses autrement pour lui. Il s'est avéré que sa femme ne pouvait pas avoir d'enfants. Ils allaient fêter leur dix-neuvième anniversaire de mariage lorsqu'elle est morte dans un accident de la route. Cela fera bientôt quatre ans qu'il est veuf. S'il trouve parfois que sa vie manque de piquant, il préfère vivre seul plutôt que d'être mal accompagné. D'ailleurs, il se demande bien où il pourrait rencontrer la perle rare. Il n'aime pas traîner dans les bars. Il déteste jouer aux quilles. Il ne se fait pas pire joueur de bridge que lui. Et, pour finir, il ne fait aucunement confiance au jugement de ses amis, encore moins à celui des membres de sa famille pour lui présenter quelqu'un. Il lui arrive de penser à Françoise. Probable qu'il l'aurait déjà invitée à sortir si elle habitait plus près. En fait, il apprécie sa compagnie depuis le jour où il a fait sa connaissance. Dans les circonstances, il ne posera aucun geste en ce sens. Il a cru comprendre qu'elle venait de s'acheter une maison avec Rachel et, de son côté, il n'ambitionne pas d'aller vivre à Québec, ce qui clôt très vite la discussion et met un X sur ce qui aurait pu se passer entre eux.

Il dépose doucement Chantale sur son lit et dépose la débarbouillette mouillée sur son front.

— Est-ce que vous pourriez me cacher avec le tapis de tatie Sonia ?

— Il est bien trop pesant.

— Non ! Je le fais tous les soirs, ajoute-t-elle en bâillant à s'en décrocher la mâchoire.

— Comme tu voudras, confirme-t-il en l'étendant sur elle. Repose-toi un peu, ma belle enfant.

— Merci, monsieur Charles.

Il l'embrasse sur le front et lui passe doucement la main dans les cheveux. Elle lui prend la main, la presse dans la sienne et lui sourit.

— Promettez-moi de ne jamais m'abandonner, monsieur Charles, le supplie-t-elle entre deux reniflements.

— Je viendrai te chercher pour le souper, se contente-t-il de lui dire en lui caressant la joue.

La vie lui a appris à ne pas faire des promesses qu'il n'est pas certain de pouvoir tenir. Particulièrement à des enfants. Ils ont la mémoire longue et ils ne se gênent pas pour vous rappeler vos paroles mot pour mot le moment venu.

***

À quelques rues de là, la température de Martine est sur le point d'égaler celle de Chantale, à la différence que la sienne est l'œuvre de la lettre que la religieuse vient de lui remettre. Elle n'en revient pas, le beau Mathieu lui a écrit. Elle s'installe à sa place habituelle dans la salle d'études, sort ses livres et ses cahiers et se met au travail. Plus vite elle finira, plus vite elle pourra déchirer l'enveloppe et voir ce qu'il a de bon à lui dire. Elle a l'impression de flotter au-dessus de sa chaise. Elle ouvre son livre de géographie au chapitre sur l'Antarctique, le sujet de la leçon de ce matin de sœur Catherine, et commence sa lecture. Les mots défilent sous ses yeux sans qu'elle en retienne un seul. Elle sort ensuite son livre de mathématiques et tente de résoudre un des dix problèmes à remettre demain matin. Elle le lit une fois, deux fois et à la troisième elle sourit. Il est clair qu'elle ne pourra rien faire de bien tant et aussi longtemps qu'elle n'aura pas lu sa précieuse missive. Elle la sort de sa poche, déchire l'enveloppe et sort une grande feuille pliée en trois.

Bonjour Martine,

Ta lettre m'a beaucoup touché, et tes deux petites sœurs aussi. Je les ai trouvées adorables. En plus de me remettre ton courrier, elles ont pris soin de me montrer chacune une photo de toi. Tu es une très jolie fille et je suis certain que tu briseras le cœur de plusieurs garçons.

Ce qui va suivre risque de te décevoir, mais je m'en voudrais de te donner de faux espoirs. Tu dois d'abord savoir que j'ai presque quatre ans de plus que toi. Tu dois aussi savoir que je préfère les femmes un peu plus vieilles que moi. Et pour finir, je sors avec quelqu'un depuis plus d'un an.

Je serais ravi que tu passes me saluer quand tu reviendras chez toi pour les vacances d'été.

Mathieu

Deux sentiments l'habitent en ce moment. *Primo*, elle est déçue parce qu'elle espérait avoir une chance avec lui et aussi parce qu'elle déteste au plus haut point se faire rejeter même de manière très polie comme ça vient d'être le cas. *Secundo*, elle est fière d'avoir osé lui écrire alors qu'elle ne lui avait jamais parlé auparavant. Ce geste simple en apparence lui a demandé beaucoup de courage et lui a prouvé qu'elle était capable de sortir des sentiers battus, de faire les choses différemment. Enfin, ne serait-ce que pour lui avoir permis de se rapprocher de Chantale et de Brigitte, sa petite fantaisie valait le coup.

L'instant d'après, elle relit ses problèmes de mathématiques et cette fois elle le résout en claquant des doigts comme elle a l'habitude de le faire. Il n'est pas encore sept heures quand elle range ses livres et ses cahiers dans son sac. Elle ne garde que sa tablette de papier et son coffre à crayons. Elle s'empare de son crayon de plomb et pose la mine sur la feuille du dessus. Le visage de Thierry s'impose aussitôt à elle. Il lui a écrit une longue lettre la semaine passée, lettre dans laquelle il n'a ménagé aucun détail sur sa dernière rupture avec son aînée adorée. Sérieusement, Martine ne connaît personne d'aussi vieux jeu qu'elle. Pas même sa grand-mère! Et cette fois, elle se croise les doigts pour que Thierry ait bien compris et accepté qu'il n'a pas d'avenir avec elle. Ni maintenant ni plus tard. Tous les garçons qui s'y sont frottés s'y sont piqués. Comment, en 1968, une fille aussi intelligente peut-elle nourrir encore d'aussi vieux principes? Les années vingt sont derrière depuis un sacré bout de temps. Pour sa part, Martine n'est pas prête à dire qu'elle couchera avec tous les garçons avec qui elle sortira, il ne faut quand même pas exagérer! Elle se laissera guider au fil de ses désirs. D'ailleurs, il serait temps qu'elle parle contraception avec son père, ou plutôt avec le Dr Thibault. Elle serait la première étonnée, mais au cas où il serait récalcitrant à l'instruire sur le sujet, eh bien, elle demandera à Thierry de lui suggérer le nom de quelqu'un de plus ouvert. Elle aurait une mère normale qu'elle n'embêterait pas son paternel avec ses histoires de filles, mais vu que la sienne est pour le moins différente, ça ne lui laisse pas d'autre choix. Elle imagine sans difficulté tout ce que Simone lui débiterait avant qu'elle ait fini de lui exposer son besoin. Il lui arrive de croire que sa mère vit dans un autre monde, un monde que la moindre brise fait éclater en morceaux. Non seulement elle plaint ses sœurs d'avoir à la supporter au quotidien, mais aussi elle anticipe son retour à la maison familiale. Les quelques jours qu'elle a passés chez elle à Pâques lui ont révélé ce qui l'attendait et ça ne lui dit rien qui vaille. Sa mère ressemble à un grain de maïs prêt à éclater à la première variation de température. Tout comme ses sœurs, Martine subit ses sautes d'humeur depuis toujours. Petite, elle guettait déjà la venue du beau temps parce qu'il lui ramenait sa maman. Celle qui s'assoyait par terre pour jouer avec elle, qui l'amenait partout, qui la bécotait dans le cou et qui riait même lorsqu'elle venait de faire une bêtise. Elle espère de tout cœur la retrouver à son retour au bercail.

***

— Je suis crevée! lance Françoise en se laissant tomber sur son fauteuil préféré. On était dix chez nous et on avait moins de choses que moi alors que je suis seule. Veux-tu bien m'expliquer pourquoi j'ai déménagé des boîtes que je n'ai même pas ouvertes une fois depuis un an?

— On est toutes pareilles! répond Rachel. On les garde au cas où on en aurait besoin un jour.

— Et on oublie jusqu'à leur existence! Je n'ai pas l'intention de partir d'ici de sitôt, mais je te promets de vider chaque boîte jusqu'au fond et de me débarrasser de tout ce qui ne m'a pas servi depuis un an. À vue d'œil, on aurait épargné au moins une heure de notre temps, sans toutes ces maudites cochonneries.

Les deux amies se regardent et se mettent à rire. La journée est loin d'être finie pour elles. Elles ont donné leur congé aux hommes sitôt la dernière boîte montée chez Françoise. André leur a offert de rester, mais elles lui ont très vite rappelé que Sonia avait reporté toutes ses activités pour passer le reste de la journée avec lui. Il leur a fait promettre de l'attendre pour déplacer les gros meubles. Il avait à peine tourné les talons que Françoise faisait un clin d'œil à Rachel. Elles en ont vu d'autres. S'il fallait qu'elles attendent toujours après Pierre-Jean-Jacques pour bouger un meuble, elles auraient renoncé depuis longtemps à faire un peu de changement dans leur décor.

— Je propose qu'on commence par ta chambre, avance Rachel.

— Ho ! ho ! Pas avant que tu m'aies dit comment ça va avec André.

— Au-delà de mes espérances ! répond-elle en rougissant comme une gamine. Pour tout te dire, je ne lui ai pas encore trouvé de défauts et ce n'est pas faute d'avoir essayé. Tu vas me trouver folle… Je remercie Jeannine tous les soirs.

— Libre à toi de continuer à t'user les genoux, mais je doute fort qu'elle ait quelque chose à voir là-dedans. Et après ? lui demande-t-elle d'un ton taquin.

Rachel rougit de plus belle. Elle ne se doutait pas que l'amour changerait sa vie à ce point. Elle se lève avec le sourire et chantonne à cœur de journée. Elle ne pense plus à aucun de ses petits bobos et elle a l'impression d'avoir perdu vingt livres alors que sa balance lui renvoie inlassablement les mêmes chiffres depuis plus de vingt ans.

— Il m'a demandé en mariage hier soir, répond-elle enfin d'une voix remplie d'émotion, et j'ai dit oui.

— Wow ! Pour une nouvelle, c'en est tout une ! Approche !

Françoise la serre très fort et l'embrasse sur les joues. Elle aime Rachel comme une sœur et elle veut son bonheur.

— Attends de connaître la suite ! ajoute joyeusement Rachel. Imagine-toi donc qu'André va déménager ici en septembre et on va se marier en octobre.

— Un peu plus et on se croirait en plein conte de fées ! Préfères-tu être Blanche-Neige ou la Belle au bois dormant ?

— Cendrillon !

— Je suis vraiment très contente pour toi, ajoute Françoise. On devrait fêter ça avant qu'il retourne à Jonquière.

— Bonne idée, mais ce sera entre deux gallons de peinture. Je lui en glisserai un mot. J'y pense, on pourrait prendre un verre ensemble ce soir avec Sonia, il est supposé la mettre au courant. J'espère qu'elle va être contente.

— C'est la réaction de Simone qui m'inquiète et pas rien qu'un peu. Elle va se sentir complètement abandonnée, cette fois.

— À mon avis, ajoute Rachel en fronçant les sourcils, ça ne changera pas grand-chose dans sa vie. Depuis que Jeannine est morte, elle n'a pas invité son père une seule fois en dehors de la présence de Sonia et elle a décliné toutes ses invitations. J'aime bien Simone, mais pour être honnête je refuse de m'en faire, ne serait-ce qu'une seconde, à propos de sa réaction. Tu sais quoi, je trouve qu'elle vieillit mal et si je me fie à tout ce que Chantale et Brigitte me racontent, elle ne va pas bien du tout et je m'inquiète pour les petites.

— Il est clair que ton départ va créer un grand vide dans leur vie.

— Dans la mienne aussi, crois-moi, confirme Rachel.

Elle tient à ces deux fillettes comme à la prunelle de ses yeux. Elle leur sera éternellement redevable de lui avoir fait une place dans leur vie malgré tout ce qu'elle leur avait fait endurer. Elle les aime autant qu'elle aurait aimé sa propre petite-fille. Aucun doute, elles lui manqueront.

— Si ça peut te rassurer, j'ai demandé à Charles de m'appeler s'il remarquait quelque chose d'anormal.

— Ne me dis pas que tu as enfin trouvé le moyen de lui donner ton numéro de téléphone !

— C'est uniquement pour le bien des filles, se défend aussitôt Françoise avec énergie.

— Cause toujours, ça ne prend pas avec moi ! Il t'est tombé dans l'œil à la seconde où Alice te l'a présenté et j'ai l'impression que c'est réciproque. Il serait grand temps que tu laisses ton orgueil de côté.

— Et que je me ridiculise ? Non merci ! Je vis sans homme depuis cinquante ans et je m'en porte très bien. Si on commençait ?

Rien de ce qu'elle pourrait dire ne convaincra Rachel qu'elle ne ressent rien pour Charles. Françoise est morte de peur à l'idée d'être rejetée. Toutes les femmes dignes de ce nom détestent se faire dire qu'elles ont vu ce qu'elles voulaient voir au lieu de la dure réalité, se dit-elle. L'amour est aussi cruel que doux et personne n'a aucun contrôle sur lui. Qui plus est, il a toujours le dernier mot. Dans le cas où Françoise ne lèverait pas le petit doigt pour tenter sa chance auprès de son remplaçant, Rachel s'en mêlera personnellement. Reste maintenant à savoir comment elle s'y prendra.

***

Sonia nage en plein bonheur. Elle dort tranquille depuis que Jérôme a cessé de voir Mario, d'autant plus qu'à l'heure qu'il est ce dernier est sûrement en Gaspésie. Elle a reçu plusieurs nouveaux dons pour sa fondation, ce qui se traduit en dizaine de milliers de dollars. Cet argent leur a permis d'accepter les sept premiers boursiers provenant de Québec et des environs pour l'automne, ce qui dépasse largement les objectifs de départ. Son père vient de lui apprendre qu'il va vivre à moins de cinq minutes de chez elle à compter de septembre et qu'il va se marier avec Rachel en octobre. Elle ne pouvait rêver mieux comme belle-mère. Ajoutons à cela qu'elle a un mari en or, une bonne exceptionnelle et que son fils a dit maman pour la première fois ce matin. Et pour couronner le tout, elle passe l'après-midi seule avec son père à flâner dans le Vieux-Québec. Marguerite a insisté pour venir lui donner un coup de main avec Émile. La connaissant, ils n'auront qu'à passer à table en revenant de leur petite virée.

— Asseyons-nous à cette terrasse, propose André, je t'offre une bière.

— Tu tombes bien, lance Sonia, je suis assoiffée et j'étais aussi en train de maudire la hauteur de mes talons. Je ne sais pas à quoi j'ai pensé de mettre les plus hauts pour venir me balader sur le macadam.

— On n'aura qu'à en boire deux ! réplique-t-il d'un ton moqueur.

Il y a longtemps qu'André a arrêté d'essayer de comprendre les femmes. S'il reconnaît qu'il n'y a rien de mieux que des talons aiguilles pour mettre leurs jambes en valeur, il ne les envie pas une miette de souffrir autant pour des mollets bien galbés.

— J'aime autant t'avertir que ça va peut-être m'en prendre trois, blague Sonia. Assez parlé de mes chaussures pour aujourd'hui ! Je me sens privilégiée de passer quelques heures avec toi, papa.

— Idem pour moi, ma belle fille ! On pourra le faire toutes les semaines si tu veux quand je vivrai ici.

— Il y a quelque chose dont j'aimerais te parler, quelque chose qui m'inquiète un peu et qui ne me regarde pas. Seulement, je ne peux pas m'empêcher de te demander comment tu vas faire pour t'en tirer financièrement une fois ici. Surtout qu'aux dernières nouvelles, tu as dit que tu n'avais pas l'intention de te chercher un emploi.

André sourit. Savoir qu'elle se préoccupe de lui le touche beaucoup. Sans vouloir mal parler, il ne s'attend pas à ce que Simone lui pose la même question. À moins qu'il se trompe, ce qui l'étonnerait beaucoup, son aînée va plutôt sortir le grand jeu pour le culpabiliser au maximum sous prétexte qu'il l'abandonne. Elle et sa famille. Il fera son gros possible pour ne pas se laisser atteindre par ses reproches, mais il sait déjà qu'il aura le cœur gros au moment de partir.

— D'abord, dit-il en prenant sa main dans la sienne, ta mère avait une grosse police d'assurance. Tes grands-parents la lui avaient offerte en cadeau pour ses dix-huit ans et j'ai toujours continué à la payer. C'était ni plus ni moins une sorte de dot. J'empocherai aussi l'argent de la vente de ma maison. D'ailleurs, elle est pratiquement vendue. Et, pour finir, j'ai travaillé à gros salaire toute ma vie et j'ai pu mettre pas mal d'argent de côté. Ta mère et moi nous contentions de peu.

— J'en conclus que tu n'es pas à plaindre et ça me rassure.

— Je ne suis pas aussi riche qu'Alice ou Pascal, mais j'en ai assez pour m'offrir une belle vie.

Sonia attrape le serveur au passage et lui commande deux bières sous l'œil amusé de son père.

— Et pour Simone ? Quand comptes-tu lui annoncer toutes les nouvelles ?

André lève les yeux au ciel en haussant les épaules, puis il soupire et se racle la gorge avant de lui répondre :

— Je ne sais pas quoi te dire sinon que j'ai renoncé à trouver les bons mots et le bon moment. À force de réfléchir, j'en suis venu à la conclusion que le mieux serait d'aller m'asseoir avec Pascal la semaine prochaine. Il la connaît mieux que tout le monde. Peut-être même qu'il jugera préférable de s'en charger lui-même, ce qui ferait drôlement mon affaire. Entre toi et moi, je commence à en avoir plus qu'assez de marcher sur des œufs avec Simone. Avec elle, j'ai l'impression de ne jamais avoir ni le ton juste ni le bon mot. Elle n'a jamais été facile et ça ne va pas en s'améliorant.

— Pascal m'a appelée hier soir et il m'a dit qu'elle l'avait supplié de l'aider.

— Il était grand temps !

— Il m'a demandé d'attendre qu'elle m'en parle. Je n'ai pas pu m'empêcher de lui dire qu'il ne courait aucun risque avec moi. Elle est venue voir Christine l'autre jour et elle ne s'est même pas donné la peine de m'appeler. Simone en veut à mort à tout le monde d'avoir perturbé sa vie. À Françoise, à moi et bientôt à Rachel et à toi. Son royaume est en train de s'écrouler et la reine est partie en guerre. J'espère sincèrement que Pascal trouvera la bonne pilule avant que plus personne ne veuille lui parler. Je t'informe que je commence sérieusement à être à bout de patience avec Sa Majesté, lance-t-elle dans un cri du cœur. Désolée, il fallait que ça sorte !

Le père et la fille gardent le silence jusqu'à ce que le serveur leur apporte leurs bières. Ils ont beau essayer de se protéger contre les attaques répétées de Simone, elles finissent toujours par les atteindre tôt ou tard. S'ils avaient reçu un dollar chaque fois qu'ils ont passé l'éponge après avoir fait les frais d'une de ses nouvelles frasques, ils seraient riches.

— À ta santé, papa ! dit Sonia en levant son verre.

— À la tienne, ma belle fille !

— J'adore traîner sur une terrasse et regarder les gens. Avant que j'oublie, allez-vous faire un voyage de noces, Rachel et toi ?

— Interdiction de rire ! la met en garde André d'un ton sévère.

— Ne me dis pas que vous allez aux chutes du Niagara ! lance Sonia en mettant la main sur sa bouche pour essayer de garder son sérieux. Il me semblait que c'était le dernier endroit que tu voulais visiter…

André se retient de rire. S'il y en avait un qui ne se privait pas de se moquer de tous ceux qui payaient le gros prix pour dormir dans un lit en cœur, c'était bien lui.

— Et c'est encore le cas, sauf que Rachel a toujours rêvé d'y aller, avoue-t-il.

— C'est donc beau, l'amour, hein, papa ? ajoute-t-elle avant de pouffer de rire. Il faut que tu me promettes de prendre des photos. J'ai une idée, je vais te prêter mon Kodak.

— Des plans pour que je l'échappe dans l'eau ! Non merci !

13

Alice sourit en voyant la quantité de boules de papier froissé qui jonchent le plancher de la cuisine. Si elle continue à ce rythme, elle passera à travers sa tablette avant d'avoir répondu à Martine. Elle lève les yeux au ciel, soupire un bon coup et saisit son stylo, bien décidée cette fois à ne pas se relever de sa chaise avant d'avoir glissé sa lettre dans une enveloppe. Après tout, rien ne l'oblige à lui écrire un roman. Elle fixe sa feuille de papier, le temps de trouver le courage de se mettre au travail. Sa petite-fille demeure à ce jour la seule et unique personne à qui elle écrit et c'est vite dit puisqu'il ne s'agit chaque fois que de quelques lignes.

Ma chère Martine,

T'ai-je déjà dit à quel point je déteste écrire ? Inutile de me répondre, car je me rappelle très bien avoir commencé chacune de mes lettres avec cette question.

Alice se relit en fronçant les sourcils. Bien qu'elle meure d'envie de chiffonner sa feuille et de la lancer d'un geste rageur, elle se remet au travail.

Il me tarde de te revoir. J'ai l'impression que l'école est éternelle cette année. Remarque que je trouvais ça encore plus long quand j'étais assise à ta place. Chantale et Brigitte sont venues passer la fin de semaine dernière chez moi. Je les trouve très drôles et je ne vois pas le temps passer quand elles sont chez moi. Chantale m'avait gardé une praline. Tu la connais, elle m'a expliqué en long et en large comment la manger. Brigitte l'a interrompue pas moins de vingt fois. Je ne te mens pas, j'avais l'impression d'assister à un match de ping-pong, sans gagnante il va sans dire. Tes deux petites sœurs ont un sacré caractère. Quant à Catou, j'ai enfin réussi à la prendre sans qu'elle ouvre la maison en deux quand je suis allée dîner chez vous dimanche. J'ai aussi eu droit comme à chacune de mes visites à un grand coup de langue de la part de Voyou. Il n'y a rien qui me répugne plus que la bave d'un chien. Beurk ! Je plains Charles de tout mon cœur, il lave le plancher de la cuisine tous les jours. Dire que Françoise le faisait à genoux !

Alice relève la tête. Que pourrait-elle écrire de plus ? Elle se creuse les méninges pendant ce qui lui semble une éternité avant d'en conclure que sa lettre est au moins deux fois plus longue que la précédente, ce qui est bien suffisant.

Je compte sur toi pour me réserver ta première fin de semaine de vacances.

À bientôt.

Grand-maman Alice

Elle se relit en diagonale, plie sa lettre en trois et la glisse dans son enveloppe sur laquelle elle avait déjà inscrit l'adresse du pensionnat. Elle la colle et va la porter sur la crédence près de la porte d'entrée. Elle ira la poster en allant faire son épicerie cet après-midi. Elle regarde l'heure sur sa montre et hausse les épaules. Elle a mis beaucoup trop de temps pour écrire seulement quelques lignes, ce qui lui fait douter que Germaine l'ait attendue pour déjeuner. Elle attrape son châle et sort par l'arrière.

— Ne te dérange pas, s'écrie-t-elle en faisant son entrée chez sa voisine, ce n'est que moi. As-tu mangé ?

— Jamais de la vie ! répond Germaine. Je ne suis pas assez bête pour me priver du plaisir de te voir cuisiner pour moi.

Les paroles de sa belle-sœur lui font un petit velours et elle ne fait rien pour le cacher.

— À l'heure qu'il est, j'ai bien peur qu'on doive se contenter de deux *toasts* avec de la confiture de bleuets. C'est ça ou on n'aura pas faim pour le dîner.

— Libre à toi de manger des *toasts*, mais moi je rêve de pain doré noyé dans le sirop d'érable depuis deux jours. Ou tu le fais ou je sors mon livre de recettes.

— Tes désirs sont des ordres ! lance Alice sur un ton moqueur. Au cas où tu l'aurais oublié, Pascal t'a prescrit du repos jusqu'à la fin du mois.

Germaine a été terrassée par une grippe d'une telle violence qu'elle a gardé le lit pendant une semaine. Alice a veillé sur elle comme une mère sur son enfant malade.

— Aimerais-tu mieux que je fasse des plaies de lit ? Je te promets de ne pas laver mes vitres aujourd'hui, mais il ne faut plus compter sur moi pour passer mon temps couchée. Qu'est-ce que je peux faire pour t'aider ?

— Dresse la table et prends ton mal en patience jusqu'à ce que ce soit prêt.

— Puisqu'il le faut, je me bercerai.

Alice sort ce qu'il faut en riant. S'occuper de Germaine l'a empêchée de trop penser à la coche mal taillée de François. Elle a tout raconté à Pascal la dernière fois qu'il est venu la voir. Elle a même versé quelques larmes à la fin de son récit, ce qui lui a valu une accolade de sa part. Son geste lui a tellement fait du bien qu'elle a poussé l'audace jusqu'à le retenir au moment où il allait s'éloigner d'elle. Les chances qu'elle verse dans la sentimentalité sont minces, voire inexistantes, mais elle reconnaît sans difficulté que son empathie lui a fait chaud au cœur. Pascal n'en revenait pas de la méchanceté de François à son égard. Comment son frère a-t-il même osé penser à se venger de leur mère alors qu'elle est en pleine possession de ses moyens et que tout ce qu'elle possède lui appartient ? Elle lui a fait part de son intention de réduire la part d'héritage de François du montant de la facture de M. Dionne, facture qu'elle a honorée avec mille dollars en prime. Pascal lui a gentiment rappelé que jamais il ne se permettrait de discuter ses choix. Le lendemain, Alice prenait rendez-vous chez le notaire pour amender son testament. Déçue du comportement de son aîné, elle lui a fait retirer le double de la somme dépensée pour ses armoires et a légué le montant en entier à Sonia sans aviser qui que ce soit. Ça compenserait un peu pour tout ce que la vie lui a fait endurer.

— Hé, c'est en train de brûler, s'écrie Germaine.

— Je voulais savoir si tu dormais, lance Alice en lui adressant un clin d'œil.

— Dis-moi que tu n'étais pas en train de penser à ton imbécile de fils…

Pour toute réponse, Alice hausse les épaules. Elle paierait cher pour effacer ce souvenir de sa mémoire. François l'a tellement déçue qu'il y a des secondes où elle paierait encore plus cher pour oublier qu'il est la chair de sa chair. Elle secoue la tête et fait un demi-sourire à sa belle-sœur.

— Sais-tu ce que je trouve le plus difficile ? C'est d'ignorer quand et comment il va rappliquer.

— Je ne peux pas croire qu'il va reprendre du service, avance Germaine.

— Crois-moi, les hostilités ne font que commencer.

— Il ne va quand même pas s'en prendre à nouveau à M. Dionne…

— Tout ce que je sais, c'est qu'il n'est pas près de déposer les armes.

— Sauf s'il s'entiche d'une jeune beauté.

— Ça ne fera que retarder l'hémorragie. Il a oublié une seule chose : c'est un petit jeu qui se joue à deux.

— Tu me fais peur quand tu parles comme ça. En passant, ton pain doré est excellent. Est-ce que je pourrais en avoir une autre tranche ?

***

Pascal se masse la nuque depuis que sa dernière patiente est sortie de son bureau. Il n'a pas encore trouvé la force de se lever. Il vient d'apprendre à une femme de trente-huit ans que son cœur peut la lâcher d'une minute à l'autre et que la médecine ne peut rien faire pour elle. La pauvre a pleuré toutes les larmes de son corps avant de sortir de son bureau. Et ce n'était pas le premier diagnostic sévère qu'il annonçait à quelqu'un aujourd'hui.

Il a même eu droit à une victime de violence conjugale avant le dîner. Il regrette encore le petit sourire en coin qu'il a eu lorsque la jeune femme de vingt-quatre ans lui a fait part des sévices corporels que son mari lui fait subir depuis le jour de leur mariage, il y a bientôt quatre ans. Il s'agissait forcément d'une mauvaise blague. Encore une qui s'ennuie à mourir dans sa belle grande maison. Elle était habillée comme une carte de mode. Ses ongles étaient manucurés à la perfection et son maquillage ajoutait à sa beauté naturelle. Elle venait forcément d'une famille aisée, ce qui enlevait encore plus de crédit à son discours. Il a écouté poliment la belle Juliette jusqu'à ce que des larmes inondent les joues de la patiente. Il l'a priée de passer dans sa salle d'examen et il a blêmi lorsqu'il est allé la rejoindre. Elle était complètement nue. Depuis le temps qu'il pratique la médecine, jamais il n'avait vu un corps aussi meurtri. Il est retourné d'où il venait pour appeler Mariette à la rescousse. Si sa formation l'a préparé à faire face à bien des situations, rien ne lui a été enseigné pour savoir comment se comporter devant autant de violence gratuite. Il a été grandement soulagé lorsque, devant son désarroi, elle a pris les choses en mains.

Perdu dans ses pensées, il sursaute quand la porte s'ouvre brusquement sur Mariette. Elle a frappé sauf qu'il ne l'a pas entendue.

— Sans vouloir vous mettre de pression, docteur Thibault, il vous reste encore une patiente à voir et elle attend depuis près d'une heure. Sans compter que Mme Roy ne pourra pas retenir son bébé éternellement.

À ces mots, Pascal secoue la tête. Quelle sorte de docteur est-il donc ? Il n'a pas l'habitude d'être aussi en retard.

— Faites-la entrer !

Cinq minutes plus tard, la dernière patiente de la journée sort de son bureau avec un tube d'onguent pour soulager la dizaine de piqûres de guêpes qu'elle a sur le ventre. La pauvre nettoyait tranquillement sa plate-bande quand elle a dérangé toutes les résidentes du nid caché au milieu de ses pivoines. S'il avait fallu qu'elle soit allergique, elle aurait rendu l'âme avant d'arriver à l'hôpital, bien qu'elle habite tout près. Elle lui a dit avoir souffert le martyre, ce qu'il n'a aucune difficulté à croire.

Pascal se réjouit de n'avoir plus qu'à accoucher Mme Roy. Avec un peu de chance, il pourra rentrer chez lui avant la noirceur, pour une fois. Il enlève son sarrau et sort de son bureau.

— Est-ce que j'ai le temps d'aller manger une bouchée ? demande-t-il à Mariette.

Elle lui fait son plus beau sourire et lève les yeux au ciel avant de lui répondre :

— C'est au bébé de Mme Roy que vous devriez poser cette question, lui répond-elle d'un ton taquin.

— J'avoue ! Et pour Juliette ? Pour Mme Côté, je veux dire...

— Sœur Thérèse l'a emmenée au couvent. J'ai cru comprendre qu'elles vont la garder jusqu'à ce que toutes ses blessures soient guéries.

— Elle ne peut pas retourner chez ses parents, argumente Pascal. D'après ce que j'ai compris, ils ne la croient pas quand elle leur dit que son mari la roue de coups.

— Leur a-t-elle déjà montré tout ce qui est caché sous ses vêtements ?

— Si vous voulez mon avis, la seule chose qui les intéresse est que leur fille ait mis le grappin sur le fils de l'homme le plus riche de Chicoutimi. Ceci étant dit, je suis convaincu qu'ils vont préférer croire leur gendre plutôt que leur propre fille. Il faut absolument la sortir de chez elle. C'est ça ou il va finir par la tuer.

Sur ce, Pascal file au chevet de Mme Roy. Il reviendra à la charge auprès de Mariette demain.

— Vous ne pouvez pas tomber mieux, docteur, s'écrie l'infirmière alors qu'il n'a pas encore mis un pied dans la chambre, on voit la tête du bébé.

— Le temps de me laver les mains et je reviens.

Quelques bonnes poussées suffisent pour que Pascal mette au monde un beau gros garçon de neuf livres et demi. Il s'assure que la mère et l'enfant se portent bien et repasse par son bureau pour finir sa paperasse.

— Déjà de retour ? lui dit Mariette.

— Si toutes les femmes accouchaient aussi facilement que Mme Roy, je dormirais bien plus souvent dans mon lit. Au fait, pourquoi êtes-vous encore ici ?

— J'ai passé quelques appels pour essayer de trouver un organisme qui pourrait aider Juliette. J'ai même appelé le curé de ma paroisse et je ne suis pas plus avancée. En fait, je n'en reviens pas de ce qu'il m'a dit. Ça fait quatre ans que la députée Claire Kirkland-Casgrain a fait adopter la *Loi sur la capacité juridique de la femme mariée* et ça le laisse indifférent. Je ne me suis pas gênée pour lui rappeler que cette loi avait aboli le devoir d'obéissance de la femme à son mari et qu'elle lui accordait la pleine capacité juridique quant à ses droits civils. Tout ce que le saint homme a trouvé à ajouter, c'est que pour lui le mari avait encore tous les droits sur sa femme, même celui de la battre si elle le mérite. J'aurai tout entendu. Je ne sais pas ce qui me retient de le dénoncer.

— J'ignorais que vous connaissiez aussi bien les lois.

— Uniquement celles qui concernent les femmes. Mais je n'ai pas encore dit mon dernier mot. Quitte à cacher Juliette chez moi, je ne la laisserai pas retourner vivre avec son bourreau.

Pascal lui sourit. Mariette n'a pas son pareil quand elle endosse une cause.

— J'ai une idée, lance-t-il. On pourrait commencer par prendre des photos de ses blessures.

— Ça tombe bien, j'ai justement mon Kodak dans l'auto. Je vais passer au couvent avant de rentrer. À demain !

Pascal s'assoit derrière son bureau et regarde ses dossiers. Il lui suffit de relire les notes inscrites dans chacun pour s'assurer qu'il ne manque rien. Il se met au travail sans plus de réflexion et relève la tête seulement après avoir tout revu. Il dépose ensuite son stylo et l'image de son frère François s'impose à lui. Il cligne des yeux dans l'espoir de le faire disparaître, mais il est toujours là. De tous les hommes qu'il connaît, son aîné est de loin le plus crétin. Se rappeler qu'ils sont du même sang lui donne la nausée. Lorsqu'il était jeune, il avait l'habitude de le traiter de couleuvre. Même si cela lui valait immanquablement une raclée, jamais il ne s'est privé de lui dire ce qu'il pensait de lui. Ni leur mère ni M. Dionne ne méritaient un tel affront de sa part. Pascal n'avait jamais vu Alice aussi désemparée. Si une partie de lui est contente qu'elle s'humanise, l'autre refuse qu'un de ses rejetons la fasse souffrir pour contester une de ses décisions. Il en a discuté avec Rémi la dernière fois que ce dernier l'a appelé et ils ont convenu de s'occuper de François dès qu'ils seront tous les trois à Chicoutimi en même temps, ce qui ne devrait pas tarder puisque leur mère et tante Germaine ont prévu inviter toute la famille pour fêter la Saint-Jean-Baptiste dans leur nouvelle maison. Si leur cher frère brille par son absence, eh bien, ils s'inviteront chez lui. Ils ne se font pas d'illusions sur leur pouvoir de lui mettre un peu de plomb dans la tête. À tout le moins, ils vont lui faire savoir qu'il les trouvera sur son chemin chaque fois qu'il s'en prendra à leur mère.

Il en a glissé un mot à Thierry lorsqu'ils sont allés pêcher la semaine dernière et lui a demandé de mettre son père en garde au cas où François réquisitionnerait de nouveau ses services. Son protégé l'a assuré que ça avait servi de leçon à son paternel et que ce dernier suivait à la lettre le conseil de Mme Thibault. Pascal est heureux de voir les liens qui unissent sa mère aux Dionne. Et à ses filles aussi ! Jamais il n'aurait cru vivre assez vieux pour que Chantale et Brigitte le supplient de les laisser aller passer la fin de semaine chez leur grand-mère. Il fut un temps où être dans la même pièce qu'elle était un vrai supplice alors que maintenant elles recherchent sa présence et reviennent même de chez elle avec des projets pour leur prochaine visite.

Il a été très heureux de constater que Thierry vivait plutôt bien sa rupture avec Christine. Il espère de tout cœur qu'aucun des deux n'aura de rechute. Si on ne peut pas empêcher un cœur d'aimer, à l'inverse, on ne peut pas en forcer un autre à le faire non plus.

La sonnerie du téléphone le fait sursauter. Il décroche le combiné et répond illico.

— Papa, c'est moi! s'écrie Christine. Je savais bien que je te trouverais à ton bureau.

— Salut, ma grande! Tu as l'air drôlement en forme!

— Oh oui! J'adore mon nouveau travail et tu sais quoi? J'ai encore fait plus de pourboires aujourd'hui que les serveuses sur le plancher et je me démène pas mal moins qu'elles. Je ne te mens pas, je n'ai pas l'impression de travailler, ici. Imagine un instant: je passe la moitié de mon temps dans un château en plein cœur du Vieux-Québec, tous les clients sont riches à craquer et un simple sourire de ma part suffit pour délier les cordons de leur bourse. Je suis au septième ciel. Et j'ai reçu deux invitations à dîner seulement aujourd'hui.

— J'espère qu'ils n'étaient pas aussi vieux que moi.

— J'avoue que le premier devait avoir sensiblement le même âge que toi, mais il n'était pas aussi beau par exemple. En revanche, le deuxième n'avait pas trente ans. Imagine un peu la scène. Il vient manger avec sa soi-disant fiancée, une vraie beauté, et il me laisse sa carte avant de partir en me lançant un clin d'œil. Je la retourne et j'y lis: *Votre sourire a rendu ce repas inoubliable. Appelez-moi!*

Pascal sourit lorsque Christine mime le fameux message. Elle lui manque beaucoup.

— Vas-tu l'appeler?

— Je ne mange pas de ce pain-là. Et de toute façon, ce ne sont pas les beaux gars qui manquent à Québec. Je sors avec Marleen la fin de semaine, je t'ai déjà parlé d'elle, c'est une cousine de Jérôme, et on rencontre un tas de gens intéressants. À vrai dire, j'aime tout, ici: la ville de Québec, mes nouveaux amis, vivre chez tatie Sonia, le petit Émile…

— Es-tu sur le point de m'annoncer que tu vas rester à Québec?

Quelques secondes s'écoulent avant que Christine reprenne la parole. Elle n'avait pas l'intention d'en dire autant, du moins pas avant d'avoir pris sa décision.

— Si jamais je le fais, je louerai un appartement à proximité du cégep.

— Il me semblait que la date d'inscription était passée?

— Elle l'est, mais je suis allée me présenter et mes notes ont fait le reste. Ce serait parfait parce que je pourrais continuer à travailler au Château pendant mes études. J'ai fait mes petits calculs et je crois bien que je pourrais me débrouiller toute seule. Enfin, presque!

Christine se sent de plus en plus inconfortable de parler de ses projets avec son père alors qu'elle n'a encore rien décidé. Elle n'est pas sans savoir que si jamais elle en vient là, son geste ne manquera pas de l'obliger une fois de plus à s'élever contre sa femme. C'est pourquoi elle bat en retraite sans crier gare et lui demande des nouvelles de la famille. Pascal lui en donne sans se faire prier.

— Et maman?

— J'ai confiance que la prochaine pilule sera la bonne, répond-il simplement. Quand comptes-tu venir faire ton tour?

— Difficile à dire… Je travaille six jours par semaine. Il faudrait que je fasse l'aller-retour dans la même journée sauf que je n'ai pas mon auto.

— Rien ne t'empêche de venir la chercher.

— Il faudrait d'abord que j'aie une place pour la stationner, mais ce n'est pas le cas chez tatie. Tu pourrais venir me voir…

— Bonne idée, surtout que je rêve de traverser le Parc en moto. Donne-moi tes deux prochains congés et je vais voir ce que je peux faire.

— Après-demain et jeudi de l'autre semaine. À mon avis, tu devrais plutôt venir en auto, cette fois ; tu vas geler tout rond.

— Je te reviens demain sans faute. As-tu vu la maison de Françoise ?

— Elle est très belle et j'ai vu grand-papa aussi. Il peinturait chez Rachel. Je n'aurais jamais pensé que ces deux-là se marieraient un jour.

La dernière phrase de Christine a l'effet d'un coup de masse sur lui. Première nouvelle qu'il a que son beau-père va se remarier. Si Christine dit vrai, ça veut dire qu'il va déménager à Québec. Pascal est soudainement pris de sueurs froides. Il refuse d'imaginer comment Simone va réagir.

— Papa ? Es-tu toujours là ?

— Oui, parvient-il à dire au bout de quelques secondes. C'est juste que…

— Tu n'étais pas au courant, poursuit Christine. Je suis désolée, ce n'était pas à moi de te l'apprendre. Grand-papa était supposé aller te voir pour te demander d'en parler à maman. Tatie Sonia s'inquiète de sa réaction. En même temps, ce n'est pas comme si elle le voyait ou l'appelait tous les jours. Elle l'invite seulement quand tout le monde est là, et encore, c'est sûrement parce que tu t'en mêles. Crois-tu qu'elle va finir par arrêter d'en vouloir à la terre entière un jour ?

— Ta mère est malade, Christine, répond-il d'un souffle.

— Je suis au courant, confirme-t-elle en levant les yeux au ciel. Il va falloir que je raccroche, papa, j'ai promis à tatie d'aller marcher avec elle. Ah oui, tu peux m'appeler avant onze heures ou après quatre heures demain. Bonne soirée !

Christine a raccroché depuis un moment quand Pascal se décide enfin à remettre le combiné sur son socle. La discussion qu'il vient d'avoir avec elle l'a ébranlé plus qu'il ne l'aurait souhaité. Le mariage d'André risque d'être lourd de conséquences et, cette fois, Simone va vraiment se retrouver toute seule à Chicoutimi avec sa famille immédiate. Il aime mieux ne pas penser tout de suite à la façon dont elle réagira si jamais Christine décide d'étudier à Québec. Sa femme va se sentir complètement abandonnée, et ce, même si elle n'a besoin de personne pour s'isoler. Elle le fait déjà très bien depuis le jour où Jeannine a rendu l'âme. Il regarde l'heure sur sa montre et compose le numéro de son beau-père. Il a tout intérêt à se préparer avant de partir en guerre parce que c'est forcément ce qui l'attend avec Simone. Il verra plus tard comment s'y prendre pour annoncer son départ à Chantale et à Brigitte.

14

La vie de Françoise a changé du tout au tout depuis qu'elle a emménagé dans son nouveau chez-soi. Elle a beau se répéter que c'est un cinq et demie semblable à celui qu'elle louait à Chicoutimi, rien ne parvient à lui enlever le sourire qu'elle a sur les lèvres dès qu'elle rentre chez elle. Elle aime tout de son nouvel environnement. Pas plus tard qu'hier, elle a désherbé la plate-bande que Rachel se propose de garnir dès son arrivée. Elle riait toute seule pendant qu'elle avait les mains dans la terre et y trouvait même un certain plaisir, ce qui ne lui ressemble guère. Elle s'est ensuite assise sous le grand saule pleureur qui trône au milieu de la cour arrière. De sa place, elle observait les oiseaux qui se régalaient dans la mangeoire de leur voisin de droite. Il n'en fallait pas plus pour la convaincre d'acheter quelques cabanes et des graines à son tour. Elle y serait allée volontiers aujourd'hui si sa liste de choses à faire n'avait pas été aussi longue. Elle a rendez-vous ce matin chez deux femmes recommandées par Marguerite. La première aimerait qu'elle aille cuisiner chez elle une journée par semaine et la deuxième voudrait qu'elle lui remplisse son congélateur tous les mois de petits plats qu'elle pourrait préparer tranquillement dans sa propre cuisine. La dame exerce le droit, ce qui lui laisse peu de temps pour préparer les repas de sa marmaille. Elle a quatre enfants en bas âge. Il paraît que sa nounou a du mal à faire cuire un œuf. De prime abord, la deuxième option lui plaît beaucoup plus. Certes, elle devra s'équiper d'un tas de choses, dont un gros congélateur en premier lieu, mais ça lui permettra de vérifier sans trop de frais son intérêt pour le travail de traiteur. Et qui sait, peut-être même qu'elle pourrait offrir ses services pour préparer des repas de mariage et, pourquoi pas, d'après-funérailles. D'ailleurs, Rachel et André lui ont demandé de s'occuper de leur repas de mariage.

— On prévoit une cinquantaine d'invités tout au plus, a dit Rachel. On compte louer la petite salle attenante à la galerie d'art de mon ancienne belle-sœur, c'est à deux pas de la traverse pour Lévis. On ne veut pas un repas chaud, mais pas des sandwiches pas de croûtes non plus. On veut quelque chose de spécial et, surtout, on tient à ce que ce soit toi qui le prépares.

Françoise sourit en repensant au plaidoyer de Rachel. Son amie avait pris soin d'utiliser le pronom *on* alors que le *je* aurait été beaucoup plus approprié. C'était ce qu'elle voulait et non ce qu'ils voulaient. Au moment de faire sa grande demande, André lui a dit qu'elle avait carte blanche pour organiser leur mariage. Bien sûr, Françoise a accepté sans se faire prier. Ce n'est que le lendemain qu'elle a réalisé que le seul mariage auquel elle a assisté au cours des dix dernières années est celui de Sonia, et les invités étaient reçus à l'Hôtel Chicoutimi. Résultat, ses souvenirs regorgent de tourtières et de pâtés de viande comme c'est encore le cas fréquemment aujourd'hui. Elle a donc prévu s'arrêter dans quelques hôtels afin de vérifier ce qu'on sert maintenant. Elle prétextera venir en éclaireur pour le mariage de sa fille qui se tiendra soi-disant le printemps prochain. Elle ira également chercher le menu de deux traiteurs avec qui elle a déjà pris rendez-vous. Elle ignore où tout ça va la mener et elle n'a pas l'intention d'y penser non plus. Comme on dit, elle traversera le pont quand elle sera rendue à la rivière.

Elle met deux tranches de pain à griller, sort une assiette, le beurrier, un couteau et le pot de caramel Grenache. Elle se réjouit à l'avance du plaisir qu'elle aura à savourer le mélange de beurre et de caramel. Ses goûts ne font pas l'unanimité et elle s'en fout. Bien que portée sur le sucre, Sonia a des frissons quand elle la voit rouler des yeux en dévorant son déjeuner. Sa patronne a repris du poil de la bête depuis que Jérôme a largué Mario. Françoise la trouve plus joyeuse et moins nerveuse aussi. Malheureusement, elle ne peut pas en dire autant de son patron. Il semble préoccupé et, chose curieuse, il se jette sur le téléphone dès qu'il se met à sonner pour retrouver son calme aussitôt qu'il sait à qui il a affaire. Françoise aimerait bien savoir ce qui le tracasse autant. Pas plus tard qu'hier, elle a reçu un appel d'un homme qui a demandé à lui parler, mais qui n'a pas voulu donner son nom. Lorsqu'elle lui en a fait part au souper, il a rougi jusqu'à la racine des cheveux avant de lui dire d'un ton détaché qu'il rappellera si c'était important. Plus elle y pense, plus Françoise croit que c'était la voix de Mario. Seul hic… dans le cas où il s'agissait bien de lui, pourquoi ne lui a-t-il pas parlé ? Elle espère sincèrement qu'elle se trompe parce que si c'est le cas elle en connaît un qui va passer un mauvais quart d'heure et ce ne sera pas à cause de sa femme. S'il y a une chose qu'elle a du mal à tolérer, c'est bien le mensonge. Si elle avait les moyens, elle appellerait Jean sur-le-champ et lui demanderait d'enquêter sur le supposé ex-ami de Jérôme. Étant donné qu'elle ne peut pas se permettre une telle dépense, elle va devoir se contenter de porter une plus grande attention à son patron. En y réfléchissant de plus près, elle se dit qu'elle pourra jouer au détective quand Sonia et lui iront passer quelques jours à Ottawa. Elle secoue la tête vivement. Qu'est-ce qui lui prend, tout à coup ? Elle ne va quand même pas aller fouiller dans le bureau de Jérôme ! De toute façon, il met tout sous clé. À moins qu'elle lui fasse valoir que ce serait plus prudent qu'il lui confie sa clé au cas où il arriverait quelque chose pendant leur petite escapade. Satisfaite, elle va porter son assiette dans l'évier. Il est plus que temps pour elle de partir.

***

Sa première journée de travail avec le Dr Laberge s'est terminée quelques minutes avant minuit hier soir. Bien qu'il ne soit pas encore sept heures, Thierry sourit en se stationnant à l'hôpital. Il mettra quelques jours à s'habituer à son nouveau régime et il ne verra pas passer l'été. Pas plus que le précédent, d'ailleurs ! Son patron lui a promis une journée de congé par semaine, mais il sait déjà qu'il devra se contenter de quelques heures glanées ici et là. Il vient d'amorcer la période la plus occupée de son année et ça le rend heureux. Il apprend plus en quelques semaines qu'en deux sessions à l'université. La seule chose qui le peine, c'est qu'il n'aura pas le temps d'aller marcher avec Voyou. Loin de lui l'idée de s'apitoyer sur le sort du grand chien blond de M. Thibault. Seulement, la pauvre bête n'a plus grand monde prêt à lui accorder un peu de temps. À moins qu'il demande à son frère Paul de le remplacer moyennant un peu d'argent qu'il lui versera personnellement? Il l'appellera ce midi pour lui en parler.

Il a osé rappeler Josée et il s'en félicite. Il a même dormi chez elle la nuit dernière et ce n'était pas la première fois. Sans vouloir la comparer à Suzie, il reconnaît qu'il a gagné au change et pas rien qu'un peu. Elle lui plaît beaucoup. Autant au lit que pour discuter. Dotée d'une intelligence vive, sa nouvelle conquête lui pose un tas de questions sur la médecine et sur la vie universitaire, et ils ont des discussions très animées. Elle rêvait de faire de longues études alors qu'elle a dû se contenter de quelques mois en comptabilité dans une école privée après sa douzième année. L'Alcan l'a tout de suite engagée et elle a gravi très rapidement les échelons. Elle ne possède peut-être pas la reconnaissance académique, mais elle peut en montrer à un comptable fraîchement sorti de l'université. Preuve à l'appui, sa dernière évaluation réalisée par le comptable en chef du plan d'Arvida. Ce dernier n'a eu que de bons mots à son égard. Malgré cela, Josée rêve encore d'aller à l'université. Comme elle lui a expliqué, elle a besoin d'aller chercher une reconnaissance officielle de son savoir et de son expérience gagnée durement au fil des ans. Devant sa détermination, Thierry lui a promis de parler d'elle à Sonia. Pas pour ses connaissances en comptabilité, mais pour ses contacts à l'université. D'après lui, elle est la personne toute désignée pour guider Josée.

Thierry salue poliment la nouvelle remplaçante de sœur Jeanne. La pauvre, elle est encore sur le carreau pour un mois. Aux dires du Dr Laberge, la direction a enfin compris le bon sens. La réceptionniste a l'air d'une dame très respectable et, surtout, très à sa place. Le genre de femme que tous les hommes aimeraient avoir pour mère, mais pas dans leur lit. Elle lui répond d'un signe de tête en lui souriant. Quant à la belle Marie-France, elle passe toujours ses journées au milieu des archives au sous-sol de l'hôpital. Thierry le sait parce qu'il est allé chercher un document pour son patron hier. Sincèrement, elle a toute son admiration de tenir le coup dans cet environnement peu invitant. Elle travaille dans un grand bureau sans fenêtres que les multiples fluorescents du plafond peinent à éclairer. Elle a pour toute compagnie une vieille religieuse pratiquement sourde et pas très sympathique qui ne se gêne pas pour la reprendre devant ceux qui, comme lui, sont trop pressés pour attendre que le préposé au courrier leur apporte les dossiers qu'ils ont commandés. Thierry s'est retenu de lui demander pourquoi elle tolérait de se faire parler ainsi. Il comprend que sa seule vue mettait l'hôpital sens dessus dessous. Ceci étant dit, elle ne méritait certainement pas de se faire enterrer vivante aux archives. Il se promet d'en glisser un mot au Dr Thibault quand il le verra. D'ailleurs, ça lui rappelle qu'il ne lui a pas encore redonné sa canne à pêche. Il a passé trois belles journées en sa compagnie. Ils ont discuté de médecine jusqu'à l'aurore le jour de leur arrivée, ce qui lui a valu de nombreuses félicitations de la part de son bienfaiteur. Thierry pense souvent à ce qui lui serait arrivé si Christine ne lui avait pas prêté les livres de son père. Pour cela, il lui sera éternellement reconnaissant. Il pense de moins en moins souvent à elle en tant qu'amoureuse. Pour ce qui est de leur amitié, il ne s'illusionne pas. Il est probable qu'elle ne reviendra pas. Ils ont franchi le point de non-retour en s'abandonnant à leurs sentiments. Il pourrait se reprocher de lui avoir ouvert son cœur, mais ce serait une pure perte de temps. Il a fait ce qu'il croyait être le meilleur pour lui à ce moment-là. Comme se plaît à lui répéter sa mère, il vaut mieux essayer que de passer sa vie à se questionner. Au moins, maintenant, il sait que Christine et lui, ce n'est pas possible.

— Bonjour, Thierry, lui lance le Dr Laberge de la porte de son bureau, tu as l'air en forme pour un homme qui a dormi seulement quelques heures.

Il se retient de lui préciser le nombre de minutes qu'il a réellement passées dans les bras de Morphée. Le bonheur lui donne des ailes, mais il n'ira certainement pas s'en vanter. D'ailleurs, il a déjà annoncé à Josée qu'il ne viendrait pas dormir chez elle tous les soirs. Elle lui a dit que c'était à lui de voir en lui faisant un petit sourire en coin. Thierry sait déjà qu'il sera devant un choix déchirant au moment de rentrer, mais il sait aussi qu'il ne pourrait pas tenir ce rythme très longtemps. Il a besoin d'avoir l'esprit clair pour seconder le Dr Laberge et il l'aura pour la simple et unique raison que ce n'est pas négociable. La médecine ne laisse pas droit à l'erreur.

— Je suis prêt à renverser les montagnes.

— Ça tombe bien parce qu'on a une grosse journée devant nous.

Thierry lui sourit. Depuis le temps qu'il le connaît, jamais il n'a une minute à lui dès l'instant où il met le pied dans le bureau.

— Qu'est-ce qu'on attend pour la commencer ?

***

Simone n'a pas décoléré depuis que Pascal lui a appris la nouvelle, pour son père. Il vit dans la ville voisine et il n'a même pas daigné lui faire part de ses projets en personne. Elle ne l'aurait quand même pas mangé. Elle… elle l'aurait sans aucun doute accablé de bêtises et aurait tiré sa révérence en lui disant qu'il était mieux d'oublier jusqu'à son existence. Et s'il était devant elle en ce moment, elle en ferait tout autant. Pourquoi ? Parce qu'un mari qui se respecte ne doit jamais abandonner sa femme. Parce qu'un père n'a pas le droit de vendre la maison familiale sans au moins le dire à sa fille. Parce que c'est indécent de tomber amoureux de celle qui a pris soin de sa tendre épouse jusqu'à ce que la maladie l'emporte. Parce que rien ne l'autorise à l'abandonner pour aller s'installer à Québec. Simone ravale deux fois plutôt qu'une pour tenter de recouvrer un semblant de calme. Elle se masse les tempes dans l'espoir de réduire la pression qui lui serre la tête. Comment est-elle censée réagir devant une telle situation ? Si seulement elle le savait, elle s'épargnerait bien des nuits d'insomnie et un nombre incalculable de bouffées de colère qui explosent en elle aussi violemment qu'un feu d'artifice.

Elle est au bout du rouleau et les pilules que Pascal lui fait prendre n'ont aucun effet sur ses humeurs, si ce n'est celui de décupler ses réactions. Si elle ne se retenait pas, elle irait s'asseoir sur le bord du Saguenay après s'être enroulée dans son grand châle et elle attendrait que la marée l'emmène au large. Elle se sent terriblement coupable de penser à disparaître. Elle voudrait se montrer à la hauteur de son rôle de mère et d'épouse, sauf qu'elle ignore comment faire. Elle a retardé le début de ses cours et elle ignore si elle pourra seulement les donner avant la fin de l'été. Quant aux propriétaires des quelques jardins qu'elle devait revamper, elle leur a proposé de traiter avec le meilleur paysagiste de la région. Tous ont préféré l'attendre. Faute de la flatter, leur décision a déposé une nouvelle couche de pression sur ses frêles épaules. Elle fait les cent pas sur la galerie arrière depuis un moment lorsque Charles vient l'avertir qu'une femme insiste pour la voir.

— Allez lui dire que je ne suis pas là et que vous ignorez quand je vais revenir.

— Je ne peux pas faire ça, réagit Charles, votre auto est dans la cour.

— Racontez-lui n'importe quoi pourvu qu'elle parte au plus vite. Vous êtes aveugle ou quoi ? Vous voyez bien que je ne suis pas dans un état pour recevoir qui que ce soit.

Charles lui sourit tendrement. Il aimerait tant avoir le pouvoir de faire disparaître la visiteuse en claquant des doigts. Mais voilà, le seul pouvoir dont il dispose demeure celui de faire le message de sa patronne à la charmante femme qui attend toujours son retour près de la porte d'entrée.

— Qu'est-ce que vous attendez pour vous en débarrasser? s'écrie Simone sur un ton glacial.

— Moi qui croyais que tu serais contente de me voir! s'exclame la femme d'une voix forte dans son dos.

Simone se retourne aussitôt et fige sur place. Elle cligne ensuite des yeux comme si ce simple geste suffisait pour effacer la vision dont elle est victime en ce moment. Elle cligne à nouveau des yeux et c'est alors qu'un sourire s'affiche enfin sur ses lèvres.

— C'est bien toi?

— Qui d'autre voudrais-tu que ce soit? lui demande Maggie. J'ai sauté dans le premier avion après avoir lu ta lettre. Où sont passées tes bonnes manières? Approche que je t'embrasse.

— Tu as fait tout ce chemin juste pour moi? pleurniche Simone.

— Les amies sont là pour ça.

Maggie l'attrape par le bras et l'attire à elle. Dès qu'il constate que l'arrivée de cette femme ne peut qu'être bénéfique pour sa patronne, Charles retourne à ses fourneaux. Catou est sur le point de se réveiller et les filles reviendront de l'école dans moins d'une heure, ce qui lui laisse juste le temps de finir de préparer le repas à travers tout le reste.

Simone est inconsolable, ce qui fait dire à Maggie qu'elle va encore plus mal qu'elle voulait le laisser croire dans sa dernière lettre. Elle a trop de doigts sur une main pour compter le nombre de fois où elle a vu son amie verser ne serait-ce que quelques larmes. Pour tout dire, elle l'enviait d'être aussi résistante à la peine alors qu'elle-même est tellement sensible qu'un rien lui fait monter les larmes aux yeux. Ça lui a d'ailleurs valu plus d'une raillerie de la part de Simone. Alors que son amie était à ses yeux la femme forte qui surmontait tous les obstacles, elle représentait celle qui a besoin d'être protégée.

Maggie lui tapote doucement le dos pendant que les larmes de Simone lui coulent dans le cou.

— Je suis venue te chercher, lui dit-elle à l'oreille.

Les paroles de Maggie mettent quelques secondes avant de se frayer un chemin jusqu'au cerveau de Simone.

— Pour m'emmener où ?

— Chez moi… en Belgique.

Simone lève la tête et regarde son amie dans les yeux. Pourquoi Maggie a-t-elle fait tout ce chemin si c'était pour la ramener chez elle ? Elle aurait très bien pu se contenter de l'appeler. Et si c'était un piège ? Et si c'était le seul moyen que Pascal avait trouvé pour la faire interner ?

— Je suis passé voir Pascal avant de venir ici et il m'a remis ton billet d'avion, ajoute Maggie comme si elle lisait dans ses pensées. Le voici. Je t'ai aussi pris un rendez-vous avec une sommité pour le mal dont tu souffres à sa suggestion, et si jamais ça ne fonctionne pas, eh bien, j'en trouverai un autre. Il est plus que temps que tu guérisses.

— Jure-moi d'abord que tu ne me laisseras jamais moisir dans un hôpital où on enferme les fous, lance Simone d'une voix étranglée par la peur.

— Jamais je ne te ferai ça pour la simple et unique raison que tu n'es pas folle. Si ça peut te rassurer, je te le jure sur la tête de mes deux garçons et sur celle de Louis. Je suis venue pour t'aider, pas pour t'enfoncer davantage.

Maggie regarde l'heure sur sa montre avant d'ajouter :

— Tu disposes d'exactement trente minutes pour faire ta valise.

— Tu ne veux quand même pas que je parte sans au moins embrasser les filles ?

— Crois-moi, c'est mieux ainsi. Si ça peut t'aider, sache que je leur ai apporté chacune une boîte de pralines. Elles ne te remplaceront pas, mais elles les aideront à passer par-dessus ton départ soudain. Et ta belle-mère veillera sur elles jusqu'à ce que tu reviennes.

Simone a l'impression d'être au beau milieu d'un rêve alors que Maggie est bel et bien réelle. Elle le sait, elle a pleuré dans ses bras assez longtemps pour détremper complètement son chemisier.

— Et Pascal ?

— Il nous attend à l'hôpital. Tu es prête ?

Pour toute réponse, Simone s'essuie les yeux avant d'entrer dans la maison. Elle file ensuite à sa chambre avec Maggie sur les talons et remplit sa plus grosse valise, celle-là même qu'elle avait prise quand elle est allée au mariage d'Hedwig.

15

Deux jours se sont écoulés depuis que Pascal lui a annoncé en personne que Simone avait pris l'avion pour la Belgique et Sonia est encore sous le choc. Une fois de plus, son beau-frère lui a démontré à quel point il est un homme bien. Reconnu par ses pairs pour être un bon docteur, il possède suffisamment d'humilité pour reconnaître ses limites et pour faire ce qu'il faut si ça peut aider ses patients, quitte à les confier à un autre docteur. Et un bon mari aussi ! Un excellent ! Il a tout organisé avec Maggie pour que Simone ne voyage pas seule dans son état. Sonia aurait aimé voir sa sœur avant qu'elle quitte le pays, mais elle comprend qu'il était préférable que son départ fasse le moins de vagues possible. En même temps, rien ne lui garantit que son aînée aurait accepté vu l'état actuel de leur relation. Elle espère de tout cœur que Simone reviendra en grande forme. Elle s'est même offerte pour aller la chercher, ce qui a fait sourire Pascal malgré tout ce que lui occasionne l'absence subite de sa femme. La présence d'Alice sera salutaire pour Chantale et Brigitte. Elle les aidera aussi à supporter et à accepter le départ imminent de Rachel. Reste à souhaiter que Catou ne la prenne pas trop en grippe, ça n'a jamais été l'amour fou avec sa grand-mère paternelle et ça remonte pratiquement à sa naissance. Et dans le cas où Simone ne serait pas revenue avant la fin des classes, Martine sera aux anges de voir Alice. Comme dirait Jeannine, tout est pour le mieux dans le meilleur des mondes.

Ça fait trois jours qu'elle a commencé à faire sa valise. Si sa marraine était là, elle lui dirait que la seule façon d'en venir à bout est de faire une liste et de s'y tenir. Elle s'est prêtée au jeu avant de la sortir sauf qu'elle avait un peu trop de temps devant elle. C'est pourquoi elle n'arrête pas de remplacer ses sandales blanches par ses escarpins marine, sa jupe rouge par sa jaune soleil, son pantalon vert par le beige. À ce rythme-là, elle sera encore en train de peser le pour et le contre de chaque vêtement au moment d'aller prendre le train pour Ottawa. Demain à la même heure, Jérôme et elle profiteront tranquillement du paysage en bavardant de tout et de rien. Cette petite escapade avec son cher époux l'enchante. Elle pourra enfin l'avoir à elle seule pendant deux jours, un exploit en soi. Sans téléphone ni clients pour sonner à la porte de la maison parce qu'ils sont impatients de connaître la teneur du testament alors qu'ils sont devenus orphelins dans la journée ou parce qu'ils veulent changer une clause qui favorise leur femme et que ça ne peut pas attendre. Elle n'en revient pas de voir à quel point les gens sont attachés à l'argent. Probablement plus qu'à leurs proches, si elle se fie à ce qu'elle voit. Elle reprend sa jupe rouge dans sa main pour la énième fois et elle bougonne. Elle en a plus qu'assez de perdre son temps devant quelques malheureux vêtements alors qu'elle a une pile de dossiers qui l'attend sur la table de cuisine. Elle la lance dans sa valise et la ferme d'un geste rageur avant de sortir de sa chambre.

— Ne me dites pas que vous avez enfin choisi ce que vous porterez pendant votre voyage, lance Françoise sur un ton moqueur.

— Disons plutôt que j'ai abandonné le projet. Vous devez me trouver ridicule d'accorder autant d'importance à des vêtements.

— Je trouve surtout que Jérôme a beaucoup de chance de vous avoir mis le grappin dessus. J'espère seulement qu'il vous apprécie à votre juste valeur.

— Vous êtes trop bonne avec moi et un peu trop dure avec lui.

Françoise lui sourit. Ça lui crèvera le cœur de lui remettre sa démission le jour où elle décidera de se lancer la tête la première dans les cours de cuisine, la réalisation de repas de mariage et d'après-funérailles ou le remplissage de congélateurs. Ça lui crèvera le cœur, mais elle le fera quand même le moment venu avec la satisfaction du devoir accompli.

— Au fait, ajoute Sonia, avez-vous trouvé ce que vous cherchiez pour le mariage de papa et de Rachel ?

— Plus que j'espérais ! Vous auriez dû me voir à l'œuvre, j'aurais mérité une médaille tellement j'étais bonne dans mon rôle de la mère qui voulait faire une surprise à sa fille adorée.

— Combien en vouliez-vous ?

Elle n'a pas besoin d'en dire plus pour que Françoise comprenne le sens de sa question. Son regard s'embue instantanément. Elle se mordille la lèvre supérieure avant de relever la tête pour lui répondre.

— Au moins quatre, mais la vie en a décidé autrement.

C'est seulement à cet instant que Sonia réalise qu'elle ne connaît à peu près rien de la vie de cette femme et encore moins de ses rêves, de ses ambitions, de ses désirs. Sonia peut dire à sa défense que sa bonne n'est pas très bavarde à propos de sa vie avant les Thibault et qu'elle ne peut pas l'obliger à se dévoiler.

— Dommage que les choses ne se soient pas passées comme vous le souhaitiez… Vous auriez été une mère exceptionnelle.

— Je ne saurais vous le dire.

— Il suffit de voir comment vous vous occupez de ceux des autres. Les enfants vous adorent.

— Il y a une chose très importante que vous devez garder en tête : contrairement aux parents, je repars toujours chez moi seule.

Sonia fronce les sourcils. Elle ne saisit pas très bien le sens de sa dernière phrase, ce qui n'échappe pas à Françoise.

— Peu importe le temps que je passe avec vos enfants et l'amour que je leur porte parce que je les aime vraiment, ça demeure un emploi avec un début et une fin, ce qui n'est pas le cas des parents. Contrairement à vous, quand je sors de votre maison pour retourner dans la mienne, je suis libre de mes faits et gestes jusqu'à mon prochain jour de travail. Croyez-moi, ça fait toute une différence !

Perdues chacune dans leurs pensées, les deux femmes fixent le vide jusqu'à ce que l'horloge se mette à sonner le quart d'heure. Elles secouent la tête en même temps pour revenir au moment présent.

— J'espère que mes propos ne vous ont pas choquée, avance Françoise sur un ton doux, et si c'est le cas je m'en excuse.

— Au contraire ! Ils m'ont permis de voir les choses sous un autre angle et, pour être honnête, j'apprécie d'autant plus ce que vous faites pour ma famille.

— C'est un peu comme lorsque vous faisiez l'école.

— Sans vouloir déprécier ma profession, la vôtre est bien plus exigeante. Partager le quotidien d'une famille sans jamais en faire réellement partie exige une grande maturité et un don de soi hors du commun.

Sonia n'a jamais si bien dit. Ses paroles ramènent immanquablement Françoise aux dix-sept années passées au service des Thibault. Elle s'est donnée corps et âme pour se faire mettre sur la voie d'évitement à la seconde où elle a démissionné. Pourtant, Simone ne manquait pas de lui répéter qu'elle faisait partie de la famille. Elle a mis un temps fou à comprendre que c'était seulement vrai quand elle était au travail, ce qui était somme toute assez normal. Peu importe l'emploi qu'on exerce, on brille seulement quand on l'occupe et tous n'y ont pas droit.

— Et pour le gâteau de mariage ? lui demande Sonia à brûle-pourpoint.

— Je vous interdis de rire ! J'ai vu une annonce dans la vitrine de la petite pâtisserie française sur la rue Saint-Jean pour un bloc de trois jours de cours et je suis entrée pour en savoir plus. J'ai ensuite commandé une assiette dégustation et je me suis inscrite. Il est hors de question que Rachel et André servent un morceau de gâteau aux carottes ou, pire, un Reine-Élisabeth à leurs invités. Je veux sortir des sentiers battus. J'ai goûté là le meilleur paris-brest, un saint-honoré exceptionnel et une tarte Tatin inégalée.

— J'ignorais que vous vous y connaissiez autant en pâtisserie française. D'autant que ce n'est pas dans les commerces de Chicoutimi que vous avez pu développer vos goûts pour elle.

Françoise sourit pendant que les souvenirs se bousculent dans sa mémoire. Elle dépose son torchon à vaisselle et s'adosse au comptoir.

— Laissez-moi vous raconter une page de ma vie avant les Thibault. La grand-mère maternelle de la famille où j'étais avait des amis français et c'était à qui lui apporterait les meilleures pâtisseries lorsqu'ils venaient la visiter. Ils habitaient à Montréal. Allez donc savoir pourquoi, les enfants levaient le nez sur tout ce qui ne ressemblait pas au pouding chômeur. Tout comme leurs parents, d'ailleurs. Résultat : la grand-mère me les offrait. Je ne vous dis pas le nombre de soirées que j'ai passées à déguster ces petites merveilles. Mon rituel était en tout point semblable à celui de Chantale quand elle mange une praline. C'est fou ce qu'elle me manque, cette petite. Et c'est là que j'ai commencé à collectionner les livres de recettes et à faire mes propres expériences en pâtisserie française.

— Je n'ai aucun souvenir que vous ayez servi ce genre de desserts…

— Et pour cause ! J'ai fait une tarte Tatin un jour et Simone en a mangé la moitié avant le repas. Le lendemain, elle m'implorait de m'en tenir aux desserts ordinaires. Vous savez à quel point elle aime le sucre. Si j'ai bien compris, elle était convaincue qu'elle en mangerait encore plus. Il paraît qu'elle était revenue de voyage avec plusieurs livres en trop et qu'elle ne les devait pas à sa grossesse, mais plutôt à tous les desserts auxquels elle n'avait pas pu résister.

Sonia soupire en imaginant la scène. Il n'y a que Simone pour agir ainsi.

— Décidément, je ne la comprendrai jamais ! Elle a préféré priver tout le monde plutôt que de s'exposer à la tentation. Elle a toujours été excessive en tout. En tout cas, je me propose pour goûter à tout ce que vous allez essayer.

— J'en prends bonne note. Au moins, ici, je devrais trouver tout ce dont j'ai besoin, ce qui était loin d'être le cas à Chicoutimi. Et dans le pire des cas, je n'aurai qu'à faire un saut à Montréal pour m'approvisionner.

L'arrivée soudaine du facteur met brusquement fin à leur discussion.

— Bonjour, mesdames ! J'espère que vous ne m'en voudrez pas de vous laisser le courrier de monsieur. Je viens juste de réaliser que j'ai oublié de le lui laisser.

— Absolument pas ! répond Françoise en prenant les trois lettres qu'il lui tend.

Elle lit le nom du destinataire sur chacune et tend les deux premières à Sonia. C'est alors que son regard est attiré par l'endroit d'où a été postée la dernière. À moins qu'elle ne se trompe, c'est en Gaspésie.

— Je vais aller porter celle de Jérôme dans sa boîte aux lettres.

— N'en faites pas tant, lui suggère Sonia, il la prendra quand il viendra dîner.

— Ça me fera du bien de faire quelques pas dehors. Je reviens dans une minute.

Françoise mémorise le nom de la ville inscrite sur l'enveloppe ainsi que l'adresse. Peut-être qu'elle s'en fait pour rien et que cette lettre n'a rien à voir avec Mario. Peut-être aussi que c'est lui qui l'a écrite. Si c'est le cas, elle en connaît un qui ne perd rien pour attendre. Elle a promis de protéger Sonia et elle le fera, même au prix de son emploi. Elle dépose la fameuse lettre dans la boîte fixée sur la porte d'entrée de l'étude de Jérôme et retourne d'où elle vient en se répétant mentalement l'adresse. Sitôt revenue dans la cuisine, elle la note sur un bout de papier qu'elle va ensuite ranger dans sa sacoche, ce qui attire l'attention de Sonia.

— Est-ce indiscret de vous demander ce que vous venez de noter ?

— Absolument pas ! J'ai vu passer une belle auto et j'ai noté la marque.

— J'ignorais que vous vouliez changer la vôtre.

— C'est pour Rachel. Je sais qu'elle adore ce modèle et je n'arrive jamais à me rappeler le nom. Je l'ai noté juste pour avoir l'air moins bête la prochaine fois qu'on va parler d'auto. Contrairement à elle, je n'aime pas beaucoup la Aston Martin. À preuve, je n'arrive même pas à me souvenir de son nom et ça me prend tout mon petit change juste pour le prononcer.

— Oh ! Vous venez de me perdre !

***

Alice n'a pas hésité une seconde quand Pascal lui a demandé si elle pouvait venir s'occuper des filles durant l'absence de Simone. Il était plus que temps qu'il tente autre chose pour la sortir de là.

C'est ainsi qu'elle s'est présentée avec armes et bagages le jour même du départ de sa belle-fille. La première chose qu'elle a faite en arrivant a été de s'entendre avec Charles sur la répartition des tâches. Elle ne voulait pas sa place ni le diriger ; elle voulait faire équipe avec lui dans l'unique but de leur simplifier les choses à tous les deux. S'ils connaissent la date de départ de Simone, en revanche, ils ignorent totalement celle de son retour. Pascal leur avait dit que dans le meilleur des cas Simone reviendrait dans quelques semaines et que, dans le pire, ce serait seulement dans quelques mois. Alice en a vite pris son parti, elle passera l'été sur la rue Racine avec ses petites-filles, ce qui lui fait un réel pincement au cœur. Elle peut faire une croix sur ses petits déjeuners face à la rivière à papoter avec Germaine et sur tous les gros bateaux qui défilent sous leurs yeux à leur arrivée et à leur départ du port de Chicoutimi. Non seulement elle peut, mais elle veut le faire. En y regardant de plus près, elle a eu une idée. Elle s'acquittera de sa tâche sans rechigner jusqu'à la fin des classes, mais elle emmènera ensuite tout ce beau petit monde dormir chez elle de temps en temps. Lorsqu'elle en a fait part à Charles, il lui a offert de garder Catou avec lui. Elle aura ainsi l'esprit plus tranquille en n'étant pas obligée de veiller sur une petite fille de quatre ans qui court partout et qui sera forcément attirée par l'eau. Sans compter qu'elle sera exemptée d'une multitude de chutes de blocs de bois et d'autant de migraines, ce qui somme toute pèse lourd dans la balance.

— Comment faites-vous pour supporter ce bruit ? demande-t-elle à Charles alors que Catou danse une fois de plus en applaudissant.

— Une chute à la fois ! Vous avez de la chance parce qu'elle joue beaucoup plus avec ses poupées qu'avec ses blocs, maintenant. Regardez comme elle est mignonne.

— Elle est belle comme un cœur, mais je doute qu'on devienne les meilleures amies du monde un jour.

— Laissez-la venir à vous et elle vous surprendra. Elle est beaucoup plus indépendante que ses sœurs. Elle peut jouer des heures toute seule.

— Vous semblez l'aimer beaucoup…

— Autant que la fille que je n'aurai jamais.

Alice lui sourit. La compassion n'a jamais été son fort. Elle aimerait au moins lui dire qu'elle est désolée, mais les mots refusent de franchir ses lèvres. Sa mère lui a répété si souvent de se mêler de ses affaires qu'elle a fini par se désintéresser totalement des gens. Résultat, elle est devenue cette femme superficielle qui fait de gros efforts pour devenir un peu plus humaine.

Devant son silence prolongé, Charles finit par continuer à laver la vaisselle du déjeuner.

— Vous auriez été un bon père, parvient enfin à dire Alice au prix d'un effort suprême.

Il se contente de hausser les épaules. À quoi bon discuter de quelque chose qui n'arrivera jamais. Il avait des rêves et la vie s'est chargée de faire le grand ménage dedans sans se donner la peine de le consulter. Il n'ambitionnait pas de passer sa vie à servir les autres et encore moins d'élever leurs enfants. Il voulait avoir sa propre famille. Il voulait aussi être cuisinier dans un grand restaurant. Depuis qu'il était tout petit qu'il rêvait d'aller étudier dans les plus grandes écoles de Paris, sauf qu'il n'avait pas les moyens de ses ambitions. Lorsqu'il a enfin terminé sa douzième année, il est allé travailler comme plongeur à l'Hôtel Chicoutimi. Ses parents étaient au désespoir de voir à quoi servaient toutes les privations qu'ils s'étaient imposées pour le faire instruire. Il a lavé de la vaisselle pendant cinq ans avant qu'on lui donne enfin sa chance de mettre son nez dans les casseroles. Un an plus tard, il occupait la place du chef, décédé subitement d'une crise cardiaque. Il était comblé et s'acquittait de sa tâche avec brio. S'il ne s'était pas cassé une jambe en tombant sur la glace l'hiver suivant, il est fort probable qu'il serait encore là. À son retour, quelqu'un d'autre occupait sa place et il s'est retrouvé sans emploi et sans argent puisqu'il avait dépensé toutes ses économies pour tenir le coup. Désespéré, il a fini par accepter de travailler comme majordome pour un des haut placés de l'Alcan, il venait manger au restaurant au moins deux fois par semaine. Non seulement la paie était meilleure qu'au restaurant, mais il travaillait beaucoup moins fort et il avait enfin du temps pour faire autre chose. Et il a fini par oublier qu'un jour pas si lointain il rêvait de fréquenter les meilleures écoles de cuisine de Paris. Il a également dû faire une croix sur celui d'avoir ses propres enfants.

— Françoise aussi ! ajoute Alice à voix haute au bout d'un moment.

— Quoi ? lui demande Charles en se retournant brusquement.

— Je disais que vous deux ensemble, vous auriez été les meilleurs parents du monde.

— Pourquoi me parlez-vous de Françoise, ce matin ? ne peut-il s'empêcher de lui demander, le regard assombri.

— Parce que j'ai des yeux pour voir. Ne me dites pas que je suis la seule à remarquer que vous êtes faits l'un pour l'autre. Elle vous voit dans sa soupe et vous la voyez dans la vôtre. Si j'étais à votre place, je me dépêcherais de mettre le grappin dessus avant que quelqu'un d'autre s'en charge.

Charles lui sourit. Derrière ses airs sévères se cache une femme généreuse et attentionnée, une femme qu'il apprécie beaucoup.

— Réalisez-vous ce que vous êtes en train de me dire ? Françoise vient de s'acheter une maison avec Rachel, ce qui me laisse suppo-ser qu'elle n'a pas l'intention de revenir dans la région.

— Rien ne vous empêche d'aller la trouver. Je suis convaincue que vous trouverez un emploi de cuisinier en claquant des doigts. Pas dans un boui-boui, dans un grand restaurant. Contrairement à ici, la ville de Québec en a à tous les coins de rue. Vous avez trop de talent pour vous contenter de préparer des pâtés chinois et des tourtières.

— J'en connais une qui ne serait pas contente de vous entendre.

— Ce ne serait pas la première fois ni la dernière non plus, mais laissez ma belle-fille en dehors de tout ça.

— Je parlais de Chantale.

— Elle s'en remettra ! Pensez uniquement à vous pendant qu'il est encore temps. Françoise n'est probablement plus en âge d'avoir des enfants, mais rien ne vous empêche d'en adopter. Les orphelinats en sont remplis.

Charles éclate de rire. Il n'y a qu'Alice pour simplifier les choses à leur plus simple expression comme elle vient de le faire. Et le pire, c'est qu'elle a raison sur toute la ligne.

— C'est bien beau, tout ça, mais je me verrais mal abandonner le navire au moment où la famille Thibault a le plus besoin de moi.

— Ne vous donnez pas plus d'importance que vous en avez ! Ils vivaient très bien avant vous et ils vont continuer à exister après votre départ. Tout le monde peut être remplacé, même vous. Si j'ai un conseil à vous donner, dépêchez-vous de saisir le bonheur pendant qu'il est là.

Charles s'approche d'elle sans crier gare et l'embrasse sur la joue.

— Au cas où vous ne l'auriez pas remarqué, rétorque-t-elle sur-le-champ, j'en ai deux.

Devant le froncement de sourcils de Charles, Alice ajoute :

— Ne soyez pas aussi radin et embrassez-moi aussi sur l'autre joue. Avouez que ce n'est pas trop cher payé pour les vingt années de bonheur qui vous pendent au bout du nez !

Charles s'exécute volontiers avant de retourner à sa vaisselle qu'il désespère de finir. L'instant d'après, il se met à fredonner *Donnez-moi des roses* de Fernand Gignac en remerciant le ciel de lui avoir envoyé un ange pour le libérer de la prison dans laquelle il s'était enfermé sans même s'en rendre compte. L'écroulement de la plus haute structure en bois réalisée dans cette cuisine par une enfant de quatre ans le fait sursauter avant qu'il ne se rende à la fin du refrain. Il se retourne à temps pour voir la réaction d'Alice. La tête rentrée dans les épaules, elle semble s'être transformée en statue de sel, ce qui le fait sourire. Des coups secs frappés sur la porte de la cuisine la sortent instantanément de sa torpeur. Pourquoi diable François vient-il la relancer jusqu'ici ? Elle voit rouge et l'attend de pied ferme. Charles le salue poliment avant d'aller chercher Catou, il n'a aucune envie d'être témoin de la prochaine bataille entre la mère et le fils. Tout, mais pas ça !

— J'aimerais que vous restiez, lui dit Alice au moment où il prend l'enfant dans ses bras.

— Comme vous voulez, se résout-il à dire en déposant son précieux paquet à même le sol devant ses blocs.

— J'ignorais que vous jouiez à la grand-mère pendant que ma charmante belle-sœur se la coule douce en Belgique. Je plains mon frère de tout mon cœur d'avoir à vous supporter, et encore plus vous, Charles.

Bien qu'il meure d'envie de lui clouer le bec, Charles choisit de ne rien dire. Il n'a rien à gagner à se le mettre à dos, du moins pas pour le moment.

— Abrège, lui dit sa mère, je n'ai pas beaucoup de temps à t'accorder.

— Vous n'allez quand même pas me dire que vous êtes impatiente de retourner jouer aux blocs avec la gamine de mon frère, dit-il sur un ton dédaigneux. En même temps, si c'est tout ce que ça prend pour vous rendre heureuse, je serais bête de vous en priver. J'ai besoin d'argent… de beaucoup d'argent et je veux que vous m'en prêtiez. Vous n'aurez qu'à déduire le montant de mon héritage comme vous l'avez sûrement déjà fait pour ma nouvelle cuisine.

Alice ne bronche pas. Les paroles de François lui entrent par une oreille et sortent aussi vite par l'autre.

— Vous ne me demandez pas de combien j'ai besoin ?

— Ça ne me servirait à rien pour la simple raison que c'est non. Tu n'obtiendras pas un seul sou de ma part. Maintenant, tu vas devoir m'excuser parce que j'ai autre à chose à faire que de t'écouter.

— J'ai besoin de vingt mille dollars en coupures de cent pour demain. C'est ça ou vous risquez d'avoir ma mort sur la conscience.

— Va voir ton gérant de banque si tu as besoin d'argent.

Elle marche d'un pas lourd jusqu'à la porte, l'ouvre et lui signifie d'un geste de la main que l'entretien est terminé.

— Qu'est-ce que vous n'avez pas compris ? lui demande François en venant se poster devant elle. J'ai besoin que vous m'aidiez.

— Tu aurais dû y penser avant ! Sors d'ici avant que j'appelle la police.

— Vous ne comprenez pas, j'ai…

— Sors ! hurle Alice le plus fort qu'elle peut.

16

Christine fait un malheur à la salle à manger du Château. Pas parce qu'elle est la plus belle fille de la place. Plutôt parce qu'elle possède le plus beau sourire. Et son accent fait le reste. C'est comme si elle chantait en parlant et ça plaît énormément aux clients. Plus les jours passent, plus son compte en banque grossit et plus son intention de rester étudier à Québec prend forme. Encore plus après ce qui vient de se passer chez elle.

Le départ de sa mère ne l'a pas vraiment affectée. Comme elle l'a dit à son père, il était grand temps qu'elle accepte son aide. Pour elle et pour le reste de la famille. Elle est devenue si déplaisante avec tout le monde qu'il vaut mieux se passer de sa présence plutôt que d'avoir à la supporter. D'ailleurs, elle plaint ses petites sœurs de tout son cœur d'avoir subi ses foudres sans pouvoir rien faire d'autre que de verser toutes les larmes de leur corps. La mère qui les emmenait acheter une montagne de fromage en grains encore chaud et un plein sac de crevettes en écaille tous les vendredis soir de la belle saison s'est perdue en chemin. Tout comme celle qui leur offrait d'aller passer la journée à la plage de Shipshaw ou qui les emmenait au cinéma. Ou celle qui les a toutes intéressées à la lecture et qui discutait avec elles de ce qu'elles venaient de lire. Tout ça n'est plus qu'un lointain souvenir. Christine reconnaît qu'elle n'est pas la plus à plaindre dans l'histoire. Elle pourrait dire qu'elle a profité du meilleur de Simone bien plus longtemps que ses petites sœurs, ce qui est vrai à certains égards. En même temps, elle n'a jamais été la mère idéale. Avec elle, personne ne savait à quoi s'attendre avant qu'elle fasse son entrée dans la cuisine. L'envie de changer de mère avec une de ses amies a titillé Christine plus d'une fois. Elle voyait bien que la sienne était différente. C'est ainsi que son amour pour elle a toujours été en dents de scie. Ou elle l'aime ou elle la déteste.

Elle pense de moins en moins à Thierry comme à l'amoureux qu'elle a perdu. Elle a enfin cessé de s'en vouloir et c'est en grande partie grâce à sa tante et à Françoise. Les deux femmes l'ont aidée à voir clair en elle sans jamais la juger. Elles lui ont aussi appris à cesser de se taper dessus pour l'échec de sa relation avec Thierry alors que son seul tort est de penser différemment de lui. Par contre, son amitié n'a pas fini de lui manquer. Elle aime vivre chez sa tante. La maison est beaucoup plus petite que celle de la rue Racine, et beaucoup moins moderne aussi, mais elle l'a oublié à la seconde où elle a franchi le seuil de la porte. Ici, la vie s'écoule tranquillement. On se couche le soir et, au matin, on continue ce qu'on avait commencé la veille sans s'inquiéter. Sonia et Françoise sont toujours de bonne humeur et son oncle Jérôme est d'un tel calme qu'il apaise tout le monde. Quant au petit Émile, il est à croquer avec ses petites fossettes. Le bonheur fait partie intégrante de cette maison et Christine en profite autant qu'elle peut.

Des pleurs stridents la ramènent brusquement sur terre.

— J'y vais, s'écrie-t-elle d'une voix forte en se levant comme une balle.

L'enfant cesse de pleurer à l'instant où il l'aperçoit et lui sourit. Elle le serre contre elle et va rejoindre Françoise à la cuisine. Elle sait qu'elle va la trouver là parce que ça sent les bonnes crêpes à la grandeur de la maison.

— Regardez le beau garçon que j'ai trouvé, lance-t-elle en faisant son entrée.

— L'as-tu changé de couche ? lui demande Françoise alors qu'elle connaît déjà la réponse.

— Oups ! Heureusement que vous êtes là parce que le pauvre Émile aurait les fesses galées à cause de moi.

Bien qu'elle ait quatre petites sœurs, Christine a changé sa première couche ici et c'est parce que sa tante a insisté. Il n'y a rien qui la répugne plus qu'une couche souillée. De toute manière, elle n'avait aucune raison de le faire, ils avaient une bonne à temps plein et sa mère prenait la relève lorsqu'elle était en congé, ce qui lui apparaissait on ne peut plus normal étant donné que c'était elle, la mère.

— Je pourrais dresser la table pendant que vous vous en chargez…

— À une condition ! J'ai besoin que tu gardes Émile environ une heure après le déjeuner.

— Marché conclu ! confirme-t-elle en lui tendant le bébé tout en plissant le nez.

Christine appréciait Françoise lorsqu'elle travaillait pour sa famille, mais jamais autant que maintenant. Elle semble plus heureuse ici et plus libre aussi. Il faut dire que sa relation avec sa tante est beaucoup plus harmonieuse que celle qu'elle avait avec sa mère et ça se sent. Indépendamment du fait qu'elles ne se ressemblent pas du tout sur le plan physique, leur attitude s'apparente à s'y méprendre à celle d'une mère et de sa fille malgré leur minime différence d'âge. Christine est convaincue que sa tante n'en voudra pas à celle qu'elle appelle affectueusement « sa bonne bonne », le jour où elle s'en ira. Elle ne le fera pas parce qu'il n'y a aucune trace de possession chez elle. C'est à Sonia que Christine veut ressembler quand elle sera grande. Elle rit toute seule. Elle aura dix-huit ans cet été et elle ne se sent pas encore prête à plonger dans le monde des adultes. Encore moins à y jouer comme le font la plupart de ses amies.

— Qu'est-ce qui te fait rire ? lui demande Françoise en faisant son entrée dans la cuisine.

— Vous allez me trouver bête. J'étais en train de me dire que je voulais ressembler à tatie Sonia quand je serai grande.

Les propos de Christine confirment à Françoise que la jeune femme n'est pas encore complètement sortie de l'enfance. Ils expliquent aussi en partie sa réticence à sauter à pieds joints dans la cour des grands comme Thierry l'aurait souhaité. Il est clair que ni son séjour en Europe ni son année sabbatique ne sont parvenus à la libérer de son carcan pour tout ce qui touche à la sexualité. Est-ce un bien ? Est-ce un mal ? Françoise ne saurait le dire, n'ayant elle-même jamais goûté aux plaisirs de la chair. Par contre, il s'agit dans son cas d'un concours de circonstances et non d'un choix éclairé.

— C'est un excellent modèle ! Combien veux-tu de crêpes ?

— Au moins trois, mais servez d'abord Émile.

— As-tu sorti le sirop d'érable ?

— Bien sûr ! Ça me rappelle que je voulais vous demander pourquoi il y a autant de boîtes dans l'armoire. Et pourquoi y a-t-il autant de tout ? On était sept chez nous et jamais on n'a eu autant de nourriture d'avance. À part les bleuets, bien sûr, mais ça, c'est une autre histoire. Je ne sais pas pour vous, mais moi je ne peux plus en avaler un seul depuis que ma mère et tatie ont fait une fixation sur lui.

Le mot bleuet à lui seul fait sourire Françoise. C'est bien la seule chose qu'il n'y a pas ici. Sonia s'est débarrassée de tous ses pots, au grand désespoir de Jérôme qui, lui, adore ce petit fruit sous toutes ses formes.

— Que pourrais-je te dire sinon que ta tante a besoin d'assurer ses arrières côté nourriture tout comme d'autres ont besoin d'avoir une montagne de rouleaux de papier de toilette d'avance pour se sentir bien ? Une de mes amies les achète à la caisse alors qu'elle vit seule. Je suis allée passer quelques jours chez elle l'année dernière et à la seconde où il y en avait un de vide, un nouveau apparaissait sans même que je la voie faire. C'est à croire qu'elle guettait ce moment.

— Vous ne trouvez pas ça bizarre ?

— Quand même un peu. Je veux toujours parler à ton père de la manie de Sonia, mais je n'y pense jamais quand je le vois.

— Vous me faites penser que ma meilleure amie peut vérifier dix fois si elle a barré la porte avant d'aller dormir. Ce n'est sûrement pas normal, ça non plus. Vos crêpes sont délicieuses… comme toujours, d'ailleurs. Celles de Charles sont bonnes, mais je préfère les vôtres. Merci, Françoise ! Merci pour tout !

***

C'est la troisième fois en autant de jours que Pascal se réfugie au grenier aussitôt que la maison tombe silencieuse et qu'il joue de la batterie jusqu'à l'épuisement. L'absence de Simone le déstabilise totalement. Il a décidé de son sort entre deux accouchements et une partie de lui vit très mal avec sa décision. Le Dr Laberge venait de lui remettre un article écrit par un docteur belge sur le mal dont souffre sa femme. Sitôt arrivé à la fin de sa lecture, il a appelé en Belgique pour en savoir plus. Satisfait de ce qu'il venait d'apprendre, il a fait le nécessaire pour obtenir un rendez-vous pour Simone… sans lui en parler. Elle l'avait supplié de l'aider et il ferait tout ce qu'il faut. L'étude dont il était question dans l'article révélait que le nouveau médicament avait fait ses preuves avec chiffres à l'appui. Il améliorait de manière significative la vie de tous ceux qui le prenaient. La médecine d'ici en savait très peu sur le sujet et il se retrouverait très vite confronté à l'obligation de la faire hospitaliser de temps en temps, ce qu'il refusait catégoriquement. Il faut dire que l'état de Simone s'est passablement détérioré depuis le décès de Jeannine. Résultat, elle s'est mise à faire le vide total autour d'elle. Il ne reconnaissait plus la femme qu'il a mariée et il avait de plus en plus de mal à accepter son entêtement pour des peccadilles. Qui plus est, il ne tolérait plus sa façon d'agir avec leurs filles. Il la rejoignait sur le fait que c'est la responsabilité des parents de décider de ce qui est bon pour leurs enfants. Par contre, il n'acceptait pas qu'elle s'active à pourrir la vie de Christine sous prétexte qu'elle n'était pas majeure et il anticipait avec inquiétude le retour de Martine. Peut-être est-il trop libéral, mais selon lui leurs filles doivent faire leurs propres expériences afin de devenir un jour des adultes responsables. Elles feront quelques mauvais choix au passage, et après…

Chaque coup porté sur la grosse caisse lui enlève une couche de culpabilité. Il a beau se répéter qu'il a pris la bonne décision, et c'est aussi l'avis du Dr Laberge qui avait vu Simone la semaine précédente, il n'en demeure pas moins qu'il doit vivre avec maintenant. Il a demandé à Maggie de le tenir au courant de la plus petite amélioration de son état. Pour le reste, il sera en contact constant avec le docteur à qui il a confié l'amour de sa vie et il se croise les doigts pour que le vent tourne enfin. Pour elle, pour les filles et pour lui. Sa famille représente son bien le plus précieux et il est prêt à tous les sacrifices pour l'épargner.

Les yeux fermés, il poursuit sa recherche effrénée de la paix de l'esprit jusqu'à ce qu'un coup de lumière soudain le ramène à la réalité. Il ouvre les yeux et cherche l'intrus. Il a fait installer un deuxième interrupteur près de lui à l'instant où il a pris possession de la maison et il l'éteint toujours avant de commencer à jouer. Il met quelques secondes à s'habituer à l'éclairage et il soupire lorsqu'il aperçoit sa mère près de la porte capitonnée.

— Ne me dites pas que je vous ai réveillée !

— Pour ça, répond Alice, il aurait d'abord fallu que je dorme. Joue autant que tu veux, on n'entend absolument rien, même si on colle notre oreille sur la porte.

— Je peux vous donner quelque chose pour vous relaxer, si vous voulez.

— Garde tes remèdes pour tes patients. C'est d'un coup de baguette magique que j'ai besoin pour faire disparaître ton frère.

Elle n'a pas besoin de le nommer pour qu'il sache de qui elle parle. François est le roi des emmerdeurs quand il décide de prendre quelqu'un en grippe. Il agit exactement de la même manière avec les femmes qui traversent sa vie. Ou il les talonne jusqu'à ce qu'elles tombent dans son lit, ou il leur empoisonne la vie si elles osent lui reprocher ses manières tout sauf élégantes de les laisser une fois qu'il a obtenu ce qu'il voulait. François n'aime que François. Il est sûr de lui, arrogant à souhait, égoïste, calculateur… Il est tout ce qu'on n'aime pas chez quelqu'un lorsqu'on est confiné dans la même pièce que lui. Il est, comment dire… il est l'écharde qu'on s'est plantée dans le pouce et qui se fait un devoir de nous rappeler qu'elle est toujours là au moment où on s'y attend le moins.

— Ça va finir par lui passer.

— J'aimerais avoir ton optimisme. Crois-moi, le François que je connais n'est pas près de me lâcher et je commence à en avoir plus qu'assez de ses apparitions théâtrales. Attends que je te raconte sa dernière sortie.

— Venez vous asseoir près de moi.

Pascal installe une chaise à côté de lui. Il attrape ensuite sa bouteille de whisky et en verse une bonne rasade dans le verre qui recouvre le bouchon avant de le tendre à sa mère.

— Buvez ça ! C'était le remède préféré de papa.

Alice lui sourit. Son défunt mari n'incarnait pas la perfection à ses yeux et, même si ça avait été le cas, elle ne l'aurait pas apprécié à sa juste valeur. Elle était bien trop occupée à critiquer ce qui n'allait pas à son goût, c'est-à-dire tout, pour pouvoir profiter de ce qu'elle avait à portée de main.

— Ton père adorait le bon whisky autant que je le détestais, dit-elle avant de porter le verre à ses lèvres.

— Vous n'êtes pas obligée de…

— Je lui dois bien ça ! le coupe-t-elle avant de faire cul sec.

Pascal lui sourit. Son père aurait adoré la femme qui est devant lui.

— Je vous écoute.

Lorsqu'elle arrive à la fin de son histoire, Alice ajoute sur un ton de confidence :

— François ne tient pas des voisins, tu sais. Je me souviens d'un temps pas si lointain où j'étais aussi poison que lui. Peut-être même plus ! J'ajouterai quand même pour ma défense que j'étais moins vicieuse que lui. Disons que je goûte à ma propre médecine et que ça me déplaît au plus haut point. Ceci étant dit, jamais je ne céderai à son chantage.

— J'aimerais vous dire que je vais lui parler, mais vous savez aussi bien que moi que ce serait un coup d'épée dans l'eau.

— Tu en as déjà assez fait pour moi ! J'avais juste besoin d'en parler à quelqu'un qui comprendrait. J'ai tenté le coup avec

Charles, mais je me suis très vite rendu compte qu'il ne pouvait pas saisir qu'il s'agissait d'une mise en scène à la François pour tenter de m'extorquer de l'argent. Remarque que vu de l'extérieur, il était tentant de croire qu'il était victime de chantage de la part d'un criminel et que sa vie était réellement menacée. Je ne lui souhaite pas de malheur, mais un jour il va finir par trouver chaussure à son pied. Rien ne lui garantit que la prochaine femme sur qui il jettera son dévolu ne sera pas la meilleure amie du chef des Hells Angels ou de quelque groupe du genre.

À ces mots, Alice lui tend son verre pour qu'il le remplisse et Pascal le fait sans se faire prier. Et elle l'avale d'un trait, ce qui le fait sourire. Sa mère n'a jamais été portée sur l'alcool et encore moins sur le whisky. Reste seulement à souhaiter qu'il ne soit pas obligé de la porter jusqu'à son lit parce que ses jambes ne la portent plus.

— Ce que je ne m'explique toujours pas, ajoute Alice au bout de quelques secondes, c'est qu'il soit aussi apprécié à l'Alcan. Pas plus tard que la semaine passée, j'ai croisé un de ses patrons et il n'avait que de bons mots à son égard. Je ne te mens pas, je me suis pincé le bras pendant que je l'écoutais vanter ses mérites pour être certaine que je n'étais pas en train de rêver.

— N'oubliez jamais une chose : François protège toujours ses arrières.

— Je veux bien le croire ! Seulement, tu conviendras avec moi que c'est moins facile de mettre une distance entre ta vie personnelle et professionnelle à Chicoutimi qu'à Paris.

— Je vous l'accorde ! Par contre, toutes les femmes que François nous a présentées venaient d'ailleurs.

— Tant qu'à ça ! Changement de sujet, as-tu eu des nouvelles de Rémi dernièrement ?

— On se parle toutes les semaines et, aux dernières nouvelles, il nage toujours en plein bonheur.

— Sa Jacinthe mériterait d'être canonisée. Assez parlé pour ce soir, je vais me coucher.

***

La maison est devenue silencieuse à la seconde où Émile a sombré dans le sommeil. Dans les minutes qui ont suivi, Christine a téléphoné pour aviser qu'elle dormirait chez Marleen. Si Françoise a été tentée de l'obliger à rentrer après son travail parce qu'elle se sent responsable d'elle en l'absence de Sonia, elle n'en a rien fait. Elle s'est contentée de ranger la cuisine vite fait et elle s'est assise au bout de la table. Elle a ensuite posé devant elle la feuille sur laquelle elle a noté le fruit de ses recherches dans le bureau de son patron. Tout ce qu'elle a fait depuis deux heures a été de la fixer. Elle se sent comme celle qui vient de mettre le pied sur une bombe et, dans les faits, ce n'est pas si loin de la vérité. Le beau Jérôme est loin d'être blanc comme neige. Elle a découvert suffisamment de preuves accablantes pour ne plus être capable de lui adresser la parole du reste de sa vie. Il est tout sauf l'homme exceptionnel que Sonia croit avoir épousé. Si elle osait, elle dirait que sa patronne a commis la pire erreur de sa vie en lui disant oui et qu'elle n'est pas au bout de ses peines. Son valeureux prince charmant lui ment depuis toujours, et pas seulement sur les liens qui l'unissent à Mario. D'ailleurs, Françoise n'a pas été surprise d'apprendre qu'il était toujours en lien avec lui. Elle convient que les nombreux pots-de-vin versés par sa famille n'ont rien fait pour lui faciliter la tâche. En même temps, il lui suffisait de refuser le premier s'il était inconfortable avec cette pratique. À voir le nombre de chèques reçus de leur part, il est facile de conclure que la conscience de Jérôme possède beaucoup d'élasticité. Reste maintenant à décider ce qu'elle va faire avec ce qu'elle vient de découvrir. Une chose est certaine : elle doit en informer Sonia, ce qui est beaucoup plus facile à dire qu'à faire compte tenu de ses découvertes.

Elle secoue la tête de gauche à droite, elle commence à être drôlement ankylosée à force de ne pas bouger. Elle inspire à fond et se lève pour aller boire de l'eau. Perdue dans ses pensées, elle est incapable de penser à autre chose. Elle imagine la peine qu'aura Sonia quand elle lui fera part de ses découvertes. Peut-être qu'elle niera tout en bloc et qu'elle lui donnera son bleu sur-le-champ. Peut-être aussi qu'elle s'effondrera dans ses bras et qu'elle versera toutes les larmes de son corps avant d'affronter Jérôme et de lui annoncer que tout est fini. Comment savoir de quelle façon sa jeune patronne réagira une fois qu'elle l'aura informée de ce que cache son valeureux mari. Le plus tôt sera le mieux, finit-elle par conclure. Elle va la laisser arriver et elle l'invitera à manger chez elle sans Émile.

Françoise met la main sur sa bouche lorsque le visage de Mariette lui apparaît. Comment a-t-elle pu oublier que la mère de son patron est son amie et qu'elle risque de prendre le parti de son fils malgré toutes les preuves accablantes qu'elle détient ? Il faut qu'elle en parle à quelqu'un. Elle regarde l'heure et compose le numéro de Rachel sans plus de réflexion. Cette dernière lui répond à la première sonnerie, ce qui lui fait dire qu'elle n'était pas encore couchée.

— Bonsoir, Rachel ! As-tu un peu de temps à m'accorder ? Il faut absolument que je te parle de quelque chose.

— André vient juste de partir. Je t'écoute.

Françoise tire le fil à son maximum et se rassoit à la table avant de se mettre en frais de lui raconter tout ce qu'elle a découvert sur Jérôme. Elle ne ménage aucun détail.

— Je t'ai tout dit, conclut-elle d'une voix monocorde.

— Si je ne te connaissais pas aussi bien, avance Rachel, je penserais que tu es en plein délire et que tu veux la tête de Jérôme. Vu que j'ai une confiance inébranlable en toi et que tu viens de m'énumérer une série de faits irréfutables, je suis bien obligée de te croire. Pauvre Sonia ! Existe-t-il seulement une façon de l'épargner ?

— Permets-moi d'en douter ! J'ai beau retourner la question dans tous les sens depuis que j'ai découvert le pot aux roses, je ne vois pas comment on pourrait lui éviter de souffrir. Ça prend un sacré toupet pour agir comme il l'a fait, surtout qu'il est au courant de tout ce qu'elle a enduré à cause de Mario. Je n'ai pas de mots pour nommer ce qu'il a fait. Je ne me suis jamais sentie aussi mal de toute ma vie. Mets-toi à la place de Sonia une minute. Ta bonne te joue dans le dos pour pouvoir fouiller dans le coffre de ton mari et elle trouve plus de preuves qu'il n'en faut pour le discréditer de manière brutale et définitive à tes yeux. Et vlan ! Hein ! Reste à savoir maintenant qui de nous deux Sonia va mettre sur le bûcher parce que tout peut arriver. Comme si ce n'était pas suffisant, il me faudra aussi convaincre Marguerite, la mère de Jérôme, que son fils n'est pas le bon garçon qu'il prétend être, mais une espèce de profiteur de bas niveau. Un homme malhonnête de la pire espèce ! J'ai mis la main dans un panier de crabes et je ne la sortirai pas de là indemne.

Françoise soupire si fort que Rachel jurerait qu'elle est à deux pouces d'elle. Elle plaint son amie de tout son cœur.

— Aimerais-tu que j'en glisse un mot à André ?

— À bien y penser, je préfère en parler à Sonia avant.

— Tu pourrais attendre que je sois là. Ce ne sont pas quelques jours qui vont changer grand-chose.

— Tant qu'à ça ! Je te tiens au courant. Est-ce que je t'ai dit à quel point j'ai hâte de te marcher sur la tête ?

— Et moi de frapper sur mon plafond avec le manche de mon balai ! Tu ne perds rien pour attendre !

17

Depuis que Thierry lui a raconté que Simone est partie en Belgique pour se faire soigner, Mme Dionne se fait du mauvais sang pour Mme Thibault. Elle n'est plus d'un âge pour jouer à la mère avec ses petites-filles. Mme Dionne connaît Christine et Martine, mais pas les trois plus jeunes. Elle sait seulement quel âge elles ont et ça lui suffit pour se faire une idée de l'importance de la tâche qui incombe à leur grand-mère. Son fils lui a rappelé que Charles se chargeait de l'ordinaire et qu'Alice était là uniquement pour le soutenir comme le faisait Simone dans ses bonnes journées. Mme Dionne n'en revient pas qu'un si grand malheur affecte la famille du bon Dr Thibault. C'est pourquoi elle a décidé se rendre utile. Elle ne rivalisera pas avec le majordome en apportant des petits plats, Thierry ne cesse d'encenser sa cuisine. Elle ne ravira pas non plus la place d'Alice, jamais elle n'oserait faire ça. Par contre, elle se dit qu'elle pourrait au moins offrir de prendre les filles chez elle une ou deux fois par semaine, ce qui libérerait sans doute tout le monde, surtout quand l'école sera finie.

Vêtue de ses plus beaux atours, elle attrape son parapluie et sort de chez elle en fredonnant *Je vais à Londres* de Renée Martel. Elle adore cette chanson depuis sa première écoute. Est-ce parce que Londres est la ville où la reine Elizabeth habite et qu'elle lui voue une admiration sans bornes ? Ou est-ce seulement parce qu'elle rêve secrètement de prendre la place de la femme dont il est question dans la chanson, ne serait-ce que pour une heure ? Elle avait des rêves quand elle était jeune et il arrive encore que l'un d'entre eux refasse surface. Elle voulait voyager alors qu'elle a toujours dû se contenter de regarder passer les bateaux de loin. Aller traîner au port était son activité préférée. Elle marche d'un bon pas et se retrouve très vite devant la maison des Thibault. Elle replace le col de sa robe, inspire à fond et se rend à la porte d'entrée. Elle sonne et attend qu'on vienne lui ouvrir. Elle se retrouve très vite devant Charles. Impressionnée par sa prestance, elle en perd momentanément l'usage de la parole.

— Que puis-je faire pour vous ? lui demande-t-il gentiment en voyant son inconfort.

— J'aimerais voir Mme Thibault, répond-elle d'une petite voix.

— Donnez-vous la peine d'entrer, je vais la chercher. Qui dois-je annoncer ?

— Mme Dionne, parvient-elle à dire au prix d'un gros effort.

Mal à l'aise, elle se dit que ce n'était pas une bonne idée de venir ici. Ce n'est pas parce qu'elle habite dans l'ancienne maison de Mme Thibault que ça lui donne le droit de venir l'embêter jusque chez son fils. Elle n'est pas à sa place et ce n'est que maintenant qu'elle s'en rend compte. Elle voudrait disparaître.

— Quelle belle surprise ! s'écrie Alice en la voyant. Je pensais justement à vous. Je me disais que je devrais vous appeler pour vous dire que j'étais ici, au cas où vous voudriez passer me voir, et d'une affaire à l'autre j'ai oublié. Suivez-moi à la cuisine, je viens justement de faire du thé.

— Je réalise que ce n'était peut-être pas une bonne idée de venir vous déranger ici. Je préfère m'en aller.

— Arrêtez ça tout de suite ! réplique Alice en la prenant par le bras. Je suis contente de vous voir.

Mme Dionne n'a jamais été aussi gênée de toute sa vie.

— Approchez, Charles, que je vous présente la mère de Thierry, lance Alice sur un ton joyeux. C'est une femme que j'estime beaucoup.

— Je suis enchanté de faire votre connaissance, madame. Votre fils est vraiment quelqu'un de bien.

C'est beaucoup trop de compliments en peu de temps, ce qui a pour effet de lui faire tourner la tête.

— Et elle, c'est Catou, le bébé de la famille.

La petite fille lui sourit et elle oublie instantanément son inconfort. Elle s'accroupit pour être à sa hauteur et lui tend les bras. Contre toute attente, l'enfant se lève et vient se blottir contre elle.

— Vous allez devoir me donner vos trucs, confesse aussitôt Alice. Je suis sa grand-mère et jamais elle ne m'a manifesté autant d'attention, et ce n'est pas faute d'avoir essayé de l'amadouer.

Au lieu de déposer son précieux paquet par terre, Mme Dionne serre l'enfant contre elle, se relève et va s'asseoir sur la chaise berçante. Pour une fois qu'elle a le plaisir de prendre une belle petite fille, elle ne va certainement pas s'en priver.

— Bonjour, Catou. Moi, je m'appelle Marie, lui dit-elle en lui caressant doucement les cheveux. J'ai entendu dire que tu construisais de grandes tours et que tu dansais quand elles s'effondraient…

L'enfant ricane en rentrant la tête dans les épaules, ce qui fait craquer Marie. Elle aurait adoré avoir une fille comme cette petite.

— Est-ce que tu joues à la poupée ?

Pour toute réponse, Catou descend et court chercher la grande poupée que son père lui a donnée à sa fête.

— Elle s'appelle Rose-Marie, dit-elle avant de remonter sur ses genoux.

Témoin de la scène, Alice sourit. Elle n'ira pas jusqu'à dire qu'elle est jalouse de Mme Dionne. Disons seulement que ça lui fait un petit pincement au cœur de voir que sa petite-fille s'intéresse plus à une étrangère qu'à elle. En même temps, elle se dit qu'elle a encore du chemin à faire avant que ses petits-enfants viennent se jeter dans ses bras sans raison.

— Vous devez vous demander pourquoi je suis venue vous voir, avance Marie.

— Je vous rappelle que vous n'avez pas besoin de raison pour venir me voir et que chacune de vos visites me fait plaisir.

Marie se gratte le front de sa main libre. Va-t-elle oser lui révéler ce qui l'amène ici ?

— Thierry m'a appris pour votre belle-fille et je me suis dit que je pourrais peut-être aider. J'ai pensé vous offrir de prendre les trois plus jeunes chez moi une ou deux fois par semaine. Je pourrais même les garder pour la journée pour vous donner un petit répit.

Son offre touche tellement Alice que son regard se voile, ce qui l'oblige à renifler aussi discrètement que possible pour empêcher les larmes de monter jusqu'à ses yeux. Décidément, cette femme ne cessera jamais de l'étonner. N'écoutant que son cœur, elle s'approche et l'embrasse sur les joues, au grand étonnement de Charles et de Marie. Depuis quand Mme Thibault se laisse-t-elle aller à la sensiblerie de cette manière ?

— Je trouve que c'est une excellente idée, confirme-t-elle d'une voix émue, et d'après ce que je peux voir, Catou est d'accord avec moi.

— Chantale et Brigitte seront très faciles à convaincre d'aller passer un peu de temps chez Thierry, avance gentiment Charles.

— J'en glisserai un mot à mon fils ce soir, ajoute Alice. C'est vraiment très gentil de votre part, et très apprécié aussi. Et maintenant, dépêchez-vous de me rappeler pour la dernière fois si vous mettez du sucre dans votre thé. Je prends Charles à témoin : je vous promets de m'en souvenir jusqu'à la fin de mes jours.

— Ni sucre ni lait, clame Marie avant d'éclater de rire. En revanche, je sais que vous mettez un nuage de crème et une bonne cuillère à thé de sucre dans le vôtre et que vous adorez manger quelques petits biscuits au beurre avec.

Alice est prise d'une bouffée de chaleur. Comment a-t-elle pu oublier que Marie prend son thé nature ?

***

Marguerite débarque chez Françoise alors qu'elle sort à peine de table. Elle prépare du thé et l'invite à passer au salon.

— Quand il m'a dit combien lui avait coûté leur petite virée, poursuit Marguerite sur un ton joyeux, je me suis mise à envier Sonia. Jamais mon mari n'aurait dépensé autant d'argent pour me faire plaisir. Imagine un peu le tableau : ils ont dormi au Château Laurier et ils ont mangé dans les plus grands restaurants d'Ottawa. Ils ont visité des musées, des galeries d'art et j'en passe.

— J'ignorais qu'être notaire pouvait être aussi payant, commente Françoise d'un ton qu'elle veut léger.

Elle s'est promis de ne rien dévoiler de ses découvertes à Marguerite avant d'en avoir d'abord parlé à Sonia. Elle voulait le faire hier sauf qu'elle n'a pas trouvé le moment idéal et encore moins le courage. Elle connaît l'effet que ses trouvailles auront sur sa patronne et ça lui complique d'autant les choses. Par contre, à entendre le discours de son amie, elle sait qu'elle ne pourra pas tenir sa langue très longtemps.

— Tu ne me croiras peut-être pas, mais je lui ai dit exactement la même chose. Je me suis même permis de nommer quelques-uns de ses collègues qui ne gagnent pas aussi bien leur vie que lui. Tu connais mon Jérôme, il m'a expliqué en long et en large pourquoi lui réussissait et pas eux. Ce n'est rien de nouveau, il a toujours eu une longueur d'avance sur les autres. Bref, j'ai l'impression qu'on vient de me poser des ailes tellement je me sens fière de l'avoir pour fils.

— Loin de moi l'idée de te les couper, mais je serais curieuse de connaître son secret.

— En gros, il m'a dit qu'il avait fait d'excellents placements et qu'il avait la chance d'avoir quelques gros clients. Il paraît que plusieurs d'entre eux refont leur testament à tout bout de champ.

Françoise lève les yeux au ciel et soupire, ce qui n'échappe pas à Marguerite. Une envie irrésistible de dévoiler les squelettes dans le placard de son patron monte en elle à une vitesse fulgurante.

— Est-ce qu'il y a quelque chose qui ne va pas ? lui demande son amie.

— Disons seulement que j'ai une tout autre vision de la réussite de ton rejeton, dit-elle en rougissant. Pardon, Marguerite ! Pardon pour ce que je viens de dire et pour tout ce qui va suivre.

Et voilà que Françoise vide son sac en deux temps trois mouvements sans lui donner la chance de reprendre son souffle entre deux énormités. À la fin de son laïus, Marguerite est blême comme un drap et sans voix. Elle aurait reçu une tonne de briques sur la tête qu'elle ne se sentirait pas plus mal qu'en ce moment. Elle a forcément mal compris. Le Jérôme à qui elle a tout appris ne s'abaisserait jamais à accepter des pots-de-vin de qui que ce soit ni à mentir à sa femme. Il l'aime plus que tout. Aucun doute, Françoise parle à travers son chapeau. Reste maintenant à découvrir pourquoi elle a décidé de s'en prendre à son patron.

— Réalises-tu seulement ce que tu viens de faire ? lui demande Marguerite au bout d'un moment.

— Complètement ! Je viens de t'expliquer les vraies raisons de la réussite de Jérôme.

— J'ignorais que tu pouvais être aussi méchante. Que t'a-t-il fait pour que tu t'acharnes sur lui de cette manière ?

Françoise secoue la tête de gauche à droite. Elle savait que son amie ne la remercierait pas de lui montrer la face cachée de son fils adoré. Elle savait aussi qu'elle mettrait leur amitié en péril à la seconde où elle commencerait à parler. Elle savait tout ça, mais il était hors de question qu'elle se taise, peu importe le prix à payer. Et demain, à la première heure, elle tiendra le même discours à Sonia. Elle ne s'illusionne pas, sa patronne ne lui décernera pas de trophée pour sa sincérité. Peut-être même qu'elle mettra fin à son emploi sur-le-champ. Si Françoise ne peut pas prédire sa réaction avec assurance, elle peut au moins dire qu'elle aura toutes les cartes en mains pour prendre une décision éclairée. Pauvre Sonia ! Françoise donnerait le peu qu'elle possède pour lui éviter ce passage obligé dont elle ne sortira pas sans blessures.

— À moi, rien du tout. Je l'ai fait pour Sonia parce que je trouve qu'elle a suffisamment souffert. Si Jérôme l'aimait autant qu'il le prétend, il aurait coupé les ponts avec Mario le jour où il a commencé à sortir avec elle. D'autant qu'il était parfaitement au courant de ce qui s'était passé entre eux.

Plus elle parle, plus Françoise sent la colère monter en elle.

— Ton fils lui ment depuis toujours ! s'écrie-t-elle, et tu voudrais que je me taise… Ne compte pas sur moi pour le couvrir.

— As-tu seulement pensé à la peine que tu vas faire à Sonia en lui apprenant la vérité ? En admettant que tu n'aies pas tout inventé…

— Je possède toutes les preuves de ce que j'avance.

Françoise se lève et va chercher une feuille noircie des deux côtés sur sa table de chevet. Elle la remet à Marguerite, retourne s'asseoir et attend qu'elle arrive au bout de sa lecture.

— J'ai les preuves sous les yeux, finit-elle par avouer, les yeux dans l'eau, et je refuse toujours de croire que Jérôme a pu accepter ne serait-ce qu'un seul chèque ou profiter de ce qu'il sait pour s'enrichir aux dépens des autres. Ça ne lui ressemble tellement pas ! J'ai besoin d'un peu de temps pour digérer tout ça.

Elle lui remet la feuille de papier et s'en va. Sitôt seule, Françoise se rue sur le téléphone et compose le numéro de téléphone de Sonia.

— Êtes-vous seule ?

— Au moins jusqu'à dix heures, Jérôme est parti au souper de la Chambre de commerce. Pourquoi ?

— Il faudrait que je vous parle de quelque chose et ça ne peut pas attendre à demain.

— Je vous attends.

Françoise se stationne en face de la maison de sa patronne. Elle éteint son moteur et se couche sur son volant dans l'espoir de trouver le courage d'ouvrir sa portière et d'aller se jeter dans la fosse aux lions. Elle aurait préféré de loin se tromper sur le compte de Jérôme, mais voilà, ce n'est pas le cas. Elle en sait trop sur ses activités illicites et elle ne pourrait plus se regarder dans le miroir si elle taisait la vérité à Sonia. Sans compter qu'en informant Marguerite, elle s'est automatiquement acculée au pied du mur. Le temps presse avant qu'elle mette son fils au courant de ce que Françoise a fait et qu'il se lance à corps perdu dans une campagne de séduction pour convaincre sa femme que leur bonne ment. Elle se redresse et inspire à fond. Une fois. Deux fois. Ce n'est qu'à la troisième inspiration qu'elle se décide à sortir. Elle marche jusqu'à la porte de la maison, cogne doucement pour ne pas réveiller Émile et entre. Il suffit de quelques secondes pour que Sonia apparaisse devant elle. Cette dernière lui sourit et l'invite à la suivre au salon.

— J'ai pris la liberté de vous servir un verre de Coke, dit-elle.

— C'est gentil, ajoute Françoise, merci.

— Je ne vous cacherai pas que votre visite m'inquiète un peu, surtout après le coup de fil de ma belle-mère. En fait, je viens juste de raccrocher. Je ne vous mens pas, elle a prononcé pas moins d'un demi-pouce des mots compris dans le Larousse en moins de cinq minutes. Et elle n'arrêtait pas de prononcer le nom de Jérôme. Elle était tellement énervée que j'ai compris une seule chose dans tout son flot de paroles : Françoise a tout inventé. Savez-vous à quoi elle faisait allusion ?

Françoise a de plus en plus chaud. Elle se doutait bien que Marguerite tenterait quelque chose pour sauver son fils chéri, mais jamais elle n'aurait cru qu'elle agirait aussi vite.

— Malheureusement, oui. Elle venait juste de sortir de chez moi quand je vous ai appelée. Fidèle à son habitude, elle n'en finissait plus de vanter les louanges de son Jérôme sauf que cette fois j'en ai eu assez et je lui ai montré la face cachée de son fils sans aucun ménagement. J'ai même poussé l'audace jusqu'à lui montrer les preuves de ce que j'avançais. Je ne suis pas fière de moi, mais je ne peux pas revenir en arrière.

Sonia a remarqué depuis longtemps que sa bonne n'hésite pas à prendre sa défense ni même à aller au front pour elle au besoin. Elle a aussi remarqué qu'elle se méfie de Jérôme comme de la peste. Si elle apprécie son dévouement, elle déplore son attitude avec son mari alors qu'elle ne lui a pas trouvé un seul petit défaut pendant leur petite escapade à Ottawa. Il a été tout simplement merveilleux.

— Je vous écoute, ajoute-t-elle simplement en lui souriant.

— Vous devez d'abord savoir que je l'ai fait uniquement pour vous.

Françoise inspire à fond avant de poursuivre:

— Vous faire souffrir est la dernière chose que je souhaite, mais je crains de ne pas pouvoir l'éviter cette fois et je m'en excuse à l'avance. Je vous aime comme ma propre fille et je ne tolère pas qu'on vous fasse du mal. C'est pourquoi pendant votre voyage à…

Sonia perd ses couleurs à mesure que les mots sortent de la bouche de celle qui occupe le fauteuil voisin du sien et qui est en train de détruire sa vie en posant sur elle un regard bienveillant. Elle aimerait l'habiller de bêtises en commençant par la traiter de menteuse comme l'a suggéré sa belle-mère et la supplier de sortir de chez elle pour mettre fin à son supplice. Elle le ferait si elle croyait qu'elle ment, mais un seul coup d'œil à la liste des pas de travers de Jérôme lui confirme qu'il n'a rien à voir avec l'homme à qui elle a donné aveuglément sa confiance. Comment a-t-il pu lui mentir aussi vertement sur sa relation avec Mario? A-t-elle vraiment envie de le savoir? Elle s'est laissé prendre au piège sans se méfier et voilà où tout ça l'a conduite. La voilà une fois de plus à la case départ. Seule différence, elle ne repartira pas seule.

— Préférez-vous que je m'en aille? lui demande Françoise en lui pressant doucement le bras pour l'inciter à la regarder.

Sonia relève la tête et un faible sourire s'affiche sur ses lèvres. Elle se sent aussi lourde que si on venait de la couler dans le béton. Au prix d'un effort surhumain, elle se lève, va se placer devant Françoise et lui dit d'une voix brisée par l'émotion:

— Est-ce que vous pourriez me prendre dans vos bras?

Et elle pleure toutes les larmes de son corps sur l'épaule de celle qu'elle considère comme sa deuxième mère.

— Qu'allez-vous faire, maintenant? lui demande Françoise lorsqu'elle se calme un peu.

Sonia se recule et réfléchit pendant quelques secondes avant de lui répondre :

— Je vais demander le divorce et la garde de mon fils.

Jamais elle n'aurait pensé pouvoir prononcer ces mots un jour. Elle se souvient encore de sa réaction lorsque Simone lui a appris que Maggie et Rémi se séparaient. Pire, qu'ils allaient divorcer. Ça l'avait empêchée de dormir pendant des jours. Dans son livre à elle, on se mariait pour la vie et non pour y mettre fin au premier coup de vent. D'ailleurs, elle se demande bien comment sa sœur va réagir quand elle apprendra la nouvelle. Tout compte fait, elle préfère ne pas y penser.

— Vous pouvez venir vous installer chez moi en attendant de…

— J'apprécie votre offre, mais s'il y en a un qui doit partir, c'est Jérôme. Au moins jusqu'à ce que tout soit réglé. Je suis tellement désolée, Françoise, je devrai me passer de vos services. Je m'en veux terriblement de vous faire ça. Vous avez quitté Chicoutimi pour moi et je vous laisse tomber alors que vous venez juste de vous acheter une maison. Me pardonnerez-vous un jour?

— Vous êtes toute pardonnée.

Elle se garde bien de lui faire part de ses projets. Elle aurait préféré choisir le moment de sa sortie sauf que la vie en a une fois de plus fait à sa tête. À compter de demain, elle consacrera son temps à sa future entreprise de traiteur et offrira ses services de cuisinière à une famille ou plutôt à deux puisque Marguerite l'a déjà remerciée en téléphonant à Sonia.

— J'aimerais que vous soyez là quand je vais parler à Jérôme.

Même si sa demande a l'effet d'une douche glacée en plein hiver sur elle, Françoise n'en laisse rien paraître. Elle a mis le feu et il lui apparaît normal de contribuer à l'éteindre.

— Vous pouvez compter sur moi. Et vous, qu'allez-vous faire après ?

Sonia hausse les épaules. Comment savoir alors qu'elle nageait en plein bonheur avant l'appel de Marguerite ?

— Je suppose que je devrai me trouver un emploi…

— Pensez-vous retourner vivre au Saguenay ?

— Ma vie est ici maintenant et je n'ai pas l'intention de passer la prochaine année à pleurer. Pas cette fois !

***

Christine a de plus en plus de mal à résister au charme du beau grand brun qui lui fait de l'œil depuis son banc au bout du bar, d'autant qu'il vient de lui payer une consommation.

— C'est la première fois que quelqu'un m'offre un verre, clame-t-elle d'une voix trahissant son excitation.

— Tu en as de la chance, avoue Marleen en faisant la moue. Le seul que j'ai reçu venait d'un homme qui aurait pu être mon père. Il est tellement beau que je ne serais pas surprise qu'il soit mannequin. À moins que ce ne soit un joueur de hockey… Tu devrais aller le remercier.

— Pourquoi ? Je lui ai déjà fait un signe de tête et mon plus beau sourire. S'il veut me parler, il n'a qu'à venir me voir. Il sait où je suis assise.

Christine se réjouit qu'il fasse aussi sombre dans la boîte à chansons. Nul besoin de se regarder dans un miroir pour savoir qu'elle est aussi rouge qu'une tomate. Comme si ça ne suffisait pas, des gouttes de sueur perlent sur son front alors qu'elle n'a pas l'habitude de transpirer même en plein cœur d'une canicule. Ce gars-là lui fait plus d'effet que tous ses anciens petits amis réunis. Elle n'ose même pas imaginer ce que ce sera si jamais il s'approche suffisamment pour qu'elle puisse voir la couleur de ses yeux. Elle sourit bêtement. Elle se trouve ridicule de se mettre dans un tel état pour un parfait inconnu qui a seulement voulu lui faire plaisir en lui offrant à boire. Qui sait, c'est peut-être son sport favori !

— Non, mais sérieusement, lance Marleen, ne me dis pas que tu vas attendre sans rien faire. Dans mon livre à moi, la balle est dans ton camp. Il t'intéresse et tu vas le voir. Sinon, on finit notre verre et on décampe d'ici parce que sa seule vue me rappelle que ce n'est pas à moi qu'il a payé un verre et ça me fiche le moral à plat.

— Tu es encore plus pathétique que les gosses de riches avec qui j'allais à l'école, et c'est peu dire. Tu devrais faire du théâtre.

— Personne ne me comprend, gémit Marleen en grimaçant. Ce n'est pourtant pas si difficile à saisir, je voudrais juste qu'un beau jeune homme lève les yeux sur moi alors que les seuls que j'attire sont moches. Moches et sans aucun intérêt. Pire, ils ne sont même pas riches.

— C'est au bar du Château Frontenac que tu devrais te tenir si tu veux rencontrer un compte en banque, pas ici. Regarde autour de toi et tu vas vite te rendre compte que la majorité des gens ont l'air bien plus *peace and love* que riches. En ce qui me concerne, j'ai eu ma dose d'imbéciles qui se prennent pour le nombril du monde parce qu'ils dorment dans des draps de satin et qu'ils utilisent des couverts d'argent pour manger leur pâté chinois.

Marleen fronce les sourcils. Elle la trouve bien sévère parce que pour elle son amie fait partie de la même classe que ceux à qui elle vient de s'en prendre. Il ne peut pas en être autrement puisque son père est docteur et que son grand-père paternel était riche comme Crésus. Cette dernière information lui vient de son cousin Jérôme.

Christine est du genre discret pour tout ce qui a trait aux moyens de sa famille. En fait, elle ne possède pas une once de snobisme. Elle est d'une simplicité désarmante avec tout le monde et porte à chacun un réel intérêt sans aucun égard à ses origines.

— Au cas où ça t'intéresserait, ajoute Christine avec un petit sourire en coin, il n'y a jamais eu de draps de satin chez nous. Je me souviens encore de la seule fois où j'ai eu droit à cet honneur. Ma grand-mère paternelle m'avait invitée à dormir chez elle. J'avais fini par accepter à la condition de dormir dans des draps de satin comme mes petites amies. Ç'a été la pire nuit de ma vie. J'ai gelé comme un rat et j'ai fini la nuit enroulée dans le couvre-lit, au grand désespoir de ma grand-mère qui comptait me les offrir en cadeau et qui s'arrachait les cheveux parce que j'avais osé me servir de sa parure de lit comme d'une vulgaire couverture. Mon père en rit encore.

— Des fois, j'ai l'impression que ça t'embête d'être née dans une famille aisée.

— Ce qui me dérange, c'est que tout le monde vénère les riches alors qu'ils n'ont rien à leur envier.

— Sauf leur argent, ce qui n'est quand même pas négligeable. C'est facile pour toi de dire ça, tu n'as jamais eu besoin de te battre.

Christine la fixe en secouant la tête de gauche à droite. Pourquoi les gens croient-ils que tout est simple pour elle alors que la vie lui a donné son lot d'épreuves sans se soucier le moindrement de ses capacités à passer à travers. Riche ou pauvre, personne n'est épargné. On ne se débarrasse pas d'un cancer du cerveau en allongeant quelques billets de banque. Riche ou pauvre, on en meurt. Pas plus qu'il suffit de passer à la caisse pour remettre une mère aux humeurs en dents de scie sur les rails. La vie aux côtés de tatie Sonia est drôlement plus facile. Et ce ne sont là que quelques exemples.

Le serveur dépose une deuxième consommation au moment où Christine allait ouvrir la bouche pour défendre sa position.

— C'est quelqu'un de bien, lui glisse le serveur à l'oreille.

— Qui ça ? lui demande-t-elle pour la forme.

— L'homme qui vous envoie la main.

Au lieu de se contenter d'opiner du bonnet, elle saisit son verre et dit à Marleen d'une voix assurée :

— Il est plus que temps que j'aille voir la couleur de ses yeux !

Christine parcourt rapidement la courte distance qui sépare leur table de l'extrémité droite du bar. Elle se poste devant lui, sourit en inclinant légèrement la tête de côté et tombe immédiatement sous son charme. L'intensité de son regard lui brûle la peau.

— Merci pour le verre, réussit-elle à dire aussitôt qu'elle parvient à couper le fil qui l'unissait à lui depuis qu'elle avait plongé ses yeux dans les siens. Je m'appelle Christine.

— Et moi Vincent. Ça vous dirait de vous asseoir un peu ?

— J'en serais ravie, s'entend-elle répondre alors qu'elle n'a jamais été aussi gênée de toute sa vie.

S'ensuit une discussion enflammée que Marleen vient interrompre pour lui annoncer qu'elle s'en va.

— Quelle heure est-il ?

— Onze heures et dix.

— Oh ! Je ferais peut-être mieux de partir avec toi.

— Finis au moins ton verre, lui demande gentiment Vincent, je te déposerai chez toi après.

Il n'a pas besoin d'insister pour que Christine décide de rester. Pour une fois qu'elle est en agréable compagnie, elle a bien l'intention d'en profiter.

— Le temps de passer un coup de fil et je reviens, annonce-t-elle en attrapant Marleen par le bras pour l'obliger à la suivre.

— Tu n'as qu'à dire à ta tante que tu dors chez moi, lui offre Marleen.

— Je n'ai pas l'intention de découcher, juste de rester encore un peu.

— Contente-toi de faire ce que je te dis, la porte d'en arrière n'est jamais barrée, et laisse-toi donc aller pour une fois.

Christine lève les yeux au ciel. Quand son amie comprendra-t-elle qu'elle refuse de faire l'amour avant le mariage ? Probablement jamais ! Et de toute façon, elle changerait d'idée qu'elle ne pourrait pas pour la simple et unique raison qu'elle n'a pas trouvé le courage d'en parler à son père la dernière fois qu'elle l'a vu. Il faut dire que dans les circonstances, il venait de lui annoncer le départ de sa mère pour la Belgique, alors elle se voyait très mal lui demander de lui présenter les moyens de contraception à sa disposition et encore moins de lui prescrire la pilule. De toute manière, ça ne lui donnerait pas grand-chose de prendre ce qu'il faut pour empêcher la famille puisqu'elle n'a pas l'intention de se mettre à risque. Elle appelle sa tatie et lui dit qu'elle dormira chez Marleen. Elle dépose le combiné sur son socle et retourne se percher sur son tabouret. Il suffit d'une seconde pour que la magie opère de nouveau entre eux.

Il est plus de neuf heures quand elle ouvre enfin les yeux. En plus de ne pas reconnaître l'endroit, un homme dort près d'elle. Il n'en faut pas plus pour que les souvenirs d'une nuit torride affluent à son esprit à une vitesse vertigineuse. Au lieu de s'en vouloir d'avoir transgressé ses propres règles, et pas rien qu'un peu, elle caresse la joue de Vincent et se colle dans son dos dans l'espoir de vivre l'expérience encore et encore.

18

Chantale a demandé à Marie si elle pouvait aller passer la journée du déménagement chez elle. La seule vue des montagnes de boîtes chez Rachel lui donne des haut-le-cœur. La petite fille se sent complètement dépourvue devant le départ de celle qui compte tant à ses yeux. C'est pourquoi elle préfère s'en aller pour ne pas avoir à supporter ni l'arrivée du camion de déménagement ni son départ pour Québec. Son grand-père a promis de l'emmener voir la nouvelle maison de Rachel dans deux semaines. Il a suffi de quelques minutes pour que Brigitte l'appelle pour lui demander si elle pourrait venir aussi. Il va sans dire que ça ne fait pas l'affaire de Chantale et elle ne se prive pas pour reprocher à sa sœur d'avoir imposé sa présence.

C'est ainsi qu'Alice a décidé d'inviter Rachel à déjeuner chez les Thibault ce matin pour lui permettre de voir les filles avant de partir.

— Est-ce que Marie est aussi gentille que Thierry ? demande Rachel dans l'espoir d'encourager Chantale à relever la tête au lieu de continuer à fixer la crêpe encore intacte qui nage dans une mer de sirop d'érable au milieu de son assiette.

— Oh oui ! répond Brigitte dans la seconde qui suit. Je dirais même qu'elle l'est encore plus que lui.

— J'en ai plus qu'assez que tu répondes toujours à ma place ! lance Chantale en foudroyant sa sœur du regard.

— Tu es sourde ou quoi? Mme Rachel ne parlait pas seulement à toi. Dites-lui que j'ai raison.

— Ta sœur a raison, confirme Alice pour éviter à Rachel de se mettre dans l'embarras. J'aurais même pu répondre moi aussi!

— C'est ma Mme Rachel, plaide Chantale sans tenir compte du sujet dont il est question, pas la sienne.

De grosses larmes inondent ses joues dans la seconde qui suit. Rachel s'approche de sa protégée et s'accroupit près d'elle. Elle lui relève ensuite le menton pour l'obliger à la regarder et lui dit d'une voix très douce:

— Je suis triste de voir que tu souffres autant, ma belle fille, alors que je ne fais que changer de maison. Comme je te l'ai dit hier, tu pourras m'appeler chaque fois que tu voudras entendre ma voix et tu pourras aussi venir me visiter avec ton grand-père ou même prendre l'autobus si ton père est d'accord.

— Oui, mais je ne pourrai plus arrêter prendre ma collation chez vous en rentrant de l'école. À qui vais-je pouvoir dire que grand-maman Jeannine me manque? Et qui va m'aider à finir mon tapis tressé? Je ne veux pas que vous partiez!

Rachel se montre forte alors qu'elle partage complètement le chagrin de Chantale à l'idée de ne plus la voir tous les jours. La seule raison qui l'empêche de fondre en larmes réside dans le fait que c'est elle l'adulte et qu'elle aura pratiquement trois heures de route pour laisser libre cours à sa peine, c'est-à-dire le temps que mettra le camion de déménagement pour se rendre à Québec.

— Je n'ai pas eu la chance de rencontrer Marie, mais je suis certaine qu'elle pourra t'aider. Sinon, tu continues à tresser tes guenilles comme je te l'ai montré et tu rappliques chez moi avec ta grosse boîte. Je te montrerai comment les coudre ensemble. Promets-moi de lui poser la question quand tu iras chez elle tout à l'heure.

Le cœur gros, Chantale se contente de hocher la tête.

— Tu pourras aussi m'écrire, surtout que j'adore recevoir du courrier.

— Et vous allez me répondre ?

— Bien sûr ! Maintenant, je veux que tu écoutes attentivement ce que je vais te dire. J'aimerais beaucoup que tu me partages avec Brigitte.

— Mais…, commence-t-elle à dire en fronçant les sourcils.

— Il n'y a pas de mais qui tiennent, la coupe Rachel en mettant la main sur son épaule. J'aime beaucoup ta sœur et j'espère que tu ne lui feras pas de misère le jour où elle voudra venir me voir ou même m'appeler. Mon cœur est plus grand que la cathédrale de Chicoutimi, ce qui me permet de vous aimer toutes les deux sans aucun problème.

Un sourire radieux s'affiche sur les lèvres de Brigitte avant qu'elle quitte sa place pour venir mettre ses bras autour du cou de Rachel et l'embrasser sur la joue.

— Merci, madame Rachel, ajoute-t-elle avant de retourner s'asseoir.

Rachel profite de l'occasion pour démontrer à Chantale que sa proximité avec sa sœur ne lui a rien enlevé du tout.

— Je t'aime de tout mon cœur, mais tu n'as pas le droit d'empêcher Brigitte ou qui que ce soit de s'approcher de moi.

— Pas même grand-papa André ? lui demande Chantale.

— Surtout pas grand-papa André ! réplique Rachel en riant. Dépêche-toi de manger ta crêpe si tu ne veux pas être en retard chez Marie.

Alice n'a pas perdu un seul mot de la discussion. Elle paierait cher pour parler aussi bien aux enfants. Elle reconnaît s'être améliorée, mais ça ne fait toujours pas d'elle la grand-mère idéale. Difficile d'accéder à ce titre un jour quand ça a tout pris pour être une mère correcte. Tout juste correcte!

— Dépêchez-vous, les filles, lance-t-elle d'une voix énergique, on part dans dix minutes.

***

Françoise a du mal à oublier les propos que Jérôme a tenus à son égard le fameux soir où Sonia lui a annoncé qu'elle voulait divorcer. Sa seule vue l'a rendu furieux, sa mère avait pris soin d'aller l'attendre à la sortie de son souper et lui avait tout raconté. Avoir su, Françoise aurait tenu sa langue devant Marguerite. Il n'y a rien qu'il ne lui a pas dit. Il l'a aussi traitée de tous les noms et l'a même menacée de la traîner en justice pour avoir osé fouiller dans ses affaires. Il ne s'est pas gêné non plus pour lui faire savoir qu'il la congédiait sur-le-champ et qu'il s'arrangerait pour la barrer dans toute la ville de Québec. Elle trouverait peut-être une autre famille pour l'embaucher, mais il découvrirait le moyen de la faire virer. Autant elle s'est montrée forte devant lui, alors qu'elle l'a écouté sans sourciller, autant elle s'est mise à trembler de tous ses membres aussitôt installée derrière son volant. Résultat de tout ce branle-bas de combat: elle a passé la nuit suivante à ressasser tous les événements et les discussions de la soirée. Elle voulait s'assurer qu'elle avait bien agi. Au final, elle en a conclu qu'elle referait la même chose sans hésiter. En son âme et conscience, elle ne pouvait pas regarder Jérôme abuser de la confiance de Sonia sans rien faire. Pour ce qui est de ses menaces, elle ne s'en fait pas trop. D'abord, parce qu'il ne connaît pas toute la ville de Québec et, ensuite, parce que s'il veut jouer à ce jeu il sortira forcément perdant. Un notaire doit protéger sa réputation s'il veut pouvoir continuer à magouiller.

Sonia l'a appelée tout à l'heure pour lui donner de ses nouvelles. À moins qu'elle joue la comédie, elle semblait plutôt en forme pour une femme qui vient de mettre fin à son mariage. De deux choses l'une ! Ou elle n'a pas encore réalisé la portée de son geste sur son avenir, ou elle a trouvé la force de rester debout malgré ce qui l'attend. Elle a déjà connu l'horreur après la disparition de Mario et elle n'a pas envie de se retrouver dans le même état. Il faut énormément de courage et de résistance au jugement pour divorcer, en 1968, se dit-elle.

Françoise lui a rappelé que Rachel arrivait en ville aujourd'hui et qu'elle s'était engagée à préparer le souper et à donner un coup de main pour vider le camion de déménagement. Sonia a insisté pour venir l'aider. Elle ne lui a pas demandé si elle emmènerait Émile. Sa patronne, ou plutôt son ex-patronne, décidera elle-même. Ça lui fait tout drôle de ne plus avoir d'emploi et, aussi bizarre que cela puisse paraître, ça ne l'inquiète pas outre mesure. En tout cas, pas autant qu'elle l'aurait cru. Elle n'a pas les moyens de vivre très longtemps sur ses économies, mais elle a confiance que les choses vont se placer d'elles-mêmes à mesure qu'elle va faire des gestes pour créer sa nouvelle vie. D'ailleurs, elle a eu une idée. Elle pourrait aller donner son nom dans quelques restaurants pour travailler en cuisine. Elle ne possède aucun diplôme, mais elle aime croire que son expérience vendra ses compétences. Détail non négligeable, elle est une excellente deuxième et peut même supporter d'être une exécutante. Elle va en parler à Christine ; elle pourra sûrement lui recommander quelques restaurants. Dans le cas contraire, elle ira se présenter en personne dans ceux qui l'inspirent le plus et elle se croisera les doigts pour que quelqu'un l'engage pour l'été. Le temps d'aider Rachel à s'installer et elle partira à la recherche d'un nouvel emploi.

Elle avale sa dernière bouchée de pain et va porter son assiette et sa tasse dans l'évier. Elle regarde l'heure et sourit. Il est près de dix heures et elle n'est pas encore habillée, ce qui ne lui ressemble guère. D'ailleurs, elle ferait mieux d'aller se changer si elle ne veut pas que Sonia la voie dans ses habits de nuit. Elle file à sa chambre et doit revenir sur ses pas pour répondre au téléphone.

— Charles ? s'étonne-t-elle en reconnaissant sa voix. Ne me dites pas qu'il est arrivé malheur aux filles !

— Rassurez-vous, elles allaient très bien au moment de partir chez Marie.

— Qui est Marie ?

— C'est la mère de Thierry.

— Depuis quand les filles vont chez Mme Dionne ?

— Travaillez-vous pour la police ? lui demande Charles d'un ton taquin.

Françoise pouffe de rire. Elle ne s'est pas rendu compte qu'elle le bombarde de questions depuis qu'elle a décroché.

— Je suis désolée. Depuis le temps que je ne travaille plus chez les Thibault, je devrais me mêler de mes affaires. Tant mieux si les filles ont trouvé une remplaçante à Rachel. Et vous, comment allez-vous ?

— Plutôt bien. Le départ de la patronne a créé bien des remous, mais dans l'ensemble, ça va. Alice, oh pardon, Mme Thibault, m'aide beaucoup.

— Je suis surprise qu'elle ne vous ait pas encore obligé à l'appeler par son prénom.

— Elle l'a fait, c'est moi qui suis trop bête pour l'écouter. Et vous ?

— Dites-moi d'abord de combien de temps vous disposez parce que c'est le branle-bas de combat ici et pas uniquement pour moi.

— Si seulement je le savais… J'estime que Catou ne devrait pas se réveiller avant une bonne dizaine de minutes, mais vous savez aussi bien que moi qu'elle peut se mettre à hurler dans la seconde. J'ai une idée. Je pourrais vous rappeler ce soir.

— Ce serait plus facile si je vous téléphonais quand je remonterai de chez Rachel.

— C'est parfait pour moi. J'ai inscrit mon numéro de téléphone personnel dans la lettre que Rachel vous remettra de ma part.

— Vous m'avez vraiment écrit ? lui demande-t-elle d'une voix haut perchée alors qu'une bouffée de chaleur carabinée s'abat sur toute sa personne. Pourquoi ?

— Vous verrez bien.

— Pas question que vous me laissiez me morfondre toute la journée. Pourquoi m'avez-vous appelée, Charles ?

Son interlocuteur inspire si fort qu'elle l'entend jusqu'à Québec. Si impatiente soit-elle de connaître la réponse à sa question, elle attend.

— J'adore vous entendre prononcer mon prénom, finit-il par dire dans un souffle.

Ses paroles sont une douce musique à l'oreille de Françoise. Elle sourit et rougit de plus belle à mesure que les secondes passent. Son remplaçant est capable de romantisme ? Qui plus est, à son égard !

— Pour vous inviter à souper samedi prochain, laisse-t-il enfin tomber.

— C'est très gentil sauf que je n'ai pas prévu d'aller à Chicoutimi avant un bon moment.

— J'irai à Québec puisque c'est là que vous habitez maintenant.

— Mais…

— Dites-moi seulement si vous avez envie qu'on aille manger ensemble.

— Si vous voulez tout savoir, répond-elle dans un cri du cœur, eh bien, j'en rêve depuis le jour où je vous ai vu chez les Thibault.

— Content de savoir que nous sommes deux. Je dois vous laisser, Catou est en train d'ouvrir la maison en deux. N'oubliez surtout pas de m'appeler ce soir pour me raconter ce qui vous arrive. Bonne journée !

Françoise se pince le bras pour être certaine qu'elle ne rêve pas. Elle n'en revient tout simplement pas que Charles l'ait appelée et encore moins qu'il l'ait invitée à souper. Comme si ce n'était pas suffisant, il lui a même écrit. Elle a l'impression que quelqu'un vient de donner une couche de rose bonbon sur sa vie. Elle se sent aussi légère qu'une plume. Pour une fois que les astres sont alignés, elle ne ratera pas sa chance. Charles lui plaît et, d'après ce qu'elle a entendu, c'est réciproque. Il ne tient plus qu'à eux de faire le reste. Et voilà qu'elle se met à rêver que son prétendant déménagera à Québec et qu'ils se marieront. Pourquoi pas en même temps que Rachel et André ? L'idée l'enchante. Elle secoue la tête pour remettre ses idées en place. Elle ne s'est pas encore assise devant lui et elle se voit déjà au pied de l'autel. Elle pourrait au moins attendre de savoir si elle aime sa lotion après-rasage, ses lèvres, son odeur… Elle sourit de plus belle. Elle aime déjà tout de cet homme.

***

Sonia regarde jouer son fils et lui demande mentalement pardon pour tout ce que son divorce lui occasionnera de désagréments. Elle croyait pourtant avoir trouvé l'homme parfait. Il lui plaisait. Elle l'aimait. Et elle ne doutait aucunement de ses prédispositions pour être un bon père. Seul hic, il aime plus Mario et l'argent qui venait avec que sa famille. En réalité, elle s'est trompée sur toute la ligne et sa confiance en l'amour a pris toute une débarque. Elle s'étonne de ne pas être plus démunie, plus meurtrie, plus blessée avec ce qui lui arrive. Elle ne saute pas de joie, c'est certain, elle venait de vivre des jours de grand bonheur à Ottawa avec Jérôme et croyait de toutes ses forces qu'ils avaient un avenir ensemble. Ils avaient même lancé l'idée d'avoir un autre enfant. Et voilà que sa vie a basculé en un claquement de doigts. Elle a l'impression de s'être fait pousser en bas du plus haut toit du Château Frontenac. Par chance, elle est tombée sur ses deux pieds au contact du sol. Elle se servira de sa peine pour réinventer sa vie au lieu de se laisser enterrer vivante. Son fils dépend d'elle et il est hors de question qu'elle l'abandonne ne serait-ce qu'une minute. Elle ne gardera de Jérôme que les bons moments passés en sa compagnie et elle insistera pour qu'il se comporte en adulte en présence d'Émile.

Le moyen utilisé par Françoise pour découvrir la vérité va à l'encontre de ses valeurs profondes. En même temps, jamais elle ne se permettra de lui adresser le moindre reproche. Son geste lui a épargné de nombreuses déceptions. Parce que visiblement il y en aurait eu d'autres. Jérôme a choisi son camp en gardant contact avec Mario. Savoir qu'il lui a menti pour ça et pour bien d'autres choses la met hors d'elle-même. Sérieusement, elle doit une fière chandelle à Françoise et elle lui en sera toujours reconnaissante. La bonne lui a prouvé une fois de plus à quel point elle peut compter sur elle. Sonia aime beaucoup cette femme et elle anticipe déjà le vide que créera son absence au quotidien. Elle ne se fait aucune illusion sur sa capacité de la garder, elle n'aura pas les moyens de la payer et Jérôme n'acceptera jamais de verser son salaire après ce qu'elle lui a fait.

— Bonjour, tatie ! lance joyeusement Christine en entrant dans la cuisine.

— Salut, ma belle ! Viens ici que je te regarde de plus près. Qu'est-ce que tu as de changé ?

— Rien, répond-elle en rougissant jusqu'à la racine des cheveux.

— Ne me dis pas que… Non! Tu as oublié ta résolution de garder ta virginité pour ton mari. Je n'arrive pas à croire que tu l'as fait.

— Tu n'y es pas du tout, tatie!

— Garde ta salade pour les autres! Seul l'amour, ou plutôt la passion, nous rend aussi belles. Son nom?

— Vincent, répond-elle en souriant, et tu vas l'adorer. À la condition bien sûr que je le revoie.

Pour le moment, Christine ne s'inquiète pas trop de son avenir avec celui qui l'a fait monter au septième ciel. Il l'a avisée qu'il s'absentait pour une semaine. Elle a goûté aux plaisirs de la chair en excellente compagnie et elle espère récidiver. Pour le reste, elle verra où ça la conduira.

— Si seulement j'avais su ce que je manquais, avoue-t-elle d'un ton candide, il y a longtemps que j'aurais dit oui.

— Les regrets ne mènent nulle part, ma grande. Tu as fait ce que tu croyais être le mieux pour toi. Si ma mère était encore des nôtres, elle te dirait qu'il y a un temps pour chaque chose. Maintenant, dis-moi ce qu'il a de plus que Thierry?

— À vrai dire, rien… et tout. Je suis allée le remercier en personne pour le deuxième verre qu'il venait de m'offrir et j'ai su que je ne pourrais pas résister à son charme à la seconde où j'ai posé les yeux sur lui. Je ne peux pas t'en dire plus.

— Ça ressemble étrangement à un coup de foudre, ton affaire. Un peu comme ce qui est arrivé à ta mère la première fois qu'elle a vu ton père. Elle nous avait dit qu'elle venait de rencontrer l'homme de sa vie et elle l'a marié.

Christine hausse les épaules et fronce les sourcils. Sa tante se fourvoie.

— Sans vouloir briser ta belle théorie, tatie, ajoute-t-elle d'une voix assurée, je n'ai pas l'intention de me marier avec lui. En tout cas, pas pour l'instant. Tout ce que je souhaite, c'est de retourner dans son lit pour rattraper le temps perdu. Pardon ! Je ne voulais pas te choquer !

— Je te rappelle que je ne suis pas née de la dernière pluie et que j'ai déjà eu ton âge. Ça ne me choque pas du tout, même que ça me rassure de savoir que la petite fille modèle a disparu. Approche que j'embrasse la nouvelle Christine.

Sonia s'exécute en deux temps trois mouvements et la libère.

— Travailles-tu, aujourd'hui ?

— Seulement demain à onze heures. Pourquoi ?

— J'aimerais que tu gardes Émile. Rachel emménage et j'ai promis à Françoise d'aller aider.

— À la condition que tu me laisses ton auto. Je dois aller au centre d'achats et ce serait beaucoup plus simple que de prendre l'autobus.

— Dépose-moi là-bas et elle est à toi pour la journée. Je demanderai à mon père de me ramener.

— Dis-lui que je veux absolument le voir avant qu'il retourne à Jonquière.

— Je n'y manquerai pas. Il reste des crêpes au cas où ça t'intéresserait. Elles sont dans le four.

— Merci, tatie ! Je me dépêche de manger, je saute dans la douche et je t'emmène chez Françoise.

— Il n'y a pas de presse, je viens juste de coucher Émile pour sa sieste.

***

La vie de Thierry se résume à son travail depuis qu'il a mis les pieds dans le bureau du Dr Laberge. Il quitte la maison avant que le soleil se lève et revient bien après son coucher. Alors que son patron lui avait promis de lui laisser au moins ses dimanches, il n'en a pas pris un seul à ce jour et il ne voit pas l'heure où il pourra s'en permettre un non plus. Le Dr Laberge est victime de sa bonne réputation pour traiter les cas difficiles. Les patients affluent de partout pour venir le consulter. Thierry adore travailler avec lui et jamais il ne se plaint. Il connaît plusieurs étudiants en médecine qui seraient prêts à tout pour occuper sa place et pour cause. Il apprend plus en une seule journée qu'en une semaine complète de cours pratiques à l'université. Ici, il n'y a aucun mannequin. Tout est vrai : les gens autant que leurs maladies. Il savait à quoi s'attendre, mais malgré cela il a encore du mal à prendre le rythme. Heureusement que sa mère est là parce qu'il maigrirait à vue d'œil. Elle lui laisse toujours de quoi collationner quand il rentre et lui prépare ses repas du lendemain. Il a pris l'habitude de la remercier par l'entremise du tableau noir de son petit frère Daniel qu'il prend soin de placer bien en vue. C'est ainsi qu'il griffonne quelques mots pour sa bienfaitrice tous les matins avant de partir pour l'hôpital et elle fait de même avant d'aller se coucher quand elle a une question à lui poser.

Parlant d'écrire, il n'a pas encore répondu à Martine et si ça continue ainsi elle aura le temps de revenir chez elle pour les vacances d'été avant qu'il commence sa lettre. Il pourrait prendre quelques minutes pour l'appeler, sauf que rien ne l'autorise à la déranger pendant ses cours. Probablement même que les religieuses se feraient un malin plaisir de lui rappeler qu'il ne fait pas partie de sa famille. À moins que ce soit elle qui l'appelle à l'hôpital et, pour ce faire, il suffirait qu'il l'avise. Il se relève, sort son bloc-notes et écrit ce qui suit :

Salut Martine,

Je travaille tout le temps. Appelle-moi à l'hôpital de jour ou de soir.

À bientôt !

Thierry

Il plie sa feuille en trois, l'insère dans une enveloppe et la met sur sa table de chevet. Demain, il laissera un mot à sa mère pour qu'elle écrive l'adresse du pensionnat dessus, la timbre et la poste pour lui. Il se recouche et le visage de Josée lui apparaît dans toute sa splendeur. Il l'avait avertie qu'elle ne le verrait pas beaucoup, mais là c'est pire que pire. Il va dormir chez elle le vendredi et le samedi, sauf qu'il est tellement claqué qu'il dort comme une bûche jusqu'à ce que le réveil le tire brusquement de son sommeil. Il la trouve bonne d'endurer cette situation. Ils n'ont pas fait l'amour très souvent depuis qu'il a commencé à travailler à l'hôpital et, fatigue oblige, c'est loin d'être aussi chaud qu'avant. Il ne sait plus où donner de la tête et, à en croire le Dr Laberge, sa vie risque de ressembler à ça. Il n'est pas contre l'idée de travailler, au contraire. Par contre, il a besoin de faire autre chose de temps en temps comme de s'occuper de sa blonde, par exemple, ou de sa famille. La dernière fois qu'il a croisé le Dr Thibault à l'hôpital, il lui a demandé comment il s'y prenait pour avoir une vie presque normale. Pascal a éclaté de rire :

— Pas si normale que ça, mais bon…, lui a-t-il répondu. C'est simple, je refuse tout projet avec le Dr Laberge. Sérieusement, fais très attention à cet homme, il va te tuer à l'ouvrage si tu le laisses faire. C'est une machine et il ne vit que pour la médecine. À ta place, je mettrais mon pied à terre et je l'informerais que je ne travaille plus la fin de semaine. Il va bougonner sur le coup, mais tu n'auras qu'à te boucher les oreilles. Tu es bien trop jeune pour passer ta vie à l'hôpital et c'est la meilleure façon de te retrouver seul ! Crois-en mon expérience, les patients préfèrent attendre deux jours pour voir leur docteur s'il prend le temps de les écouter et de les réconforter au besoin lorsqu'il les reçoit. On ne traite pas seulement des corps, on traite aussi les gens qui les habitent. Si je peux me permettre un conseil, profite de ton été autant que tu peux. Ta deuxième année de médecine va te demander deux fois plus de travail que ta première. Et n'oublie surtout pas de me réserver quelques jours pour aller pêcher et n'attends pas qu'il fasse trop chaud.

Le Dr Thibault est devenu son modèle à la seconde où il l'a assisté à sa clinique du samedi. Autant sur le plan professionnel que personnel. Il travaille beaucoup, mais il trouve toujours le moyen de passer du temps en famille, de faire de la moto, d'aller à la pêche. En un mot, il a une vie. Thierry va suivre son conseil : il avisera le Dr Laberge qu'il ne viendra plus travailler les fins de semaine. Il se sent un peu mal de lui imposer son horaire. En même temps, s'il ne le fait pas, il reprendra ses cours sans avoir rien vu d'autre que les murs verts de l'hôpital de Chicoutimi. D'ailleurs, il se demande bien pourquoi tout est vert. Il lui parlera demain avant de recevoir leur premier patient. Il remonte le drap jusque sous son menton et se tourne sur le côté dans l'espoir de trouver le sommeil. Cette fois, c'est le visage de Christine dans toute sa splendeur qui s'impose à lui. Il sourit. Son soi-disant chagrin d'amour a fondu comme neige au soleil sans qu'il s'en rende vraiment compte. Leur histoire n'allait nulle part et pas seulement parce qu'elle ne voulait pas se donner à lui. Il lui arrive encore d'avoir une pensée pour elle, sans plus. Il aime croire qu'il ne court plus aucun risque de succomber encore à son charme. Pour ce qui est de retrouver sa meilleure amie un jour, il garde peu d'espoir. Il ferme les yeux et part pour le pays des rêves dans la seconde qui suit.

19

Sonia n'a pas eu une seule minute pour raconter à son père ce qui vient de lui arriver. Elle comptait se reprendre quand il la ramènerait chez elle, mais il a supplié Françoise d'y aller à sa place. Il tenait absolument à finir de monter le lit de Rachel. Il faut dire qu'ils sont rentrés à Québec avec presque trois heures de retard. Il y avait un gros accident à quelques milles de l'Étape. Bilan : un mort, quatre blessés, une maman orignal et son bébé que les gardes ont dû achever sur place et deux autos plutôt abîmées. Vu que Rachel avait appelé pour aviser qu'ils quittaient Chicoutimi, Françoise et Sonia se mouraient d'inquiétude. Histoire de rattraper le temps perdu, ils ont même mangé en travaillant. Ils étaient pressés de vider le camion pour libérer les déménageurs avant que la facture devienne trop indigeste. Elle a fini par dire à son père qu'elle devait absolument lui parler de quelque chose d'important avant qu'il quitte Québec. Pour une fois, elle aurait aimé que Françoise s'échappe devant lui.

Elle sursaute quand elle entend claquer la porte d'entrée de l'étude de Jérôme. Il lui fait le coup à chaque arrivée et départ comme s'il voulait l'avertir qu'il est là. Elle se retient d'aller lui dire de calmer ses ardeurs, Émile se réveille en larmes une fois sur deux, ce qui commence à l'énerver passablement. Elle irait lui dire sa façon de penser, sauf que moins elle le voit, mieux elle se porte et ça ne risque pas de changer de sitôt. Ses nombreux mensonges lui donnent la nausée et ce n'est pas une figure de style. Elle lui en veut de l'avoir prise pour une imbécile. Elle l'entend encore la plaindre d'avoir eu à subir les effets de la maladie de Mario. Elle se demande bien ce que Mario va inventer quand il saura qu'elle a demandé le divorce. Si seulement elle pouvait disparaître suffisamment loin pour qu'il ne la retrouve pas. Elle désespère qu'il comprenne un jour que tout ce qui le concerne n'a plus aucun intérêt pour elle. Ce qui l'étonne le plus, c'est qu'elle n'a reçu ni coup de fil ni visite surprise de la part de Marguerite. Sa belle-mère voue un amour inconditionnel à son fils et ça ne lui ressemble pas du tout de n'avoir encore rien tenté pour le défendre. Tout aussi surprenant qu'elle n'ait pas donné signe de vie pour venir chercher Émile alors qu'elle a l'habitude de le prendre un après-midi par semaine. Quel gâchis que son mariage avec Jérôme ! Si seulement Simone était là… Que lui dirait-elle ? Qu'elle n'est pas douée pour le bonheur ! Qu'il aurait mieux valu élever son fils seule plutôt que de se marier sur un coup de tête ! Qu'elle ne sait pas ce qu'elle veut ! Sonia commence à voir rouge. La connaissant, sa sœur ne l'aurait pas ménagée. Sous le coup de l'émotion, Sonia lance son torchon à vaisselle sur le comptoir, court chercher de quoi écrire et s'assoit à la table.

Chère Simone,

Je t'écrirais volontiers que tu me manques, mais pour cela il faudrait que tu t'intéresses encore à moi. Dans ma grande bonté, je vais même te fournir une raison supplémentaire de m'abandonner parce que c'est ce que tu as trouvé de mieux à faire depuis que j'ai quitté Chicoutimi. Je divorce. Tu avais raison, je me suis trompée sur toute la ligne. Jérôme n'est pas l'homme que je croyais. En plus d'aimer Mario plus que moi, il accepte sans aucun scrupule des pots-de-vin de sa famille. Pire, mon valeureux futur ex-mari ne se gêne pas pour utiliser l'information privilégiée dont il dispose pour s'enrichir et c'est sans compter qu'il me mentait comme un arracheur de dents. Difficile de trouver mieux quand une femme veut être certaine de se planter. Mission accomplie ! Je n'ai rien vu venir, mais j'imagine que tu le savais déjà. Au cas où ça t'intéresserait, je ne suis ni roulée en boule ni à court de larmes depuis que Françoise a découvert le pot aux roses. Heureusement que je l'ai !

J'ai pleuré tout mon soûl sur son épaule le jour où elle m'a présenté la vraie nature de Jérôme et ça s'est arrêté là. J'ai beaucoup mieux à faire, je dois me bâtir une nouvelle vie et mon fils a besoin de sa mère. Tu comprendras que j'ai dû me séparer de ma bonne, je n'ai pas les moyens de m'offrir ses services. Réalises-tu seulement la chance que tu as d'avoir Pascal ?

Sonia se relit à voix haute. Elle reconnaît ne pas y être allée avec le dos de la cuillère, mais elle ne changera rien pour autant. Il ne tient qu'à Simone de choisir sa réaction parce que, pour sa part, elle a fini de la ménager. Pourquoi le ferait-elle ?

J'espère malgré tout que tu prends du mieux et que tu reviendras en forme auprès de ta famille.

Sonia

Elle plie sa lettre en trois, la glisse dans une enveloppe et appelle Charles pour avoir l'adresse de Maggie. Elle commence par lui demander des nouvelles des filles.

— Si j'osais, je vous dirais que je les trouve plus faciles que lorsque leur mère était là et, malgré le départ de Rachel, elles sont plus joyeuses que jamais. Il faut dire que Marie, la mère de Thierry, a fait des miracles le jour du déménagement. Je ne vous mens pas, les trois filles ne jurent que par elle, et la présence d'Alice fait le reste. J'ai eu ouï dire qu'elle n'a pas toujours été d'aussi agréable compagnie, mais j'avoue avoir du mal à le croire. J'adore cette femme !

— Moi aussi, sauf qu'il fut un temps où elle prenait tout le monde de haut et faisait la loi partout où elle passait. Simone l'a remise à sa place de manière brutale pas seulement une fois et elle revenait à la charge comme s'il ne s'était rien passé. Elle était loin d'être reposante !

— Je serais curieux de savoir pourquoi elle a tant changé…

— Parce qu'elle était au pied du mur. Ou elle modifiait son attitude, ou elle se retrouvait complètement isolée. Pour ma part, je l'ai toujours trouvée très drôle même avant quand elle était imbuvable parce que, croyez-moi, elle n'avait pas son pareil. Ou elle vous aimait, ou elle saisissait toutes les occasions de vous prendre en défaut. Heureusement pour moi, je n'ai jamais compté au nombre de ses victimes. C'est de loin la femme la plus surprenante qu'il m'a été donné de rencontrer. Chère Alice ! La prochaine fois que je vous verrai, je vous raconterai la fois où elle a sorti le nouveau prétendant de Christine de la maison ou encore… Non ! Je vous réserve la surprise ! Il serait temps de vous dire pourquoi je vous ai appelé. Je voudrais l'adresse de Maggie.

— Vous ne pouviez pas mieux tomber, je viens justement de l'écrire sur l'enveloppe de dessins que les filles ont faits pour leur mère. Avez-vous de quoi noter ?

— Bien sûr.

Sonia lui répète ce qu'elle vient d'inscrire sur son enveloppe, le remercie et raccroche au moment où Émile la réclame à grands cris. Il hurle tellement fort qu'elle se retrouve face à face avec Françoise.

— Misère que vous m'avez fait peur ! lance-t-elle en mettant la main sur sa poitrine.

— J'ai frappé, mais comme j'entendais hurler Émile de dehors, je me suis autorisée à entrer. Je suis vraiment désolée !

— Arrêtez de vous en faire avec ça et suivez-moi. On va aller chercher Émile avant qu'il ouvre la maison en deux.

— Ou que son père débarque ici. Dites-moi que vous avez fait changer vos serrures !

— Pourquoi ?

Françoise réfléchit pendant quelques secondes avant de lui répondre. Il vaut mieux choisir ses mots si elle ne veut pas se faire retourner comme une crêpe.

— Parce que c'est la première chose que j'aurais faite. Je demanderai à Charles de venir s'en occuper quand il viendra en fin de semaine.

— Bizarre ! s'écrie Sonia d'une voix forte pour couvrir les pleurs de son fils qui redoublent d'ardeur à mesure qu'elles approchent de sa chambre. Je l'ai eu au téléphone tantôt et il ne m'en a pas soufflé mot.

— C'est justement pour vous en parler que je suis ici. Allons vite délivrer Émile avant qu'il devienne aphone et je vous raconterai tout ce qui m'arrive.

Le petit garçon arrête net de pleurer dès qu'il les aperçoit. Il tend d'abord les bras à sa mère puis à Françoise. Encore à sa mère et…

— Dépêchez-vous de le prendre avant qu'il attrape un torticolis, lance Sonia en riant.

Françoise s'approche sans se faire prier et l'enfant lui saute dans les bras. Elle le bécote dans le cou, ce qui le fait rire aux éclats. Sonia les observe et réalise une fois de plus que sa vie ne sera plus jamais la même sans sa « bonne bonne ». Quant à son passage dans la vie de ceux qui ont les moyens de payer entre autres pour se faire servir, il aura duré juste assez longtemps pour lui montrer tout ce qu'elle perd. Elle n'a jamais été du genre à s'attacher aux biens de la terre et ça ne risque pas de changer demain non plus. Seulement, elle ignore ce que la vie lui réserve et ça l'insécurise plus qu'elle le souhaiterait.

— Est-ce que je peux le changer de couche ? lui demande Françoise au bout d'un moment.

— Aussi souvent que vous voulez. Avez-vous eu des nouvelles de Marguerite ?

— Non et ça ne m'étonne pas du tout. Comme vous le savez, elle voue une admiration sans bornes à Jérôme et j'ai soufflé pas mal fort sur son château de cartes. Entre vous et moi, j'ai du mal à comprendre les parents qui refusent de reconnaître les travers de leurs enfants.

— N'essayez même pas de me convaincre que mon fils n'est pas parfait ! blague Sonia.

Les deux femmes pouffent de rire. Ces moments leur manqueront, à toutes les deux.

— Dépêchez-vous de lui remettre son pantalon, l'intime Sonia. J'ai trop hâte de savoir pourquoi Charles vient à Québec. Ce que je suis bête ! Est-ce que par hasard il viendrait pour vous ?

Françoise prend aussitôt des couleurs, couleurs qui ne passent pas inaperçues.

— Commencez par lire sa lettre.

— Hors de question !

— Puisque je vous y autorise… Je vais en profiter pour faire chauffer de l'eau. Thé ou café ?

— Hum… café. J'en ai acheté un pot hier.

— Vous lisez dans mes pensées, ajoute Françoise en lui pressant le bras. Est-ce que je vous ai dit que vous alliez me manquer ?

— Vous me manquez déjà !

Sonia s'assoit à la table et commence sa lecture. La lettre écrite de la main de Charles est courte et touchante. La vie vient lui rappeler une fois de plus qu'elle est capable du meilleur comme du pire. Alors qu'elle vient de perdre son emploi, Françoise se fait offrir l'amour sur un plateau d'argent.

— Wow ! Maintenant, dites-moi comment vous réagissez à sa déclaration d'amour.

— Honnêtement, j'ai du mal à croire qu'un homme comme lui s'intéresse à moi. Il m'a plu à la seconde où j'ai posé les yeux sur lui, mais jamais je n'aurais cru que ça pouvait être réciproque. Encore moins qu'Alice le pousserait à dévoiler son jeu. Cette femme ne cessera jamais de me surprendre.

— Je suis vraiment très contente pour vous.

La seconde d'après, l'inquiétude se lit sur le visage de Sonia.

— Allez-vous retourner vivre à Chicoutimi ?

— Aucune chance ! Ma vie est ici maintenant et Charles le sait.

Sonia se passe la main sur le menton. Tout porte à croire que le bonheur de Françoise placera Simone devant le départ de son majordome. Encore un départ en vue ! Décidément, la vie s'acharne sur elle !

— C'est une excellente nouvelle pour moi et une très mauvaise pour ma sœur.

— Vous voyez beaucoup trop loin. On ne s'est même pas encore assis face à face.

— À voir la flamme qui brille dans vos yeux depuis que vous m'avez demandé de lire sa lettre, je ne serais pas surprise que ça finisse à l'église.

— Je m'interdis d'y penser pour le moment ! Ce qui m'arrive dépasse l'entendement, et à voir le nombre de fois que je me pince dans une journée pour m'assurer que je ne rêve pas, aucun doute que j'aurai les bras bleus samedi.

— Vous n'aurez qu'à porter des manches longues !

* * *

Martine ne se possède plus. Paul lui a écrit. Sa lettre est tellement touchante qu'elle la savait par cœur après deux lectures seulement. Elle n'ira pas jusqu'à prétendre qu'il s'agit d'une déclaration d'amour. Il aurait déjà fallu qu'ils s'adressent la parole au moins une fois, ce qui n'est jamais arrivé. Elle le voyait de loin quand elle allait marcher avec Thierry et le chien de son père et il lui envoyait parfois la main de la fenêtre de la cuisine. Elle ignorait totalement qu'il avait un œil sur elle et, en ce qui la concerne, elle ne peut pas dire grand-chose si ce n'est qu'elle est flattée par son geste. Elle lui a répondu le jour même et a utilisé un ton tout aussi amical et direct que le sien. Elle a pris soin de souligner son audace et lui a confirmé qu'elle le rencontrerait avec plaisir dès son retour à la maison. Reste maintenant à espérer qu'il est aussi gentil que son frère. Et aussi beau ! Il y a longtemps qu'elle a fait une croix sur Thierry, mais ça n'a pas changé pour autant le fait qu'elle le voie encore dans sa soupe. Elle n'y peut rien, il représente l'image parfaite de l'homme au bras de qui elle voudrait se montrer.

Le lendemain, elle a reçu sa plus courte lettre à vie. Elle a ri en la lisant et elle rit encore en y pensant. Du Thierry tout craché ! Si elle comprend qu'il travaille beaucoup, elle déplore qu'il ne se donne pas la peine de lui écrire. N'est-elle pas son amie ? Elle n'exige pas un roman, seulement quelques nouvelles qu'elle pourrait relire quand elle a le vague à l'âme. Rien ne l'oblige à rédiger sa missive d'un seul trait. Il pourrait très bien échelonner le travail sur plusieurs jours, s'il le souhaitait. Elle lui en a glissé un mot tout à l'heure quand elle l'a eu au bout du fil. Il l'a écoutée poliment sans toutefois lui promettre de se convertir au papier. Elle lui a demandé s'il pensait encore à Christine et elle a poussé un soupir de soulagement quand il lui a répondu que c'était chose du passé. Cette fois, elle l'a cru. Sa sœur ne méritait pas autant d'attention de sa part. Il lui a parlé de Josée et elle de Paul. Thierry lui a confirmé que c'était un bon parti, ce qui l'a fait rire aux éclats. Elle lui a dit qu'il parlait comme un vieux. Et voilà que les cris stridents d'un patient ont mis abruptement fin à leur conversation dans la seconde qui a suivi.

Elle trouve l'année scolaire interminable, comme toutes les précédentes, d'ailleurs. Si la période de révision s'avère nécessaire pour la plupart des élèves, c'est un vrai supplice pour elle de devoir remâcher ce qu'elle sait depuis la première fois qu'elle l'a lu ou même entendu de la bouche de sa maîtresse. Histoire de passer le temps pendant les trop nombreuses périodes d'études à l'horaire, elle s'est mise à écrire de la poésie. C'est nouveau pour elle. Bien que ce ne soit pas son style de lecture préféré, elle aime essayer d'inventer des histoires bien ramassées. Elle procède toujours de la même manière. Elle choisit un thème et il lui sert de base. Le dernier poème qu'elle a écrit s'intitule *La valse des masques*. C'est sa grand-mère Alice qui le lui a inspiré. Pas celle d'aujourd'hui, celle d'avant.

À petits pas, elle revient vers moi
Regardez-la, elle me tend les doigts
Les yeux mi-clos, fourrure et chapeau
Image et photo

À voir ses yeux, son air si mielleux
Si religieux, si mystérieux
Les lèvres cirées, prêtes à éclater
Quand finira-t-elle de jouer ?

Tous sont déguisés pour le bal masqué
Trop empesés, trop bien habillés
Parfum et Cologne au rendez-vous

En un clin d'œil, il me tend les bras
Regardez-le, il joue comme un roi
Un pantalon gris, une queue-de-pie
Portrait défraîchi

À voir ses yeux, son air si fripon
Noir ceinturon et nœud papillon
Le cou parfumé, finement rasé
Quand finira-t-il de jouer ?

Un pas de deux et on y croirait
Regardez-les, ils n'ont rien de vrai
Une fausseté, magie et beauté
Quand finiront-ils de jouer ?

Une histoire
Où le vice accompagne la vertu
Cette histoire
Si présente, on l'a tous vécue

Chacun son tour
On s'raconte nos histoires
Ces histoires qu'on s'invente
Et puis, un beau jour
On s'arrête, on s'éveille

Elle compte le lui faire lire la prochaine fois qu'elle la verra. Elle l'avait joint à sa dernière lettre, mais elle l'a retiré au moment de coller le rabat de son enveloppe. Elle ne veut surtout pas l'offenser, et encore moins lui faire de la peine. Et puis, selon elle, il est préférable de préparer les gens avant de leur faire lire un poème. Il n'y a rien comme une bonne mise en contexte pour apprécier ce qu'on lit. Elle pense sérieusement à ajouter un court texte avant chacun des siens. Elle regarde l'heure et en prend un au hasard. Si seulement sa mère était là, elle pourrait les lui faire lire et lui demander ce qu'elle en pense. Sans être une spécialiste, Simone a toujours eu un faible pour la poésie. Martine pense souvent à elle. Le simple fait de savoir qu'elle n'est pas à la maison l'attriste. Elle comprend que son père a sauté sur l'occasion de l'envoyer se faire soigner. Avec sa tête, tout se passe bien. Avec son cœur, c'est une autre paire de manches. Il lui arrive trop souvent à son goût d'avoir du mal à accepter la réalité. Sa mère vit à l'autre bout du monde et ça l'insécurise de ne pas y avoir accès dans la seconde. Il est vrai qu'elle ne l'a pas appelée une seule fois depuis le début des classes et il est probable qu'elle ne l'aurait pas fait non plus avant la fin. C'est juste qu'elle la trouve trop loin de sa famille.

Bien trop loin! La nuit dernière, elle s'est réveillée en sursaut. Sa mère avait décidé de rester en Belgique. Triste à mourir, elle a fixé le plafond jusqu'à ce que ce soit l'heure de se lever.

Elle a longuement réfléchi à son avenir, ces derniers temps. D'abord, elle n'aura pas d'enfants. Elle les aime bien, mais pas suffisamment pour leur consacrer sa vie. Elle ne se mariera pas non plus. Elle se contentera de prendre un amant ou deux quand elle se sentira trop seule. Ensuite, elle fera de longues études. En droit ou en sciences politiques. Elle étudiera dans les plus grandes universités, en Europe ou aux États-Unis. Elle veut laisser sa trace et, pour ce faire, elle endossera la cause des femmes. La Seconde Guerre mondiale les a sorties de leur cuisine et l'Expo 67 leur a fait goûter aux multiples avantages de la liberté. On assiste depuis à une révolution tout sauf tranquille sur les plans professionnel, religieux, relationnel, sexuel… Tout le monde n'a plus que le mot modernité à la bouche. Martine se félicite quotidiennement d'avoir offert à la sœur supérieure, à son arrivée, d'éplucher les journaux tous les jours pour y dénicher les articles qui traitent de religion. Elle n'aurait pas supporté d'être coupée complètement du reste du monde. Pendant que ses jours s'écoulent paisiblement entre quatre murs de pierre grise, dehors des femmes demandent le divorce alors que d'autres manifestent pour faire reconnaître leur droit à l'avortement. Leur vie ne sera plus jamais pareille et elle veut faire partie de tous les changements à venir. Si seulement elle pouvait changer de place avec Christine, elle pourrait déjà apporter sa contribution. Le nez en l'air et l'index sous le menton, elle réfléchit à ce qui l'attend et sourit bêtement. La cloche annonçant la fin de la période d'études la fait sursauter. Elle range ses affaires dans son sac et sort de la salle après avoir salué la religieuse qui les surveillait.

***

Ce n'est qu'une fois sur le bord du lac que Thierry commence à sentir le poids de la culpabilité: il devrait être à l'hôpital à l'heure qu'il est. Pas en train de se demander quelle mouche choisir pour pêcher le plus gros poisson à vie.

— J'espère seulement qu'il ne m'en voudra pas de l'avoir abandonné trois jours, lance Thierry.

— Oublie le Dr Laberge ou je te ramène en ville sur-le-champ. La seule personne à qui il pourrait s'en prendre, c'est moi, et je te garantis qu'il ne le fera pas. Tu es aussi bien de t'habituer parce que j'ai l'intention de te libérer de ton bourreau plusieurs fois cet été. J'ai besoin de vacances et toi aussi.

— Merci, monsieur Thibault.

— Si tu m'appelais Pascal pour changer…

— Je veux bien essayer.

— Il faudra aussi me tutoyer.

Pascal fouille à son tour dans le coffre. Ces moments en pleine nature lui sont très précieux et encore plus depuis le départ de Simone. Il en a drôlement besoin pour conserver son équilibre. Il aurait pu prendre ce temps avec ses filles, mais il n'aurait pas été à la hauteur. Il aurait aussi pu aller voir Martine, ne serait-ce que pour la tenir au courant, mais il ne s'en sent pas la force. Il est fatigué de répéter toujours la même chose et de se demander s'il a manqué de jugement en entraînant sa femme dans cette folle aventure dont il ignore totalement l'issue. Il se sent dépassé par les événements et ça le tue à petit feu. Aussitôt qu'il s'arrête un instant, les pensées affluent dans sa tête et toutes convergent vers Simone. Elle lui manque terriblement et il ne sait plus à quel saint se vouer pour la sortir de là. Un seul coup de fil à Maggie suffirait pour qu'elle la ramène. De ce mal qui influence son humeur de manière insidieuse pour tout et pour rien et qui laisse des bleus sur leurs filles au passage. Et sur lui aussi!

— Pascal! s'exclame Thierry d'une voix forte pour la troisième fois sans parvenir à attirer son attention.

Il s'approche, met la main sur son épaule et lui dit doucement:

— Monsieur Thibault!

Pascal revient immédiatement à la réalité et le regarde d'un drôle d'air.

— Il me semblait t'avoir dit de…

— De t'appeler par ton prénom. Je l'ai fait à trois reprises, mais tu n'as pas bronché. Je me sens tellement impoli que ça me donne des chaleurs.

— Tu vas t'habituer.

— Je voulais te dire que ça devrait mordre. J'ai vu au moins une dizaine de truites sauter juste devant moi.

Sa remarque fait rire Pascal. Thierry voit sauter des poissons partout depuis la première fois qu'il l'a emmené à la pêche avec lui. Inutile d'ajouter qu'il en prend pas mal moins.

— Je propose qu'on jette nos lignes à l'eau quelques fois sur le bord avant d'aller sur le lac.

— Comme tu veux, confirme Pascal sur un ton amusé. Le temps d'accrocher ma mouche et je te rejoins.

Thierry avance jusqu'à l'eau et examine la place. Il hésite entre aller s'installer sur le quai auquel est amarrée une chaloupe d'aluminium et sauter sur la roche qui est juste à côté. À vue d'œil, elle lui semble suffisamment grande pour qu'il puisse s'y tenir debout sans risquer de tomber à l'eau au premier coup de vent ou à la première touche d'une des truites qu'il a vues sauter. C'est décidé. Il marche d'un bon pas jusqu'au quai, calcule mentalement ses chances d'atterrir sur la roche sans se donner la peine de s'y faire laisser en chaloupe et saute dessus sans plus de réflexion.

Seul le cri plaintif du huard vient atténuer le cri strident qui accompagne sa chute dans le lac lorsqu'il glisse sur la roche après l'avoir seulement effleurée. Une fraction de seconde suffit pour qu'il disparaisse de la surface. Alerté par le bruit et par une pluie de gouttelettes d'eau glacée, Pascal lâche sa canne à pêche, marche jusqu'au bord et prie pour que Thierry remonte à la surface. Un autre pêcheur vient le rejoindre en courant.

— Préparez-vous à aller le chercher, annonce-t-il sans détour. L'eau est froide et c'est aussi profond qu'au milieu du lac. Est-ce que votre fils sait nager ?

Pascal enlève son manteau et ses bottes de pêche. Il monte sur le quai et fixe la surface de l'eau pendant quelques secondes.

— Vous feriez mieux de sauter avant qu'il se noie.

Il plonge la tête la première sans hésiter et cherche Thierry jusqu'à ce qu'il le voie se débattre pour remonter à la surface. Il descend, l'agrippe par un bras et l'entraîne avec lui vers le haut. À l'instant où il a la tête hors de l'eau, son protégé se débat pour retrouver son souffle.

— Pas question que je te lâche, lui dit Pascal d'une voix brisée à la fois par l'émotion et par le froid qui commence à le gagner. Respire normalement, tu es hors de danger.

— Approchez-vous vite du quai, dit le pêcheur, je vais vous aider à sortir de l'eau avant que vous attrapiez votre coup de mort.

Pascal fend l'eau de son bras libre et se retrouve très vite devant lui. L'homme attrape Thierry et le hisse sur le quai sans trop d'efforts. Deux autres hommes venus à la rescousse le recouvrent aussitôt de couvertures de laine et le frottent pour activer sa circulation.

— À votre tour, maintenant ! Donnez-moi la main ! Votre fils est en sécurité, celui de gauche est ambulancier.

À bout de forces, Pascal se laisse aider sans offrir de résistance. Aussitôt sur le quai, il s'étend de tout son long à proximité de Thierry. L'ambulancier jette un sac de couchage sur lui afin de le réchauffer.

— Occupez-vous de Thierry à la place.

— Il est en bonnes mains. Je m'appelle Pierre, et vous ?

— Pascal ! Je peux très bien m'en sortir tout seul.

— Laissez-moi faire mon travail. Je vous rappelle que vous venez de prendre un bain d'eau glacée et que votre corps a besoin d'aide pour retrouver sa température normale au plus vite. Patrick est allé chercher des vêtements secs à notre chalet. Il sera de retour dans moins de cinq minutes.

— Comment va-t-il ? demande Pascal.

— En pleine forme, répond Thierry d'une voix tremblotante. J'avais oublié de te dire que j'avais envie de me baigner tout habillé.

— Ne me fais plus jamais le coup ! l'intime Pascal en le poussant sans ménagement.

20

La pilule que Simone avale matin et soir la met dans un état second. Elle jurerait que son cerveau a perdu sa vitesse de croisière. Elle met deux fois plus de temps à saisir le sens des mots qu'elle entend et doit constamment prendre appui sur les meubles quand elle se déplace dans la maison de Maggie pour ne pas perdre pied. Et ça vaut encore plus lorsqu'elle doit monter à l'étage et vice versa. Hier, elle a fait part de ses symptômes au docteur. Très difficilement ! Elle se sent en permanence comme si elle avait bu trop d'alcool et ça commence à l'énerver drôlement. Quant à ses humeurs, elle n'ose pas s'avancer. Ici, les occasions de s'emporter sont rares, voire inexistantes. Elle passe ses journées seule et se retire dans sa chambre tout de suite après le souper afin de ne pas abuser de la générosité de ses hôtes.

Hedwig l'a invitée à aller passer quelques jours chez elle. Devant son hésitation, son amie lui a dit qu'elle viendrait la chercher et qu'elle la ramènerait le moment venu. Sans l'intervention de Maggie, qui a cru bien faire, Simone ne lui aurait pas donné signe de vie. Elle déteste se présenter devant ses amis dans cet état. Elle sait d'avance qu'elle ne sera pas à la hauteur et ça l'embarrasse au plus haut point. Parviendra-t-elle seulement à tenir une conversation digne de ce nom ? Elle connaît déjà la réponse. Elle cherchera ses mots et finira par se décourager. Heureusement pour elle, le mari d'Hedwig ne sera pas là. Son amie doit passer la prendre la semaine prochaine.

Simone pense souvent à Pascal et au grand vide que son absence a laissé en elle à la seconde où elle est sortie de son bureau. Il lui manque cruellement. Il a voulu bien faire en l'envoyant en Belgique, il ne supportait pas son incapacité à la sortir de là, mais elle aurait apprécié qu'il lui demande son avis avant. Il était prêt à tout pour qu'elle guérisse de son mal de vivre, même à l'éloigner de lui. Il l'appelle au moins deux fois par semaine et lui donne des nouvelles des filles. Elle s'inquiète pour Christine. Sa grande a de drôles d'idées depuis qu'elle les a convaincus de prendre une année de congé d'études. En fait, Simone ne la reconnaît plus. Elle qui était si douce, voilà qu'elle agit sous le coup de l'émotion. Il a suffi de la fin de son idylle avec Thierry pour qu'elle veuille partir seule sur le pouce pour l'Ouest canadien. En réalité, qu'elle passe l'été chez Sonia est ce qui pouvait lui arriver de mieux. Seul hic, il y a beaucoup plus de beaux garçons à Québec qu'à Chicoutimi. Par contre, à moins d'être frappée par la foudre, Christine ne craint pas grand-chose de leur part. Tout au plus quelques paroles désobligeantes pour les avoir allumés et les avoir remis à leur place dans la seconde qui suit à cause de sa croyance du siècle dernier. Elle s'ennuie de Martine. Depuis qu'elle est pensionnaire, Simone n'a plus personne avec qui échanger sur le livre qu'elle vient de finir et encore moins sur l'actualité du jour ou sur la dernière exposition présentée à la galerie d'art. Sa fille est dotée d'un esprit d'analyse rare et d'un excellent jugement malgré son jeune âge. Aucun doute, elle ira loin. Elle est si brillante qu'elle pourra choisir le métier qu'elle veut. Alors que Pascal prétend qu'elle ferait un excellent chirurgien, Simone l'imagine très facilement le nez dans ses livres de loi jusqu'à ce qu'elle trouve la faille qui lui permettra d'épargner la prison à son client. À la condition qu'elle ne le croie pas coupable, il va sans dire ! Elle adorerait entendre Chantale et Brigitte se crêper le chignon et même sursauter parce que la tour érigée par Catou s'effondre pour la millième fois. Elle s'ennuie de son monde.

Il lui arrive de penser à Sonia. Il n'y avait que sa sœur pour encaisser tous les coups bas qu'elle lui a portés. Autant elles ont été proches, autant Simone a tout fait pour s'en éloigner. Aujourd'hui, un océan les sépare, parce qu'elle a entrepris de la mettre de côté même lorsqu'elles étaient dans la même pièce. Elle s'est contentée de penser à l'appeler avant de prendre l'avion. Elle l'a perdue comme elle a perdu sa mère.

— Simone ? crie Maggie aussitôt qu'elle met les pieds dans la maison.

Au lieu de répondre, elle tape sur le mur comme elle a l'habitude de faire depuis quelques jours.

— Je trouve que tu as meilleure mine que ce matin, lance-t-elle en lui souriant. Prends ton manteau, je t'invite au restaurant. J'ai quelque chose à fêter, mais je ne te dirai rien avant qu'on soit attablées devant une bonne bouteille de rouge.

— Interdiction de boire, articule-t-elle avec difficulté.

— Pas ce soir ! Viens !

***

Chantale n'a pas progressé d'un pouce dans son tressage de guenilles depuis qu'elle est arrivée. Alors qu'elle a l'habitude de babiller tout le temps, elle s'est contentée de répondre aux questions de Marie de manière très succincte, parfois par un simple signe de tête.

— Est-ce qu'il y a quelque chose qui ne va pas ? lui demande d'une voix douce celle qui a remplacé Rachel.

— Non, répond Chantale après quelques secondes d'hésitation. Tout va très bien.

Marie pousse ses ciseaux et le vieux manteau de drap bleu ciel qu'elle est en train de tailler en bandes et lui met la main sur le bras.

— J'aimerais t'aider, mais pour cela il faudrait que tu me racontes ce qui se passe.

Chantale hausse les épaules et expire le plus fort qu'elle peut. Depuis son réveil qu'elle se tord les méninges avec ça et elle ne sait toujours pas quoi faire. Elle soupire de nouveau, regarde Marie dans les yeux et se lance :

— C'est parce que je ne sais pas comment vous appeler, avoue-t-elle d'un air gêné. Vous êtes trop jeune pour que je vous appelle grand-maman, trop vieille pour que je vous appelle par votre prénom et je ne veux pas vous appeler madame. Le mieux serait que je vous appelle maman, mais j'en ai déjà une.

— Mais pauvre chouette ! ne peut s'empêcher de dire Marie en lui passant la main dans les cheveux. Tu aurais dû m'en parler avant. Que dirais-tu de tante Marie ?

Les yeux de Chantale s'illuminent d'un coup. Elle a une meilleure idée : elle pourrait faire comme Christine avec Sonia.

— Je vais vous appeler tatie Marie.

— Je trouve ça très joli !

— Est-ce que Brigitte et Catou vont pouvoir faire pareil ?

— Mais oui !

La petite fille se lève et vient se jeter dans ses bras. Elle l'embrasse ensuite sur la joue et lui dit :

— Est-ce que vos enfants vous vouvoient, tatie Marie ?

Sa question la surprend, d'autant plus que Chantale est parfaitement au courant de la situation.

— Dois-je comprendre que tu aimerais mieux me tutoyer ? lui demande Marie en se retenant de rire.

— Si ça ne vous dérange pas. Ça m'éviterait de me tromper.

— Parfait !

— Pourrais-tu dire à Brigitte que c'est toi qui me l'as demandé ? Parce que sinon elle va tout rapporter à grand-maman Alice et je risque de me faire chicaner.

Marie incline légèrement la tête de côté. Elle adore cette enfant, mais il est hors de question qu'elle se laisse entraîner dans son délire. La vérité a toujours été sa seule ligne de conduite et elle a l'intention de s'y tenir.

— Non ! tranche-t-elle d'un ton autoritaire. Chez nous, personne ne ment.

— Mais c'é...

— Il n'y a pas de mais qui tienne. Tu as été assez courageuse pour me le demander et, maintenant, tu devras l'être autant pour défendre ce que tu as fait. Si jamais Brigitte menace de bavasser, tu n'auras qu'à la laisser faire. Ce qui s'est passé entre nous ne la regarde pas.

— Et si grand-maman Alice me punit ?

— Mme Alice t'aime bien trop pour te mettre en punition parce que tu me tutoies. Je ne serais pas étonnée qu'elle te demande de faire la même chose avec elle.

— Pourquoi je ne suis pas née dans ta famille ? demande-t-elle dans un cri du cœur.

Marie lui caresse la joue. Contrairement à ses fils, les filles Thibault n'ont jamais manqué de rien sur le plan matériel. Pourtant, plus elle les côtoie, plus elle réalise qu'être élevées en partie par une bonne ou un majordome n'est pas une formule infaillible. Aussi, le fait que la santé de leur mère soit aussi imprévisible et que leur père passe plus de temps à l'hôpital qu'à la maison est forcément venu compliquer les choses. Marie ne connaît que ce que Thierry a bien voulu lui raconter sur la réalité de la famille Thibault, c'est-à-dire très peu, mais elle peut facilement s'imaginer les conséquences d'une situation aussi peu commune sur les enfants. Elle accepte volontiers de recevoir les confidences de Chantale, mais pas de mettre de l'huile sur le feu.

— Je ne suis pas certaine que tu aurais aimé ça. Avant qu'on déménage ici, on vivait dans une toute petite maison avec trois minuscules chambres. Les trois plus jeunes dormaient dans une et les deux plus vieux dans une autre.

— Est-ce que ça veut dire que Thierry dormait dans la même que Paul ?

— Dans le même lit aussi. En plus d'être minuscule, notre maison était froide comme un glaçon. On ne voyait pas dehors de tout l'hiver.

Les yeux de Chantale s'agrandissent à mesure que Marie parle. Difficile pour une enfant qui a une grande chambre juste pour elle d'imaginer que tout n'est pas pareil ailleurs.

— Ça ne se peut pas, tatie Marie, s'exclame Chantale en levant les mains à la hauteur de sa tête.

— Tu n'auras qu'à le demander aux garçons quand ils rentreront, si tu ne me crois pas. Quand il faisait trop froid, on dormait tous avec des sacs d'eau chaude dans notre lit. Il arrivait même que l'eau gèle l'hiver.

— Est-ce que tes garçons ont beaucoup de jouets ? lui demande Chantale sans se préoccuper de ce que Marie vient de dire.

— Je leur dirai de t'emmener voir leur chambre.

— Grand-papa André dit que la mienne ressemble à un magasin de jouets, ajoute-t-elle en riant. Il est drôle, mon grand-père.

Marie se souvient encore de son étonnement quand elle a fait l'inventaire du contenu de l'ancienne cuisine d'Alice. Il y avait de quoi en équiper au moins trois et la maîtresse de maison ne cuisinait pratiquement pas. Quant à celle de la famille Thibault, il lui a suffi d'un regard pour en déduire qu'elle renfermait encore plus d'articles. De là, il n'y avait qu'un pas à franchir pour imaginer tout ce que pouvaient contenir les autres pièces de la maison.

— Joues-tu avec, au moins ?

Chantale réfléchit pendant quelques secondes avant de répondre :

— Pas souvent. Je suis trop grande pour jouer à la poupée et je les déteste. Sais-tu combien j'en ai ? Vingt-trois et une qui est aussi grande que Catou. J'aime mieux tresser des tapis, patiner, grimper aux arbres… C'est plus drôle que de jouer toute seule dans ma chambre.

Marie lui sourit. Le contraire l'aurait surprise. Cette petite a besoin d'avoir du vrai monde autour d'elle, pas de passer ses journées à faire semblant.

— Tu pourrais peut-être en offrir quelques-unes à des petites filles qui n'en ont pas…

— Ma mère ne veut pas, il paraît qu'elles ont coûté très, très cher.

— Je comprends. Est-ce que je t'ai convaincue que tu étais mieux dans ta famille ?

— Mais non ! J'aimerais mieux ne pas voir dehors de l'hiver plutôt que d'avoir une maman malade.

***

Françoise ne porte plus à terre depuis que Charles lui a ouvert son cœur. Elle ignore où tout ça va la mener, mais son bonheur est trop grand pour qu'elle se laisse affecter par l'incertitude de quelque manière que ce soit. Elle sourit dès l'instant où elle ouvre les yeux et fredonne des airs à la mode sans se soucier du reste. Elle fausse toujours autant et ça ne va pas changer en un claquement de doigts. Comme elle vit seule, elle ne risque pas d'écorcher d'oreilles sensibles au passage. À moins que Rachel ne soit trop gênée pour lui dire. Françoise saute sur le téléphone. Aussi bien en avoir le cœur net…

— Est-ce que tu m'entends chanter ?

— On peut dire ça, répond Rachel le plus sérieusement du monde.

— Jusqu'à quel point tu m'entends ?

Rachel lui énumère dans l'ordre les trois dernières pièces écorchées vives :

— *Les Champs-Élysées, Si j'avais des millions* et *Bonnie and Clyde.*

— Oh ! Et je suppose que tu m'entends aussi…

— Fausser, complète Rachel sans aucune gêne. Oui, mais à tout prendre, j'aime mieux t'entendre chanter que pleurer. Et ne t'avise surtout pas d'arrêter. Tu es chez toi et tu as le droit de faire ce que tu veux. Ce ne sont pas quelques fausses notes qui vont me déranger.

— Tu n'es quand même pas obligée de faire comme si je détonnais seulement un peu alors que je chante comme une casserole. À ta place, je serais beaucoup moins tolérante. Tu sais quoi, quand j'étais jeune, ma mère m'obligeait à faire du *lip-sync*. C'était pareil à l'église. M. le curé m'avait fait croire que j'irais en enfer si je continuais à chanter plus fort que tout le monde.

— Et tu l'as cru ?

— Non seulement je l'ai cru, je suis devenue totalement silencieuse. Je mimais à la perfection, tellement que ma mère a fini par croire que je faisais exprès de fausser à la maison juste pour l'embêter. Je ne te dis pas le nombre de punitions que ça m'a valu.

— En tout cas, pour ma part, tu peux chanter aussi fort que tu veux.

— C'est gentil ! Tu me fais penser que je n'ai jamais eu la chance de t'entendre pousser une seule note.

— Et ça n'arrivera pas non plus. Je devais avoir neuf ans la dernière fois que j'ai osé chanter. Le chien de mon oncle s'est mis à hurler à la lune du début à la fin de ma chanson. J'ai très vite compris que j'avais intérêt à abandonner mon rêve de devenir aussi populaire qu'Alys Robi si je ne voulais pas recevoir des tomates par la tête.

— Ça fait sûrement moins mal que des claques.

Françoise préfère ne pas s'attarder sur le sujet. Elle a commencé à vivre au moment où elle a quitté la maison familiale. Elle servait les autres, mais c'était cent fois mieux que ce à quoi elle avait eu droit jusque-là. Pour elle, le plus dur a toujours été de voir à quel point les richesses sont mal réparties. Il faut partager le quotidien des riches pour s'apercevoir que la plupart se préoccupent juste de leur petite personne. Ils vivent entre eux et n'ont aucun intérêt pour ceux qui en arrachent. Ils déposent un peu d'argent dans le panier tendu par le sacristain le dimanche et oublient la misère des autres le reste de la semaine.

— Françoise ? Es-tu toujours là ?

— Désolée ! J'étais distraite. Tant que j'y pense, accepterais-tu de venir goûter à mes pâtisseries ? Je vais l'offrir aussi à Sonia et à Christine.

— Dis-moi à quelle heure tu veux que je monte et j'y serai.

— À trois heures. Je te laisse, ma minuterie vient de sonner. À tantôt !

Elle enfile ses mitaines de four en vitesse et sort une magnifique tarte Tatin. Elle la dépose sur sa cuisinière et se penche pour humer son odeur. Un grand sourire s'affiche sur ses lèvres. Devant son impatience à expérimenter de nouveaux desserts, elle est retournée à la petite pâtisserie sur la rue Saint-Jean et en a commandé une pointe. Elle est ensuite passée à la bibliothèque et a emprunté un livre de cuisine française. Sa seule vue la fait saliver. Au lieu de satisfaire son envie d'y goûter, elle remet ses mitaines et va la porter sur la table de salon. Ce sera beaucoup plus facile de résister si elle ne la voit pas. De retour dans la cuisine, elle relit la recette du paris-brest et regarde l'heure. Il est plus que temps de s'attaquer à la pâte à choux. Elle réalisera la crème pendant que sa couronne cuira. Sans se vanter, elle peut dire qu'elle excelle dans ce genre de pâte. C'est du moins ce que lui font croire tous ceux qui ont eu la chance de goûter à ses petits choux à la crème. Elle procédera ensuite au montage de son gâteau opéra. Elle s'est levée aux aurores ce matin pour arriver à tout faire avant midi. Grand bien lui fait de cuisiner autre chose que les habituelles tartes aux pommes, pouding chômeur, galettes à la mélasse. Par contre, la somme de travail exigée pour réaliser ces pâtisseries est plus importante. Reste à voir si l'investissement vaut le coup. Les gens seront-ils prêts à payer plus cher ? Accepteront-ils de troquer la quantité pour la qualité ? La finesse et la beauté ? Le mariage de Rachel et d'André lui donnera un premier son de cloche.

Françoise sourit. Jamais elle n'aurait cru être capable de supporter l'incertitude avec autant de calme. Elle ignore ce qui l'attend et, pourtant, jamais elle ne s'est sentie aussi bien. Marguerite ne lui a toujours pas donné signe de vie. D'un côté, ça l'attriste alors que d'un autre, elle se dit que leur amitié était sans doute destinée à finir un jour de toute manière. Si elles partageaient beaucoup de choses, elles différaient totalement d'avis pour Jérôme. Sa mère le voyait avec des lunettes roses alors que Françoise trouvait qu'il sonnait faux depuis le jour où elle a fait sa connaissance. Pour tout dire, elle l'apprécie plus depuis que Sonia a demandé le divorce. À moins que son ancienne patronne ne lui cache des choses, il semble bien se comporter avec elle. La dernière fois que Françoise l'a vue, elle lui a demandé si elle pensait retourner avec lui un jour et sa réponse a été catégorique. Plutôt élever son fils seule : Jérôme est marqué à la même encre rouge que Mario.

La sonnerie du téléphone la sort brusquement de ses pensées.

— Bonjour, Françoise, dit une femme.

— Marguerite ?

— Oui. J'aimerais te voir.

— Tu n'as qu'à passer ce soir.

— Je serai là à huit heures.

21

Alice est contente d'aller dormir chez elle d'autant que sa présence n'est pas requise chez Pascal pour les vingt-quatre prochaines heures. Elle se réjouit à l'idée d'aller déjeuner avec Germaine demain matin et de savourer son thé en regardant passer les bateaux sur le Saguenay. Pourvu qu'il y en ait, bien entendu. Dans le cas contraire, elle se contentera d'admirer l'eau. Ça la reposera un peu des innombrables chutes de blocs, des plaintes de Chantale à la moindre contrariété et des appels continus à l'injustice de Brigitte. Elle adore ses petites-filles sauf qu'elle les trouve plutôt capricieuses. En tout cas, plus que les garçons de Rémi qui ont pourtant été élevés par une Anglaise. Fait bizarre, ses petites-filles sont beaucoup plus faciles à gérer lorsqu'elle les reçoit chez elle. Elle a dit à Pascal qu'elles étaient trop gâtées. Tout ce qu'il a trouvé à lui répondre, c'est qu'il n'y est pour rien. Simone a toujours tenu mordicus à ce que, contrairement à elle, ses filles vivent dans l'abondance la plus totale. Pascal a hérité de la grande bonté de son père. Il adore sa femme au point qu'il lui donnerait la lune si elle la lui demandait.

Plus Alice approche de chez elle, plus elle sourit. Elle ne laissera pas tomber Pascal, elle en serait incapable, mais en son for intérieur elle a très hâte que Simone revienne au bercail. Guérie de préférence ou à tout le moins dans un état contrôlé par la médication. Elle se retient de demander de ses nouvelles à son fils. Le pauvre en a déjà assez sur les épaules. La voici devant sa maison. Elle fronce les sourcils et vire au mauve en voyant l'auto de François dans sa cour. Elle éteint son moteur en vitesse et sort comme une furie en faisant claquer sa portière. Il vaudrait mieux que son rejeton ait une excellente raison pour venir l'embêter maintenant. Elle inspire à fond, marche jusqu'à sa porte et sonde la poignée. Elle n'est pas verrouillée. Elle entre d'un pas décidé et le trouve assis au salon.

— Bonjour, maman! dit-il d'un ton joyeux. Heureusement que je n'ai pas écouté tante Germaine parce que je vous aurais manquée.

— Ne me dis pas que c'est elle qui t'a ouvert.

— Vous pouvez dormir tranquille, elle m'aurait laissé sous la pluie battante plutôt que de m'ouvrir. Je me suis rappelé que vous cachiez toujours une clé au-dessus du cadrage de la porte et je l'ai utilisée. En passant, votre whisky est excellent.

Alice jette un coup d'œil à sa bouteille. À voir ce qu'il reste, ou son fils le boit comme de l'eau, ou il a passé l'après-midi ici.

— Maintenant que tu m'as vue, je ne te retiens pas.

— Pourquoi êtes-vous aussi méchante avec moi alors que je ne vous ai rien fait?

— Dépêche-toi de me dire pourquoi tu es là, je n'ai pas de temps à perdre.

— Tout pour le beau Pascal et rien pour moi!

— Pense ce que tu voudras, mais va-t'en avant que je perde patience.

François dépose son verre sur la table basse et vient se placer devant elle. Il la regarde avec un petit sourire en coin, inspire doucement et lui dit en ne la quittant pas des yeux:

— J'étais venu vous annoncer que vous allez être grand-mère.

— Quoi?

— Vous avez très bien compris. Il fallait bien que ça finisse par arriver : j'ai mis une fille enceinte. Avouez que j'ai quand même une bonne moyenne au bâton. Depuis le temps que je saute sur tout ce qui bouge, c'est la première fois que je me fais prendre. Tout ce que je peux vous dire, c'est que les femmes d'aujourd'hui n'ont pas la fibre maternelle comme celles de votre génération. Désolé ! J'avais oublié que vous ne l'aviez pas non plus. Enfin, elle voulait se faire avorter et je l'ai convaincue de le garder. Vous allez être fière de moi. Je lui ai dit que je l'élèverais.

Alice n'en revient pas de tout ce qu'il peut inventer pour l'embêter. Elle soupire et attend patiemment la suite.

— Vous ne me félicitez pas ?

Le regard qu'elle lui jette glacerait le sang de n'importe qui, mais pas celui de François. Il vide son verre d'un trait avant d'ajouter :

— Et je compte sur vous pour m'aider. Je me suis dit que vous étiez la personne tout indiquée puisque vous le faites déjà chez Pascal. Et je n'accepterai aucun refus de votre part. Vous avez le temps de vous préparer à l'idée d'élever mon enfant puisqu'il ne naîtra pas avant sept mois.

Cette fois, Alice se met à rire comme une malade. Il n'y a que lui pour inventer une telle histoire. Il faut qu'il la prenne pour une imbécile pour penser ne serait-ce qu'une seconde qu'elle va non seulement le croire, mais le féliciter. Jamais dans cent ans ! Plusieurs minutes s'écoulent avant qu'elle parvienne à recouvrer un semblant de calme.

— Vous ne m'avez jamais aimé ! lui lance-t-il au visage. Et moi, comme un imbécile, je viens vous offrir de vous racheter et tout ce que vous trouvez à faire, c'est de me rire en pleine face. Vous avez exactement une minute et pas une de plus pour changer votre fusil d'épaule. Quelle sorte de grand-mère êtes-vous donc pour oser tourner le dos à un pauvre petit enfant sans défense ?

— Je n'ai mis personne enceinte, à ce que je sache, siffle Alice entre ses dents. Sors de chez moi et amuse-toi bien avec ta descendance.

— Il est hors de question que je m'en aille avant que vous ayez accepté de m'aider.

— Sors avant que je te mette dehors à grands coups de balai.

La porte s'ouvre brusquement sur une Germaine bien décidée à venir en aide à sa belle-sœur.

— As-tu entendu ce que ta mère vient de te dire ? lui demande-t-elle d'une voix autoritaire.

François lui rit au nez, ce qui ne l'énerve pas outre mesure. Elle attrape le balai d'Alice au passage et se met à le frapper sans aucun ménagement. Conséquence, il est hors de la maison avant qu'elle ait compté jusqu'à dix.

— Vous êtes aussi folle que ma mère ! hurle-t-il. Je vais déposer une plainte contre vous.

— Ne te gêne surtout pas pour moi, annonce Germaine. Si tu patientes un peu, tu vas même pouvoir la dicter aux policiers. D'après mes calculs, tu as exactement une minute pour t'en aller avant que je dépose une plainte contre toi en direct.

— Ne reviens plus jamais ici ! lui ordonne Alice.

Il suffit de trente secondes pour qu'il disparaisse enfin de leur vue.

— As-tu vraiment appelé la police ?

— Oui, et ils vont passer nous voir demain matin. Le petit manège de François a assez duré. Le policier à qui j'ai parlé m'a dit que tu pourrais lui interdire de s'approcher de ta maison, et de toi, bien sûr. À moins que…

— Tu as bien fait, il est temps que ça cesse. Tu ne devineras jamais ce qu'il a inventé, cette fois-ci.

Alice lui raconte la scène sans épargner un seul détail.

— Je ne sais vraiment pas où tu l'as pris, celui-là, ne peut s'empêcher de commenter Germaine.

— Suis-moi à la cuisine, je vais appeler M. Dionne pour lui demander de venir changer les serrures. Connaissant François, il va récidiver.

— Je vais nous préparer du thé pendant que tu lui parleras. En passant, je suis vraiment contente que tu sois là.

— Et moi donc!

***

Christine adore sa vie. Elle travaille six jours par semaine au Château et passe la moitié de ses nuits dans les bras de Vincent. Elle ne le connaît guère plus que le soir où elle est allée le remercier de lui avoir offert deux consommations, mais ça lui importe peu. Disons seulement qu'ils ont mieux à faire que de discuter lorsqu'ils se voient. Son nouveau bonheur l'exalte. Ses nuits jaillissent sur ses jours, ce qui a pour effet de lui plaquer un sourire radieux en permanence sur les lèvres. Nombreux sont les clients qui la complimentent, faisant ainsi augmenter sa joie de vivre de manière exponentielle. Elle n'a pas encore soufflé mot à son père de sa relation avec Vincent et les chances qu'elle le fasse diminuent à vue d'œil. Pas plus d'ailleurs qu'elle ne lui a encore demandé de l'instruire sur les moyens de contraception. Elle en connaît si peu sur le sujet qu'elle a décidé de se reposer sur Vincent.

Sa décision est prise: elle restera étudier à Québec. Au départ, elle s'inquiétait de la réaction de Thierry lorsqu'il apprendra qu'elle sera dans la même ville que lui, mais ce n'est plus le cas depuis que Sonia lui a appris qu'il a quelqu'un dans sa vie. Tant mieux parce qu'elle lui souhaite le meilleur. Il lui arrive de se demander comment elle réagira si jamais elle le croise en ville, chez sa tante ou même chez Françoise ou chez Rachel. Aucun doute, ça arrivera un jour et peut-être même plus vite qu'elle ne le croit. La ville est grande, mais pas tant que ça ! Christine est sereine, maintenant, quand elle pense à lui et elle espère de tout cœur qu'elle le sera encore au moment de le croiser. Chose certaine, ce n'est certainement pas elle qui ira lui raconter qu'elle a dit oui à un autre homme sans aucune hésitation. Encore moins qu'elle ne l'avait jamais vu avant le fameux soir où elle a perdu sa virginité.

— Je ne sais pas ce que je ferais sans toi, lance Sonia en entrant dans la cuisine. Je ne te remercierai jamais assez.

— Veux-tu bien arrêter, tatie ? Ce serait plutôt à moi de te remercier de me confier ce que tu as de plus précieux. Pour ma part, c'est seulement un retour d'ascenseur. Tu m'héberges et je garde Émile de temps en temps.

— Je te rappelle que tu paies pour rester ici.

— Et après ? Profites-en parce que je m'en vais en appartement avant le début de ma session.

— Tu vas me manquer !

Sa nièce la regarde avec tendresse. Ces mots sortiraient de la bouche de sa mère et elle se sentirait prise au piège comme un pauvre petit lièvre alors que dans celle de Sonia ils sont une douce musique à son oreille. Sa tante ne lui a jamais mis la moindre pression de quelque manière que ce soit, bien au contraire. Elle la traite en adulte.

— As-tu eu des nouvelles de ta mère ?

— Je n'ai pas encore parlé à papa. Penses-tu vraiment qu'elle va finir par guérir ?

— Si seulement je le savais ! Il n'y a pas de belle maladie, mais celle dont souffre ta mère fait partie des pires. En tout cas, selon moi ! Tu t'écorches un genou, tu te casses un bras, tu te fais opérer pour le foie ou tu attrapes la grippe et tes chances sont plus qu'excellentes que tout rentre dans l'ordre au bout d'un moment. Ce qui n'est pas le cas avec la maladie dont est atteinte ta mère. La médecine en sait à peine un peu plus que dans le temps où ma grand-mère maternelle souffrait exactement du même mal. Au moins, Simone n'est pas obligée d'aller passer des mois à l'hôpital.

— Laisse-moi te dire que ça aurait été différent si on n'avait pas eu Françoise ou Charles et si papa n'était pas docteur. Il l'aime bien trop pour l'abandonner dans une petite chambre d'hôpital. Chaque fois qu'elle s'en inquiétait, il lui disait qu'elle n'avait rien à craindre tant et aussi longtemps que la couleur des jaquettes ne changerait pas. Et pour la faire rire, il lui répétait que c'est parce qu'elles n'allaient pas bien avec son teint. Crois-tu qu'il existe d'autres hommes comme lui ?

La question de Christine ramène instantanément Mario et Jérôme à sa mémoire. Elle reconnaît sans aucun effort que ni l'un ni l'autre n'arrivent à la cheville de Pascal. Combien de fois s'est-elle demandé pourquoi il n'était pas tombé amoureux d'elle plutôt que de Simone ? Il lui a plu à l'instant où il est entré chez ses parents. Il était différent : beau comme un dieu, pas une once de snobisme malgré ses origines, généreux, brillant, drôle… et fidèle. Le genre d'homme à qui on peut faire confiance les yeux fermés. Près de vingt ans plus tard, il est toujours tout ça et plus encore.

— Alors, tatie ?

Sonia lève les yeux au ciel. Que pourrait-elle répondre sur un sujet dont elle connaît uniquement le thème ?

— J'imagine que oui, mais mon expérience personnelle ne m'a pas permis de vérifier.

— Tu méritais tellement mieux, tatie !

— S'il y a une chose que je sais, c'est que l'amour ne va pas au mérite. Pas plus que le reste, d'ailleurs. Personne ne mérite de souffrir ni d'être pauvre et, pourtant, la majorité des gens doivent trimer dur pour avoir un toit sur la tête et de quoi manger. Le monde dans lequel nous vivons est tout sauf juste. Soixante minutes de travail peuvent rapporter un salaire dérisoire pour un et une petite fortune pour l'autre. Tu n'as qu'à comparer les Dionne aux Thibault. Le père de Thierry travaillait aussi fort que le tien et tout ce qu'il réussissait à offrir à sa famille, c'était une maison froide en hiver et un vrai four en été. À mon humble avis, la seule raison qui explique ça, c'est que Pascal a eu la main plus heureuse au moment de sa naissance. Un coup de chance pour lui, comme pour toi, d'ailleurs.

Christine opine du bonnet. Vivre dans l'abondance était normal pour elle jusqu'au jour où elle est entrée dans la maison des Dionne. Elle s'en souvient comme si c'était hier. Elle avait demandé à Thierry comment il faisait pour vivre ainsi et lui de répondre que c'était mieux que de dormir à la belle étoile.

— J'ai longtemps cru que l'argent ne faisait pas le bonheur, poursuit Sonia. Je ne gagnais pas un salaire mirobolant, mais je pouvais m'offrir une meilleure vie que la moyenne des gens. Tout ce que je peux te dire, c'est que j'ai changé d'idée depuis que je suis séparée de Jérôme.

— Je croyais qu'il était obligé de vous faire vivre, Émile et toi.

— Au moins Émile. Même si c'est notre première rencontre, je devrais en savoir un peu plus à mon retour de chez l'avocat. De toute manière, je n'ai pas l'intention de passer ma vie à la maison. Bon, j'ai assez disserté pour aujourd'hui. Parle-moi de tes amours, maintenant.

— Tout ce que je peux te dire pour l'instant, c'est que je rattrape le temps perdu avec un plaisir fou.

— Sais-tu quoi? Je t'envie!

— Tu devrais sortir avec Marleen et moi, la prochaine fois.

— Je ne dis pas non. Il faut que j'y aille. À tout à l'heure!

Un seul pas sur le macadam lui rappelle qu'elle aurait dû choisir d'autres chaussures. Tant pis! Elle devrait survivre puisque ce n'est qu'à deux coins de rue. Elle se demande bien ce que la vie lui réserve. Elle a rendez-vous avec le recteur de l'Université la semaine prochaine. Il veut lui parler de sa fondation. Elle aurait aimé en savoir plus pour pouvoir se préparer, mais la secrétaire qui l'a appelée lui a dit poliment qu'elle devrait prendre son mal en patience. Elle reverra son dossier avant d'aller le rencontrer. Les dons continuent à rentrer de manière régulière, ce qui est une très bonne nouvelle en soi étant donné le peu de temps qu'elle y a consacré ces derniers temps. D'ailleurs, il faut qu'elle parle avec Pascal au plus vite. Elle ne veut pas que Jérôme continue à s'occuper des finances de la fondation. Elle a perdu toute confiance en lui et redoute le moment où il profitera des informations privilégiées qui atterrissent sur son bureau par le biais des chèques de leurs généreux donateurs. Dans le cas où son beau-frère serait d'accord avec elle, il leur faudra réunir les membres du conseil d'administration avant de lui trouver un remplaçant. Elle a déjà quelqu'un en tête: un comptable. Elle l'a rencontré à une des activités organisées par la Chambre de commerce. Un homme d'âge mûr sur qui elle s'est déjà permis de prendre des références.

Elle relève la tête, le temps de vérifier les numéros. Encore quelques pas et elle y sera. Elle voit l'affiche au loin et un homme dont elle reconnaîtrait la démarche même dans une foule. Malgré la bouffée de chaleur carabinée qui vient de l'attaquer, elle garde la tête haute et conserve la même cadence jusqu'à ce qu'elle se retrouve face à face avec Jérôme. Il la salue poliment et lui ouvre la porte. Elle lui sourit et passe devant lui sans rien dire. Les paroles sont devenues inutiles entre eux.

C'est avec un grand sourire sur les lèvres que Sonia ressort de chez l'avocat une heure plus tard. Jérôme a accédé à toutes ses demandes sans sourciller, ce qui l'étonne tout de même un peu. Elle inspire à fond avant de s'engager sur sa gauche pour retourner chez elle.

— Sonia ! lance Jérôme d'une voix suffisamment forte pour couvrir le bruit de la rue.

Elle s'arrête et se retourne au bout de quelques secondes en soupirant. Elle n'a aucune envie de traîner ici.

— Je suis désolé pour tout.

Elle hausse légèrement les épaules et, au moment où elle se retourne, il ajoute :

— Jamais je n'aimerai une femme comme je t'aime.

Deux grosses larmes coulent sur les joues de Sonia. Au lieu de les essuyer, elle accélère le pas sans se soucier aucunement de la hauteur de ses talons. C'est ainsi qu'elle se retrouve très vite devant sa maison. Elle recule de quelques pas pour avoir une meilleure vue d'ensemble. L'endroit est toujours aussi magnifique, mais elle s'y sent de plus en plus comme une intruse. D'abord, Jérôme est beaucoup trop près et, ensuite, elle a envie de s'installer dans un endroit qu'elle aura choisi. Et, en toute honnêteté, ce sera beaucoup mieux pour tout le monde. Elle en a glissé un mot aux filles à la dégustation de pâtisseries françaises. En plus de lui offrir de garder Émile de temps en temps, Rachel lui a parlé d'un beau grand cinq et demie à louer sur la rue voisine. Et Françoise d'ajouter que ce serait merveilleux si Émile et elle habitaient à proximité. Sonia a tout de suite été emballée par l'idée. Vivre au milieu des siens l'aiderait sûrement à accuser le changement de statut obligé auquel elle devra faire face. Plus question de crier à sa bonne pour qu'elle vienne changer son fils de couche sous prétexte que son vernis à ongles n'est pas sec. Plus question non plus de s'asseoir à table et de se laisser servir pendant ses trois jours de travail. Et ce sera bientôt chose du passé de n'avoir qu'à ouvrir la porte du congélateur pour être devant une montagne de plats cuisinés les quatre autres jours. En tout et pour tout, sa vie de pacha aura duré moins d'un an, ce qui est très peu compte tenu du nombre de mois requis pour s'y habituer. En réalité, elle commençait à peine à se sentir à l'aise.

Elle avance jusqu'à sa porte de maison et entre. Quelle n'est pas sa surprise quand elle tombe face à face avec Marguerite. Elle soupire malgré elle et lève les yeux au ciel. C'est la dernière personne qu'elle souhaitait voir aujourd'hui.

— Bonjour ! lance-t-elle poliment du bout des lèvres.

— J'aurais dû appeler avant, mais j'avais trop peur que tu refuses de me voir.

Les petits cris d'un enfant heureux lui proviennent de la cuisine et lui tirent un sourire. Elle regarde sa belle-mère et hausse les épaules de manière à peine perceptible. Marguerite est la grand-mère de son fils et jamais elle ne s'octroiera le droit de la priver de voir Émile. Sans compter qu'outre le fait d'avoir donné naissance à Jérôme, elle n'a rien à voir dans ce qui lui arrive. S'il y a une chose, Marguerite est probablement tombée d'encore plus haut qu'elle lorsque Françoise lui a fait part de ses découvertes.

— Je suis venue m'excuser.

— Suivez-moi à la cuisine, je dois libérer Christine.

Sonia se sert de sa nièce pour gagner un peu de temps alors que l'idéal serait d'inviter sa belle-mère à passer au salon et de l'écouter sans être dérangée d'aucune façon.

— J'ai fait chauffer de l'eau, tatie, lance-t-elle au moment où les deux femmes font leur entrée.

— Merci ! Je m'occupe du thé et d'Émile.

Christine sort sans se faire prier. Elle ne tient pas à être témoin des paroles qui seront prononcées dans cette pièce au cours des prochaines minutes.

— Je ne savais absolument rien des manigances de Jérôme, dit Marguerite d'une petite voix. Même chose pour ses mensonges pour tout ce qui concerne sa soi-disant amitié avec Mario. Je ne comprenais pas pourquoi il y tenait tant, surtout après tout ce que cet homme t'avait fait endurer. Je suis désolée, Sonia, tellement désolée. Je croyais avoir réussi à faire de lui un honnête homme, mais je reconnais m'être trompée sur toute la ligne.

La peine de Marguerite la touche au plus profond de son être. Comment une mère peut-elle supporter un tel comportement de la part de celui à qui elle a dédié toute sa vie ? Sonia regarde son propre fils et se dit que peu importe les efforts qu'elle déploiera pour en faire quelqu'un de bien, rien ne lui assure la réussite. N'écoutant que son cœur, elle pose sa main sur le bras de sa belle-mère et lui dit d'une voix douce :

— Vous n'avez rien à vous reprocher. Vous avez fait tout ce qui était humainement possible pour une mère, sauf que c'est lui qui avait le dernier mot. Il n'y a rien de plus à ajouter.

— Comment fais-tu pour être aussi gentille après ce qu'il t'a fait ?

— Mon possible… seulement mon possible. J'aimerais vous dire que c'est facile, mais c'est loin d'être toujours le cas. Ce qui me sauve, d'une certaine manière, c'est que j'ai donné plus souvent qu'à mon tour pour les peines d'amour. J'ai tellement pleuré que j'ai les yeux secs, enfin la plupart du temps. J'ai mis presque deux ans à me remettre de la disparition de Mario et, quand j'ai fini par m'en sortir, je me suis juré qu'on ne m'y reprendrait plus. Mon fils a besoin de moi et j'ai bien l'intention de ne pas faillir à la tâche.

Marguerite la regarde avec une infinie tendresse. Elle a traité Sonia de tous les noms après son départ de chez Françoise, le jour où elle lui a dépeint un portrait monstrueux de son fils adoré. Elle avait besoin d'une responsable pour expliquer le changement de comportement de Jérôme et elle s'y est tenue jusqu'à ce qu'il accepte enfin de lui parler. Ses paroles résonnent encore dans ses oreilles et elle sait qu'elle ne vivra pas assez longtemps pour oublier tout ce qu'il lui a raconté. Plus elle en entendait, plus son corps la faisait souffrir. À un tel point qu'elle a fini par le supplier de s'en aller. Elle aurait voulu l'encourager à changer, peut-être même qu'elle aurait dû, mais elle n'en avait ni la force ni l'intérêt. Il savait ce qu'elle pensait et il avait quand même décidé d'emprunter une autre direction. Il avait trompé sa confiance sur toute la ligne. Libre à lui maintenant de vivre sa vie comme il l'entend. Elle a fini de tenter l'impossible pour le remettre sur le droit chemin.

— J'aimerais faire encore partie de la vie de mon petit-fils...

— Vous êtes toujours sa grand-mère, à ce que je sache, et je me verrais mal l'empêcher de vous voir. Vous serez toujours la bienvenue chez nous et vous pourrez le voir autant que vous le souhaiterez.

— Dommage que Jérôme n'ait pas su faire ce qu'il faut pour te garder parce que tu es vraiment quelqu'un de bien. À mon tour de te dire que tu peux compter sur moi pour m'occuper d'Émile à l'occasion.

L'offre de Marguerite lui va droit au cœur. Étant donné qu'elle connaît son état de santé, elle utilisera ses services seulement en cas de force majeure.

— C'est très gentil à vous. Prendriez-vous un thé ?

— Pas avant d'avoir collé mon petit-fils.

22

Thierry a eu la peur de sa vie quand il s'est retrouvé au fond du lac, l'autre jour, même qu'il a cru que son heure était arrivée. Ses efforts pour remonter à la surface parvenaient tout juste à l'empêcher de descendre plus bas. Il était à bout de forces quand Pascal l'a agrippé par le bras pour l'aider à remonter. Il lui sera éternellement reconnaissant de lui avoir sauvé la vie. On peut dire qu'ils ont eu beaucoup de chance de recevoir de l'aide des trois pêcheurs qui taquinaient la truite à proximité. Il était probable que sans eux, ils auraient été quittes pour une bonne pneumonie plutôt que pour un simple rhume. Ils ont fait tout ce qu'il fallait pour les réchauffer et leur ont payé à boire généreusement avant de les raccompagner à leur chalet. Aussitôt la porte fermée, ils se sont laissés tomber sur le divan et se sont mis à rire comme des gamins. Ils auraient pu y rester, mais, heureusement, le bon Dieu n'avait pas voulu d'eux! Ce n'est que le lendemain que Thierry a vu les doigts de Pascal imprimés sur son bras. Le Dr Thibault lui avait prouvé une fois de plus combien il tenait à lui.

Leur pêche n'a pas été aussi miraculeuse que Thierry l'espérait. Ils ont pris chacun trois truites de moins d'une livre, ce qui les a renforcés dans leur désir de retourner à la pêche au saumon. Certes, les prises sont moins nombreuses, mais avec un peu de chance on peut nourrir une famille entière avec un seul poisson. C'est sans compter sur le fait que c'est une pêche beaucoup plus sportive. Il ne suffit pas de le ferrer. S'enclenche alors une bataille sans merci entre le pêcheur et celui qu'il voit déjà dans son assiette.

Le saumon est fougueux, énergique, impétueux, vif. Il se bat pour sa survie avec la même force jusqu'à son dernier souffle. Brandir un seul saumon a plus de valeur que le quota de trois jours de pêche à la truite.

— Quand je pense que tu aurais pu te noyer, s'écrie Marie en prenant place à la table.

— Je pourrais aussi me faire frapper en sortant de la maison ! lance-t-il sur un ton neutre.

Elle lui prend la main et la serre dans la sienne aussi fort qu'elle le peut. L'idée de ne rien dire à sa famille lui a effleuré l'esprit, mais après réflexion il a décidé de leur en parler à son retour. Sa mère s'est mise à pleurer et son père a reniflé discrètement. Une chance que ses frères étaient là pour faire diversion parce qu'il aurait été incapable d'avaler une seule bouchée tellement leur réaction le touchait. Il n'avait jamais douté que ses parents tenaient à lui. C'est juste qu'ils venaient de leur fournir l'occasion de mesurer la peine que leur causerait sa perte ou celle d'un de ses frères. Il avait beaucoup de chance d'être né dans cette famille où l'amour a toujours été ce qu'ils ont eu en plus grande quantité.

— Tu as raison de croire que tout peut arriver, mais là n'est pas la question. Ça m'a fait réaliser à quel point la vie est fragile. Il a suffi que tu veuilles lancer ta ligne à l'eau pour disparaître la seconde d'après.

— J'aurais mieux fait de me taire.

— Au contraire ! Tu as bien fait d'en parler. Comme dirait ma mère : tout est bien qui finit bien puisque M. Thibault veillait sur toi. As-tu une idée de ce qui lui ferait plaisir ? J'aimerais le remercier pour ce qu'il a fait.

— Laisse-moi y penser !

L'assurance grandissante de sa mère depuis qu'elle côtoie Mme Alice ne cesse de le surprendre. Il fallait une bonne dose d'audace pour offrir ses services aux Thibault afin de prendre les trois plus jeunes chez elle de temps en temps. Il n'ira pas jusqu'à prétendre que Marie deviendra la meilleure amie de Mme Alice un jour, mais il a vu de ses propres yeux à quel point cette dernière l'apprécie et ça lui fait chaud au cœur.

— Étais-tu au courant que Martine écrivait à Paul ?

— Non, mais je suis content. Ils sont faits l'un pour l'autre, ces deux-là.

— Tu ne trouves pas que tu y vas un peu fort !

— Depuis quand est-il interdit de rêver ?

Sa mère lui tapote la main en lui souriant. Il n'a pas besoin d'en dire plus pour qu'elle saisisse le sens de sa question. Il aurait voulu faire partie de la famille Thibault et chaque fois que ça lui est paru possible Christine l'a plaqué. À un certain moment, Marie a eu peur qu'il jette son dévolu sur Martine. Elle allait lui en parler quand il a rencontré Josée. Cette fille, ou plutôt cette jeune femme étant donné leur différence d'âge, a une bonne influence sur lui. À preuve, depuis qu'il la voit, Thierry est beaucoup plus mature. Et plus calme aussi.

— Rêve autant que tu veux, mon gars ! C'est une des rares choses encore gratuites de nos jours. Changement de sujet, j'aimerais inviter Mme Alice à manger un morceau de gâteau pour sa fête la semaine prochaine. J'avais pensé offrir à Mme Germaine de se joindre à nous. Pourrais-tu me trouver son numéro ?

— Rien de plus facile… J'irai le demander au Dr Thibault à son bureau et je t'appellerai aussitôt que je l'aurai.

Thierry ne s'est pas encore risqué à l'appeler par son prénom devant qui que ce soit depuis son retour de la pêche et surtout pas devant sa mère. La connaissant, elle va le traiter d'impoli et le menacer de lui laver la bouche avec du savon.

Une nouvelle quinte de toux de Daniel les fait sursauter. Cet enfant a la grippe en permanence. Il consomme plus de bouteilles de sirop en un mois que la famille réunie au cours d'une année. Alors que Marie se lève pour aller le voir dans sa chambre, Thierry attrape son coupe-vent et sort de la maison d'un pas décidé. Une autre belle journée l'attend! Bien qu'il meure d'envie d'appuyer sur le champignon, il respecte les limites de vitesse à la lettre. Il économise tout ce qu'il peut dans l'espoir de pouvoir se payer un logement l'an prochain. Vivre en résidence n'est pas son fort. Il a essayé autant comme autant d'étudier dans sa chambre sans jamais y arriver. Il y a tellement de bruit qu'on se croirait au beau milieu d'une ruche d'abeilles. C'est ainsi qu'il a passé le plus clair de ses soirées et de ses fins de semaine à la bibliothèque pour étudier en paix. Il se stationne le plus loin possible comme il a l'habitude de le faire, sort de son auto et marche en direction de la porte d'entrée de l'urgence. La sirène d'une première ambulance lui vrille les tympans. Une deuxième la suit de près et, pour finir, une troisième arrive à toute vitesse. Thierry accélère le pas. Même s'il ne travaille pas à l'urgence, sa présence risque d'être requise. Il entre en vitesse, salue la réceptionniste et lui demande ce qui est arrivé.

— Un autobus avec vingt-neuf aînés à son bord est entré en collision avec un orignal juste au milieu de la première grande côte. Ils allaient passer la journée à Sainte-Anne-de-Beaupré. D'après ce que je sais, trois autres ambulances sont en chemin pour l'hôpital. L'impact a été si brutal que le chauffeur a perdu le contrôle de son véhicule et, manque de chance, il est allé s'écraser au fond de la vallée. Aux dernières nouvelles, on a trois morts et deux fois plus de blessés. Ce n'est pas à moi de vous dire quoi faire, mais à votre place je ne m'éloignerais pas trop.

— Le temps d'aller avertir mon patron et je reviens, offre-t-il aussitôt.

Intervenir à l'urgence représente le summum des défis pour Thierry, et pour cause. Qu'ils arrivent en ambulance ou par leurs propres moyens, les patients qui se présentent ici ont tous un point en commun: ils n'avaient pas prévu venir passer leur journée à l'hôpital. Victimes d'un mal soudain ou d'un accident, leurs maux sont aussi diversifiés que compliqués.

***

Françoise a gardé un morceau de chaque pâtisserie de peine et de misère pour Charles. Rachel, Sonia, Christine et Marguerite auraient tout avalé si elle ne les avait pas arrêtées. Les filles lui ont donné une note parfaite pour les trois, ce qui lui a fait un petit velours. Bien qu'elle ait confiance en leur jugement, elle tient à avoir l'avis de Charles en tant que cuisinier. Elle a noté tous leurs commentaires et les siens dans un cahier et, au final, elle est satisfaite de sa performance. Certes, elle n'est pas prête à accepter de faire des paris-brest, des gâteaux opéra ou des tartes Tatin pour cent personnes. Elle a besoin d'apporter quelques correctifs tant au niveau de la recette, des ingrédients et de sa méthode de travail. Il lui tarde de se remettre au boulot, ce qu'elle fera tout de suite après le départ de Charles. Comme elle l'a annoncé aux filles, elle risque de les inviter plus d'une fois pour goûter les mêmes pâtisseries. Toutes lui ont confirmé sans hésiter leur fidèle collaboration.

Françoise ne s'attendait pas à revoir Marguerite, surtout pas après son aveu d'avoir fouillé délibérément dans les papiers de Jérôme. Elle l'a fait pour Sonia et elle était prête à vivre avec les conséquences de son geste, y compris la perte d'une amie très précieuse à ses yeux. Un grand frisson a couru sur sa colonne vertébrale au moment d'aller lui ouvrir. Disons que les premières secondes qui ont suivi son arrivée avaient des airs d'enterrement plutôt que de retrouvailles. Debout de part et d'autre de la moustiquaire de la porte d'entrée, les deux femmes se toisaient sans sourciller. Aucune des deux ne peut dire avec assurance combien de temps a duré leur petit manège. Elles s'étaient entendues sans se parler sur la meilleure manière de reprendre contact et ça prendrait le temps que ça prendrait. Une mouche s'est posée sur le nez de Marguerite et Françoise a voulu l'enlever sans se donner la peine d'ouvrir la porte, ce qui a déclenché un fou rire en duo. La glace était brisée et leur amitié recollée avant même qu'un seul mot ne soit sorti de leurs bouches. Elles sont passées à la cuisine et ont commencé à papoter comme si rien ne les avait jamais séparées. Ce n'est qu'au moment de partir qu'elles ont parlé de cette fameuse journée où leur amitié en a pris pour son rhume. Elles se sont excusées de s'être aussi mal comportées et se sont expliquées sur la raison qui avait motivé leur réaction face à Jérôme. Au moment de s'en aller, Marguerite a ajouté qu'elle ne laisserait plus jamais son fils adoré mettre leur amitié en péril de quelque manière que ce soit. Elle était déçue comme seule une mère pouvait l'être. Elle ne l'aimait pas moins, il était la chair de sa chair, sauf qu'elle ne lui donnerait plus autant d'importance qu'avant. Elle avait les yeux dans l'eau au moment de s'en aller, ce qui faisait mal à voir.

Le regard fixé sur l'horloge, Françoise attend avec impatience que Charles sonne à sa porte. Selon ses calculs, à moins d'avoir été retardé à cause d'un accident dans le Parc, il devrait être ici dans quelques minutes. Elle fait les cent pas dans son couloir en essayant de se souvenir de ses traits. Plus elle s'entête, moins elle le reconnaît. Elle a tellement pensé à lui depuis son coup de fil qu'elle n'arrive plus à le voir. Idem pour sa lettre. Au nombre incalculable de fois qu'elle l'a dépliée et repliée, les plis ont cassé. Elle regarde à nouveau l'heure et décide d'aller boire de l'eau. Son cœur bat la chamade. Elle a chaud et, la seconde d'après, elle a froid. Et voilà qu'elle commence à imaginer les pires scénarios. Il a fait un face-à-face avec un camion-remorque et il est mort sur le coup. Il ne lui fait aucun effet quand elle le voit. Il s'est mis à fumer et elle ne supporte pas l'odeur. Et elle continue à divaguer ainsi jusqu'à ce que la sonnette de la porte la sorte brutalement de son cauchemar.

Elle se redresse, lisse les pans de sa robe, se passe la main dans les cheveux et va répondre en s'obligeant à marcher d'un pas normal alors qu'elle meurt d'envie de courir pour être devant lui au plus vite. Elle le regarde sans le voir vraiment pendant une fraction de seconde et s'empresse de lui ouvrir. Il lui sourit, l'attire à lui, la serre dans ses bras et dépose un chaste baiser sur ses lèvres. Françoise avait oublié à quel point elle aimait être dans les bras d'un homme. Elle recule d'un pas le temps de le laisser entrer, pousse la porte d'un coup sec et se blottit à nouveau dans les bras de son beau chevalier. Elle y passerait le reste de sa vie s'il n'en tenait qu'à elle.

D'un baiser à l'autre, les nouveaux tourtereaux se retrouvent dans la chambre de Françoise. Charles la soulève et la dépose sur le lit avant de poursuivre sa course de plus en plus effrénée vers le plaisir ultime.

— Préfères-tu que j'arrête ? lui demande-t-il d'une voix rauque.

— Surtout pas !

Françoise n'aurait qu'à tendre l'oreille pour entendre sa mère lui dire qu'une bonne fille n'offre pas son corps avant le mariage et encore moins à sa première rencontre. Suivrait ensuite une litanie de bêtises pour qualifier ce qu'elle est en train de faire. Et elle de lui répondre que le monde a changé et que le bonheur s'est fait attendre tellement longtemps dans son cas qu'elle va saisir toutes les miettes qui lui seront offertes.

La nuit est tombée depuis un bon moment lorsqu'ils se décident enfin à sortir du lit.

— Je suis mort de faim, déclare Charles d'un ton badin.

— Ça tombe bien, j'avais prévu le coup.

— Ah oui ? Je ne te croyais pas aussi moderne.

Françoise met un peu de temps à saisir le sens de sa dernière phrase et elle se met à rire.

— Disons que j'étais plutôt du genre vieux jeu avant de tomber dans tes bras, mais je peux toujours ramener l'ancienne version si c'est ce que tu souhaites.

— La nouvelle me va très bien. Dire que je me suis inquiété pour rien pendant tout le trajet…

— Avoue que c'était difficile de prévoir comment ça se passerait, ajoute-t-elle. Que dirais-tu de commencer par le dessert ?

— Parce que tu veux déjà recommencer ?

— Pas avant d'avoir avalé une bouchée. Je pensais plutôt à t'offrir une pointe de tarte Tatin, une de paris-brest et un morceau de gâteau opéra.

— Tu n'aurais pas dû te mettre dans les frais pour moi. Un sandwich au jambon cuit aurait fait l'affaire, tu sais.

— Le temps de sortir l'assiette du frigo et je t'explique pourquoi je t'offre des pâtisseries françaises.

Charles boit ses paroles et ses yeux s'agrandissent à mesure que Françoise lui en dit plus long sur son projet.

— Wow ! laisse-t-il tomber à la fin de son exposé. Je suis sous le choc. Je savais que tu n'avais pas froid aux yeux, mais jamais au point de te lancer en affaires dans une ville où tu ne connais pratiquement personne. Tu as toute mon admiration et, d'après moi, ton idée de sortir des sentiers battus pour les mariages est vouée au succès. Est-ce que tu me permets de les goûter, maintenant ?

— À une condition ! Interdiction de me ménager de quelque manière que ce soit parce que je n'ai pas droit à l'erreur.

Charles prend une première bouchée de son paris-brest et ferme les yeux pour la déguster. Il en prend une deuxième et une troisième sans prononcer un mot.

— Ne change rien ! finit-il par dire au bout de ce qui a paru être une éternité à Françoise. Il est parfait !

Elle respire mieux, mais attend la suite avant de savourer son succès. Il s'attaque ensuite au gâteau opéra.

— Seul commentaire : tu as mis un peu trop de ganache au chocolat, ce qui l'empêche de rester en place au moment d'en prendre une bouchée. Il est exquis. La tarte Tatin, maintenant.

Cette fois, Charles ne ferme pas les yeux, ce qui inquiète Françoise. Elle inspire à fond et attend son verdict en tapant discrètement du pied.

— Tu dois d'abord savoir que je déteste les pommes cuites. Ça m'a rendu les choses un peu plus difficiles, mais je suis capable d'être impartial : ta tarte est délicieuse.

— Rien ne t'oblige à la finir !

— Que je te voie m'enlever mon assiette, lance-t-il en fronçant les sourcils. Sérieusement, tes pâtisseries vont faire fureur. Maintenant que je sais à quel point tu es talentueuse en pâtisserie, j'ai bien envie de te demander de m'épouser.

Les yeux de Françoise s'agrandissent à leur maximum pendant qu'elle pose la main entre ses deux seins comme si ce geste suffisait à lui faire recouvrer ses esprits.

— Tu as très bien entendu, renchérit Charles d'une voix douce après lui avoir pris la main. Je veux me marier avec toi et fonder une famille.

— Mais peut-être que je suis trop…

— Les orphelinats sont remplis d'enfants qui attendent seulement d'être adoptés. À moins bien sûr que tu…

— Oui, je le veux ! lance-t-elle sans plus de réflexion.

Pour une fois que le bonheur frappe à sa porte, rien ni personne ne l'empêchera de sauter la tête la première dedans.

— On pourrait se marier en même temps que Rachel et André…

— Ça me laisse amplement de temps pour me trouver un remplaçant.

Une ombre passe aussitôt sur le visage de Françoise. Simone ne se gênera pas pour lui dire sa façon de penser quand elle apprendra la nouvelle.

— J'aime autant ne pas penser à la réaction de ta patronne ni à celle de Chantale.

— Sans vouloir paraître sans-cœur, je ne laisserai pas passer le bonheur par devoir. Je fais tout ce que je peux pour faciliter la vie des Thibault, mais il existe forcément quelqu'un quelque part capable de me remplacer. Veux-tu ma dernière bouchée ?

— Pour que tu me le reproches avant même que je l'aie avalée… Gâte-toi !

***

Son amoureux n'est pas encore rendu au bout de la rue que Françoise se précipite chez Rachel. Elle est bien trop heureuse pour rester enfermée chez elle.

— Tu sais quoi ? s'exclame son amie en lui ouvrant la porte. Un peu plus et on se croisait dans l'escalier. Viens t'asseoir et raconte-moi tout pendant que je nous sers à boire.

— J'aime autant t'avertir que les oreilles vont te chauffer parce que j'en ai long à dire !

— Et surtout, n'oublie rien.

C'est sur un ton très joyeux que Françoise se lance dans le récit des deux jours qu'elle a passés avec Charles, ou plutôt dans ses bras. Ils avaient prévu rendre une petite visite à Sonia et à Rachel, mais au final ils n'ont pas mis le nez dehors une seule minute. Chaque fois que l'un d'eux avançait l'idée de sortir, l'autre s'organisait pour la lui faire oublier dans la seconde qui suivait. Ils n'ont même pas répondu au téléphone et ce n'est pas faute de l'avoir entendu puisqu'il réveillerait un mort tellement il sonne fort. Ils ont profité de chaque instant au maximum. Ils se sont raconté leur vie. Ils ont parlé de leurs rêves. Ils ont fait des projets d'avenir. Ils ont discuté de la famille qu'ils veulent fonder et des pays qu'ils souhaitent visiter. Ils avaient tant de choses à se dire qu'ils n'ont pas vu le temps passer.

Rachel boit les paroles de son amie. Le portrait qu'elle dresse de Charles lui fait voir un autre aspect de sa personnalité. Elle savait que c'était un homme bien, mais pas à ce point-là. Il est vrai qu'elle l'a toujours vu seulement dans son rôle de majordome et qu'elle n'a jamais eu la chance d'entretenir une vraie conversation avec lui. Tant mieux s'il est moins collet monté lorsqu'il n'est pas en service.

— Wow ! s'exclame-t-elle pendant que Françoise reprend son souffle. Je suis vraiment très contente pour toi. Il était temps que le vent tourne.

— Et tu ne sais pas tout.

— Tu ne vas quand même pas me dire qu'il t'a demandée en mariage... pas après seulement deux jours de vie commune. Tu sais aussi bien que moi que ce genre d'histoire n'arrive que dans les romans ou dans les films. Il y a vite et vite.

Françoise fait de gros efforts pour garder son sérieux. Elle comprend la réaction de Rachel. Elle aurait sûrement la même si les rôles étaient inversés.

— Après trois heures, lance-t-elle en prenant soin de bien prononcer chaque syllabe.

— Quoi ?

— Et je lui ai dit oui !

— Je suppose que vous comptez vous marier en même temps qu'André et moi ?

— Comment as-tu fait pour le deviner ?

— Arrête de dire n'importe quoi, ce n'est pas drôle.

Françoise se met à rire de bon cœur devant l'air ahuri de Rachel. On jurerait qu'elle vient de voir le diable en personne. Pire, depuis qu'elle a prononcé le mot mariage, elle a l'impression d'être devant la mégère qui s'en prenait aux filles Thibault pour des peccadilles.

— Qu'est-ce que tu ne comprends pas ? finit-elle par lui demander pour essayer de la dérider.

— Rien... ou plutôt tout. Tu vas vraiment te marier avec Charles ?

— Hum, hum ! répond-elle, tout sourire. Est-ce que ça te cause un problème ?

— Absolument pas ! C'est juste que j'ai un peu de mal à m'expliquer quelle mouche t'a piquée pour que tu acceptes d'unir ta vie à la sienne alors que tu ne le connais pratiquement pas. La Françoise que je connais est bien trop raisonnable pour faire ça.

— La vérité, c'est que nous avons eu le coup de foudre l'un pour l'autre à la seconde où Alice nous a présentés sauf qu'on était trop bêtes pour faire les premiers pas. Sans elle, on n'aurait probablement jamais osé se déclarer. On lui doit une fière chandelle. Tu ne pourrais pas seulement être contente pour moi ?

La tête un peu inclinée, Rachel réfléchit à ce qu'elle vient d'entendre. D'aussi loin qu'elle se souvienne, Françoise n'a jamais caché son attirance pour Charles. Elle l'aurait voulu qu'elle en aurait été incapable ! Ses yeux se sont toujours mis à briller dès qu'il apparaissait dans son champ de vision.

— Je ne voudrais pas que tu souffres, ajoute-t-elle d'un ton plus doux.

— Ça tombe bien parce que j'ai envie d'être heureuse, pas de souffrir. Et arrête de t'inquiéter pour moi, je suis une grande fille. Quant au mariage double, tu n'es pas obligée de dire oui. J'ai lancé cette idée sans réfléchir. On pourra très bien se marier après vous, si c'est ce que tu préfères.

— Je ne peux pas répondre à la place d'André… Je lui en parlerai demain sans faute. J'y pense, est-ce que ça veut dire que je devrai trouver quelqu'un d'autre pour préparer notre repas de noces ?

— Absolument pas ! Je ne me vois pas réserver les services d'un étranger pour mon propre mariage ! J'aime autant t'avertir que ça va être encore meilleur avec Charles aux fourneaux !

— Quel genre d'amie suis-je donc pour te faire la morale ? Approche que je te félicite !

23

— Je n'en reviens tout simplement pas ! s'écrie Pascal. Je parle à Christine toutes les semaines et elle ne m'a jamais rien dit sur ton pseudo-divorce.

— Laisse ta fille en dehors de tout ça, intervient Sonia d'une voix douce dans l'espoir de l'inciter à baisser le ton, je lui avais demandé de tenir sa langue.

— Une chance que Françoise a osé te désobéir, parce que j'imagine qu'elle devait se taire elle aussi. Au cas où ça t'intéresserait, elle m'a envoyé un mot par Charles ! Tu aurais dû m'appeler… Il me semblait que j'étais ton ami.

— Et tu l'es toujours ! Je trouvais que tu en avais assez sur les bras avec le départ de Simone.

Pascal met quelques secondes avant de réagir. Il est furieux qu'elle l'ait tenu à l'écart de sa vie dans un moment aussi important.

— C'était à moi d'en juger, ajoute-t-il en prenant sur lui pour ne pas dire des choses qu'il regretterait. Je t'écoute.

Sonia amorce son récit avec la promesse de Jérôme de couper les liens avec Mario. Elle ne lui épargne aucun détail de ce qui l'a amenée à demander le divorce.

— Tu sais tout, maintenant.

— Pas encore ! Comment fais-tu pour être aussi sereine ?

— Hum! J'ai d'abord réalisé que Mario pèse pas mal plus fort que moi dans la balance et que Jérôme tient plus à être son ami qu'à être mon mari. Sans vouloir paraître mercantile, disons que contrairement à moi, le simple fait de côtoyer Mario lui rapporte de l'argent, et pas mal à part ça. Et puis, j'ai horreur du mensonge. Je ne vois pas comment je pourrais partager la vie de quelqu'un en qui je n'ai plus confiance. D'ailleurs, il faudra confier la gestion de notre fondation à quelqu'un d'autre, même qu'on aurait dû le faire bien avant. Que dire de plus sinon que je n'ai pas envie de m'apitoyer sur mon sort, cette fois. Émile a besoin de sa mère et moi de reprendre ma vie en mains. Quand c'est trop dur, je débarque chez Françoise ou chez Rachel et j'attends que ça passe.

— Il y a des jours où je me dis que c'est avec toi que j'aurais dû me…

Pascal s'arrête net de parler. Il est horriblement gêné de ce qu'il s'apprêtait à ajouter.

— Ne dis pas de bêtises! l'intime Sonia d'un ton sévère. Ma sœur a plus que jamais besoin de son mari et moi de mon ami.

La dernière phrase qu'elle vient de prononcer lui a écorché la gorge au passage. Elle secoue la tête avec énergie dans l'espoir de remettre ses idées en place au plus vite. Ce n'est pas le moment de verser dans la sentimentalité.

— Que comptes-tu faire, maintenant? lui demande-t-il enfin.

— Je vais commencer par déménager dans le même quartier que Rachel et Françoise. J'ai signé mon bail hier soir et j'ai réservé des déménageurs pour la fin du mois. Je vais ensuite chercher une gardienne pour Émile parce que je commence à travailler le premier août à l'Université Laval à raison de quatre jours par semaine. Je suis allée rencontrer le recteur à sa demande et il m'a offert de diriger le service qui s'occupe de leurs fondations. Est-ce que c'est toi qui lui as parlé ? Parce qu'il était drôlement bien informé sur moi…

— Non, mais je pourrais lui confirmer qu'il a fait le bon choix, par contre. Toutes mes félicitations ! Pour ce qui est de Jérôme, je suis d'accord pour le remplacer et le plus vite sera le mieux. Quand comptes-tu venir à Chicoutimi ?

— Avant de commencer à faire mes boîtes. Peux-tu convoquer tout le monde pour mardi midi ? Il faudrait aussi réserver une salle.

— Je vais demander à Mariette de s'en occuper.

— Et pour Simone ?

— Les dernières nouvelles ne sont pas très rassurantes. Depuis qu'elle a changé de médicament, elle a du mal à aligner deux mots. Les deux dernières fois que je l'ai appelée, elle n'a pas voulu me parler.

Sonia ne sait pas comment réagir. D'un côté, elle ne peut pas lui reprocher d'avoir tenté quelque chose de nouveau et, d'un autre, elle se verrait mal lui décerner une médaille pour d'aussi piètres résultats.

— Je pourrais peut-être lui téléphoner…

— Demande le numéro de Maggie à Charles. On ne sait jamais, peut-être que tu auras plus de succès que moi.

— Je te tiens au courant. Je vais devoir te laisser, Émile vient de se réveiller et c'est une question de secondes avant qu'il se mette à hurler. À bientôt !

Elle remet le combiné en place et revient s'asseoir sur le divan. Les nouvelles de Simone la laissent pantoise. Elle avait espoir que ce nouveau traitement lui ramènerait sa sœur du temps où elle avait plus de bons que de mauvais moments. À croire ce que Pascal vient de lui dire, son état a empiré, ce qui la déçoit beaucoup. Elle regrette de lui avoir écrit. Son geste était purement égoïste et elle ne le réalise qu'aujourd'hui. Elle lui en voulait de ne pas l'avoir avisée de son départ pour la Belgique et aussi de ne plus être celle qu'elle était avant alors que Simone n'avait aucun contrôle sur sa nouvelle réalité. Sa vie lui glissait entre les doigts sans qu'elle ne puisse rien faire pour la retenir. Elle ignore si elle va l'appeler et si jamais elle le fait elle devra d'abord savoir ce qu'elle va lui dire. Transiger avec la maladie n'a jamais été son fort.

***

Charles n'en peut plus d'attendre l'arrivée d'Alice pour lui parler de sa fin de semaine à Québec. Des grandes lignes seulement, il va sans dire.

— Vous ne m'auriez rien dit que j'aurais su que les choses s'étaient bien passées entre vous. Vous avez l'air d'un gamin qui vient de faire un mauvais coup. Quand comptez-vous lui demander sa main ?

Sa question le surprend tellement qu'il passe à un cheveu de s'étouffer avec sa bouchée de crêpe.

— Parce que c'est déjà fait ? lui demande-t-elle sans hésiter.

Il opine du bonnet avant de se mettre à rire.

— Et, bien sûr, elle a accepté ! Jurez-moi que vous ne partirez pas avant d'avoir trouvé quelqu'un pour vous remplacer.

— Je compte rester jusqu'à la fin septembre.

— Vous avez intérêt à vous y tenir, si vous ne voulez pas avoir affaire à moi, ajoute-t-elle d'un ton faussement autoritaire.

— Je ne vous remercierai jamais assez de m'avoir encouragé à lui dire ce que je ressentais pour elle. Françoise est une femme merveilleuse et très courageuse aussi.

— Vous ne m'apprenez rien.

— Attendez que je vous raconte ce qu'elle a fait pour Sonia.

— Pas avant que je me sois servi une tasse de thé.

— Laissez, je m'en charge.

— Dépêchez-vous avant que Catou finisse sa sieste.

Plus elle en entend, plus Alice secoue la tête de gauche à droite. Cette histoire est triste à mourir. Un peu plus et elle croirait que Charles lui lit la une du *Progrès-Dimanche*: *Une bonne sauve sa patronne des griffes de son mari!* Décidément, il y a des hommes qui ne méritent pas de vivre et ce Jérôme en est un exemple parfait. Comment se fait-il que Sonia n'ait rien vu venir? La seule explication possible s'appelle l'amour. Un jour, il faudra que les femmes apprennent à détacher leur cœur de leur tête. Au moins le temps de vérifier à qui elles ont affaire. Elles s'éviteraient ainsi plusieurs déceptions. Alice parle en connaissance de cause: elle a fait sa petite enquête avant d'accepter d'unir sa vie à celle de son défunt mari.

— J'ai beaucoup d'admiration pour Françoise, qui s'est montrée si courageuse, ajoute Charles en guise de conclusion.

— Avec raison! Comment s'en sort-elle?

— Bien! Très bien, même! Elle s'est lancée dans les pâtisseries françaises. J'ai eu le plaisir de goûter à ses trois premières et elles n'avaient rien à envier à celles de la nouvelle pâtisserie en bas de la côte. Elle compte offrir ses services de traiteur pour les repas de mariage et d'enterrement et elle veut proposer autre chose qu'un pouding chômeur ou un Reine-Élisabeth pour le dessert.

— Ou du Jello aux fraises! Vous n'allez quand même pas me dire que le règne de la tourtière et des sandwiches pas de croûtes est sur le point de finir lui aussi?

— J'ai bien l'impression que oui... du moins de son côté. Vous auriez adoré son gâteau opéra.

— Interdiction de tourner le fer dans la plaie! Et Sonia, dans tout ça?

— D'après ce que Françoise m'a dit, elle vit beaucoup mieux cette séparation que celle causée par le départ d'un certain…

Charles plisse les yeux comme si cela pouvait suffire à lui rappeler le nom de l'ancien amoureux de Sonia.

— Mario, ajoute Alice. Si vous voulez mon avis, il était encore pire que Jérôme, dans son genre. Pauvre fille, elle n'a jamais eu de chance en amour. Pour revenir à vous et à Françoise, je savais bien que je ne me trompais pas. Vous êtes faits pour être ensemble!

— Merci pour tout, Alice! Seriez-vous d'accord si on attendait un peu pour en parler aux Thibault?

— On garde ça pour nous pour l'instant.

Si fière soit-elle de son coup, Alice craint la réaction des filles quand elles apprendront que Charles s'en va trouver Françoise. Il ne lui reste plus qu'à espérer que Simone reviendra et qu'elle sera assez en forme pour s'occuper de la maisonnée. C'est permis de rêver! En attendant, Alice va tendre l'oreille quand elle ira jouer au bridge. Avec un peu de chance, peut-être trouvera-t-elle plus vite que prévu la perle rare pour remplacer Charles.

— À vous maintenant de me dire comment se sont passés vos deux jours de garde…

— Tellement bien que vous pourrez reprendre congé dans deux semaines. Si vous voulez tout savoir, Marie est venue chercher les trois filles après le déjeuner samedi et elle me les a ramenées seulement après le souper le lendemain. Quant à moi, j'en ai profité pour me prélasser dans ma cour avec Germaine.

— J'avoue que j'étais un peu inquiet du sort que vous réserveraient vos petites-filles.

— Bla bla bla ! Allez raconter ça à quelqu'un d'autre que moi. Vous avez oublié jusqu'à mon existence dès l'instant où vous avez plongé votre regard dans celui de Françoise et ne vous avisez surtout pas de me dire le contraire.

***

Françoise ne s'explique toujours pas la réaction de Rachel lorsqu'elle lui a annoncé son mariage avec Charles. Elle aurait dû être contente pour elle, la féliciter au lieu de prendre son ton de mère supérieure. Est-ce parce qu'elle est jalouse ? Pourquoi le serait-elle puisqu'elle va se marier avec André ? À moins que ce ne soit parce qu'elle est contre l'idée de faire un mariage double. Dans ce cas, Rachel n'avait qu'à dire le fond de sa pensée et elle aurait choisi une autre date. Il y a sûrement quelque chose qui lui échappe, mais quoi ? D'ailleurs, elle ne lui est pas encore revenue avec la réponse d'André et ce n'est pas par manque d'occasions puisqu'elles se sont vues tous les jours. Françoise lui accorde vingt-quatre heures de sursis avant de revenir à la charge. Elle veut connaître le fin fond de l'histoire et elle le connaîtra coûte que coûte, même s'il faut lui tirer les vers du nez.

Elle baisse les yeux sur le livre de recettes qu'elle est en train de feuilleter. Jamais elle n'aurait cru que dresser un menu lui demanderait autant de temps. Elle s'est très vite rendu compte que choisir un mets représente seulement la pointe de l'iceberg. Elle doit prendre en considération un tas d'éléments dont le nombre d'ingrédients, leur coût, le temps nécessaire pour le faire, la difficulté d'exécution, son apparence, s'il se réchauffe bien, sa popularité... À force de toujours faire les mêmes recettes par cœur, elle a oublié que chaque nouvelle lui demandera plusieurs essais pour la mettre à sa main et forcément quelques ratés au passage. Préparer à manger pour cent personnes ne se compare en rien au fait de cuisiner pour une famille. Elle savait que son projet était ambitieux et elle ne se laissera pas décourager pour autant. Elle a calculé ses avoirs et elle a les moyens de ses ambitions. Il lui suffit de se calmer et tout ira bien. Bonne nouvelle pour son portefeuille ! Elle a repris du service chez Marguerite une journée par semaine. Deux autres femmes ont confirmé leur intérêt pour qu'elle remplisse leur congélateur chaque mois, ce qui représente l'équivalent de deux autres jours de travail par semaine. Résultat : son salaire assurera largement le total de ses dépenses, ce qui devrait lui permettre de dormir sur ses deux oreilles alors que ce n'est pas toujours le cas ces derniers temps. Elle a l'air brave quand on la regarde aller et elle l'est la plupart du temps. C'est lorsque la voix de son défunt père lui murmure à l'oreille de se contenter de ce qu'elle a que l'inquiétude la gagne. Avec tout le respect qu'elle lui doit même six pieds sous terre, non seulement il s'est toujours contenté de ce qu'il avait, mais il se faisait un malin plaisir de refuser les promotions. Il disait à qui voulait l'entendre qu'il refusait de voler du temps à sa famille alors qu'au fond il était mort de peur à l'idée de changer ne serait-ce que la couleur de ses chaussettes. Son père était un être d'habitudes et il ne se gênait pas pour lever le nez sur ceux qui osaient. Pour lui, ils n'étaient rien d'autre que des éternels insatisfaits. À vrai dire, à force de répéter la même rengaine, il a réussi à la convaincre que c'était ça, la vie. Elle avait commencé à travailler dans les maisons privées et elle y resterait jusqu'à sa mort. Dans le cas où Alice n'aurait pas offert ses services à Sonia, il y a fort à parier qu'elle se serait contentée de ce qu'elle avait elle aussi. Elle n'était pas mal chez les Thibault, même que la plupart des gens se seraient entendus pour dire qu'elle était très bien. Comment aurait-il pu en être autrement puisqu'elle travaillait pour un docteur ? Elle reconnaît sans effort que sa vie de bonne aurait pu être pas mal moins intéressante. Elle reconnaît aussi qu'elle avait fait le tour du jardin depuis un bon moment et qu'elle avait seulement besoin d'un petit coup de pied pour bouger. Alice l'a poussée hors du nid et elle a saisi l'occasion au vol sans se poser la moindre question. C'était ça ou elle aurait fini par mourir d'ennui.

24

L'état de Simone s'est stabilisé de manière significative depuis sa petite virée avec Maggie. Au lieu d'avaler sa deuxième dose de médicament ce soir-là, elle a bu suffisamment d'alcool pour rester dans les limbes jusqu'au lendemain soir, ce qui fait qu'elle en a pris encore une seule. De même que le surlendemain. À sa grande surprise, elle parlait presque normalement au bout de ces trois jours de traitement coupé de moitié. Elle n'a rien dit à personne et a décidé de garder la même recette encore un peu. Deux doses l'assommaient alors qu'une seule la maintenait à flot, ce qui lui redonnait espoir. Son docteur la sermonnera vertement si elle lui en fait part et lui rappellera d'un ton autoritaire qu'elle doit suivre la posologie à la lettre si elle veut obtenir des résultats. Il y a longtemps qu'elle a compris que son statut de patiente ne lui donne aucun pouvoir, sinon celui de lui obéir. Si Pascal passe plus de temps à écouter ses patients, c'est loin d'être le cas de la plupart de ses collègues. Et encore moins de son médecin !

— Comment vas-tu ? lui demande Maggie en prenant place devant elle à table.

— Merveilleusement bien, mais c'est sûrement à cause des petits pains au chocolat !

— Ne me dis pas que je tiens enfin les responsables de mon embonpoint !

— À mon avis, tu devrais en glisser un mot à Louis. As-tu encore mal au cœur ?

— Seulement après en avoir mangé trois.

Les deux amies pouffent de rire. Ici, un déjeuner sans cette pâtisserie est un déjeuner sans joie.

— À ta place, j'essaierais d'en manger quatre ce matin. Tu dois manquer de sucre.

Maggie prend la main de Simone et la serre dans la sienne. Jamais elle n'oubliera la femme qu'elle est allée chercher à Chicoutimi. Elle avait du mal à la reconnaître. Et son état a continué à se détériorer jusqu'au fameux soir où elle l'a forcée à la suivre au bar au coin de la rue pour fêter sa grossesse. Louis était en déplacement et elle ne pouvait pas garder ce nouveau bonheur pour elle plus longtemps. Son geste aurait pu être lourd de conséquences pour Simone, les médicaments et l'alcool n'ont jamais fait bon ménage. Qu'à cela ne tienne, la quantité de bière qu'elle a ingurgitée a eu l'effet contraire. Maggie ne s'en est pas vantée à Pascal quand elle l'a eu au bout du fil. Il lui a confié ce qu'il a de plus précieux et elle a manqué à sa tâche, un point c'est tout. Tant mieux si son écart de conduite a eu un effet positif.

— Sur une échelle de dix, comment te sens-tu ?

— Assez bien pour me donner un huit, répond Simone après quelques secondes de réflexion. Le seul fait de pouvoir penser et parler presque normalement me donne des ailes. Je n'en pouvais plus de vivre dans la brume la plus totale, je n'avais plus la force de me battre. Je veux bien servir de cobaye, mais plus à mon détriment. Comme je l'ai déjà dit à Pascal : je ne suis pas un laboratoire et je suis la mieux placée pour savoir ce qui se passe dans mon corps parce que je l'habite depuis le jour de ma naissance, ce qui n'est quand même pas négligeable.

— Vas-tu en parler à ton docteur ?

— Pour qu'il me regarde au-dessus de ses petites lunettes rondes avec un petit sourire en coin ? Non merci ! Il tirera les conclusions qu'il voudra en me voyant.

— Mais tu vas fausser ses recherches…

— Au nombre de patients qui goûtent à sa médecine, permets-moi d'en douter. Je me contenterai d'en parler à Pascal au moment opportun. Je compte sur toi pour ne rien lui dire pendant encore deux semaines. Je ne voudrais pas lui faire une autre fausse joie.

Maggie acquiesce d'un signe de tête sans se faire prier. Elle comprend que Simone veuille faire les choses à sa manière, et à son heure.

— Mes filles me manquent ! Et Sonia aussi !

— Je reviens tout de suite ! déclare Maggie en se levant sans crier gare.

— Écoute-moi la prochaine fois et manges-en quatre au lieu de trois ! s'écrie Simone d'une voix forte.

— J'étais allée chercher une lettre qui t'est adressée, lui confie Maggie en se rasseyant. J'espère que tu ne m'en voudras pas… Elle est arrivée il y a deux semaines. J'ai pensé bien faire en attendant le bon moment pour te la remettre et j'ai fini par l'oublier.

— Ne t'en fais pas avec ça, dit-elle en saisissant la lettre qu'elle lui tend. Elle est de Sonia.

— Il faut que je me sauve ! À ce soir !

Aussitôt seule, Simone déchire l'enveloppe, sort une feuille de papier blanc tout ce qu'il y a de plus ordinaire, la déplie et la lit d'un trait. Elle a les yeux pleins d'eau à la fin de sa lecture. Sa petite sœur est en plein drame et elle n'est même pas là pour la consoler. Elle regarde l'heure sur sa montre. Avec un peu de chance, Sonia doit être en train de faire sa vaisselle du dîner. Elle hésite un peu avant de l'appeler. Sonia est proche de Pascal et elle ne voudrait pas la placer en mauvaise posture. À bien y penser, elle en vient à la conclusion qu'il vaut mieux continuer de faire la morte. Après tout, ce ne sont pas quelques semaines de plus ou de moins qui feront changer Sonia d'idée face à elle. La lecture de sa lettre lui démontre que sa sœur ne la porte pas dans son cœur. Avec raison ! Il y a un sacré bout de temps que Simone la garde à distance. On finit toujours par devoir passer à la caisse et son tour est venu. Après tout, elle n'a rien d'autre que ce qu'elle mérite.

Elle attrape un deuxième petit pain au chocolat dans le panier et mord dedans à pleines dents. Ses filles en seraient folles. Il y a fort à parier qu'elles se battraient pour savoir qui irait les chercher à la pâtisserie. Elles ont sûrement grandi depuis qu'elle a quitté la maison. Si seulement elle pouvait voir de ses propres yeux comment elles s'en tirent… Elle ne doute pas une seconde que Pascal veille au grain, mais ça la rassurerait de les regarder vivre un instant. Est-ce que Catou s'amuse toujours à construire des tours plus hautes qu'elle avec ses blocs de bois ? Est-ce que Chantale a fini de tresser son fameux tapis ? Est-ce que Brigitte lui fiche la paix de temps en temps ? Est-ce que Martine a accepté de passer l'été en famille ? Est-ce que Christine a réussi à oublier Thierry ? Est-ce qu'Alice s'est fatiguée de jouer à la mère au point de retourner chez elle ? Est-ce que Charles attend seulement son retour pour lui donner sa démission ? Autant de questions qui la réveillent la nuit. Elle leur a fait la vie dure. Elle peut certes mettre la faute sur le fait qu'elle n'était pas dans son état normal, ce qui, somme toute, représente la vérité. Seul hic, ils ne possédaient aucun moyen de sortir de leur rôle de victime. Il y a aussi son père et Pascal. Ils ont eu droit au même traitement que les autres. Il faut que ses proches l'aiment beaucoup pour la soutenir encore.

Ses pensées la ramènent chez Hedwig. De tout ce qu'elle a fait de travers dans sa vie, sa visite chez elle remporte la palme haut la main. Elle aurait voulu disparaître dès l'instant où elle a franchi le seuil de sa porte. Elle aurait été capable de rebrousser chemin seule qu'elle l'aurait fait sauf qu'elle était prise en otage. Elle était là le temps qu'Hedwig voudrait bien la supporter. Son amie a tout fait pour la mettre à l'aise… sans y parvenir. Simone n'avait qu'une envie : se rouler en boule et attendre que ce soit l'heure de retourner chez Maggie. La vie de château qu'elle avait tellement appréciée lorsqu'elle était venue au mariage d'Hedwig lui donnait la nausée. Elle n'avait pas le cœur à jouer à la châtelaine, mais alors là, pas du tout. D'ailleurs, ça lui fait penser que son amie ne lui a donné aucune nouvelle depuis qu'elle l'a ramenée.

Simone range la cuisine comme elle a l'habitude de le faire chaque matin depuis qu'elle est ici. Elle avait du mal à mettre un pied devant l'autre, mais elle s'acquittait quand même de sa tâche. C'est ainsi qu'elle s'est rendu compte qu'elle commençait à y prendre goût. Peut-être qu'un jour elle réussira à vivre sans domestique ! Elle sourit lorsqu'elle aperçoit la boîte de pralines que Louis lui a offerte la semaine passée. Que ses préférées ! Elle l'ouvre, en choisit une, la porte à sa bouche et laisse glisser ses dents dans la ganache au café jusque sous le praliné. Elle ferme les yeux et se laisse porter par la finesse de cette pure petite merveille. Elle mange l'autre moitié avec le même plaisir avoué. Elle en choisit ensuite une deuxième et imagine Chantale en train de lui faire des gros yeux parce qu'elle ne lui en offre pas. Elle rit toute seule et se fait la promesse de quitter la Belgique avec une valise remplie de pralines et de tablettes de chocolat Côte d'Or et Galler pour ses filles.

***

La rencontre est terminée depuis une bonne demi-heure lorsque Sonia peut enfin quitter la salle avec Pascal. Les membres du conseil de la fondation ont tous pris le temps de venir la saluer, ce qui lui a fait très plaisir. Elle a su trouver les bons arguments pour les convaincre et tous se sont ralliés à sa suggestion de confier la gestion à quelqu'un d'autre que Jérôme. Comme elle s'y attendait, ils ont suggéré qu'elle s'occupe de l'aviser, ce qu'elle compte faire avant la fin de la semaine. Elle mentirait si elle disait que ça l'enchante. Étant donné qu'elle est la seule à habiter Québec, ce sera beaucoup plus simple pour tout le monde si elle s'en charge.

— As-tu mangé ? lui demande son beau-frère.

— Pas vraiment ! J'ai grignoté quelques biscuits au thé en roulant et c'est tout.

— Je t'invite à dîner.

Elle se sent légèrement mal à l'aise d'accepter son invitation, surtout après ce qu'il lui a dit au téléphone l'autre jour. Et, dans la seconde qui suit, elle se convainc que c'était des paroles en l'air et qu'il les a déjà oubliées. Les hommes de sa trempe sont trop rares pour se priver de leur compagnie.

— Pitié ! Pas à la cafétéria !

— Je pensais plutôt t'emmener manger du poulet BBQ. Est-ce que ça te va ?

— La seule chose qui m'importe, c'est de ne pas manger à l'hôpital.

— Dépêche-toi ! Je dispose d'une heure avant de mettre mon premier bébé au monde aujourd'hui.

— Parce que tu crois qu'il va t'attendre…

— Ça devrait. Où es-tu stationnée ?

— Devant la porte de l'entrée principale. Si j'avais su que tu m'invitais à un rallye, j'y aurais pensé à deux fois avant de dire oui.

Pascal l'attrape par le bras et l'oblige à augmenter sa vitesse de croisière. Il marche tellement vite qu'elle a l'impression de voler.

— As-tu déjà remarqué que j'ai presque un pied de moins que toi ? lui demande-t-elle, à bout de souffle.

— Tant que ça ?

— Peut-être que c'est juste onze pouces, mais la conséquence demeure la même. Je ne peux pas marcher aussi vite que toi. Et je porte des talons hauts, au cas où tu ne l'aurais pas remarqué.

— Et ils te font des mollets d'enfer !

Sonia ne peut résister à l'envie de le pousser avec son coude avant de se mettre à rire. Elle se dirige ensuite vers son auto, ouvre la portière côté passager et va s'asseoir derrière son volant. Elle démarre le moteur et attend que Pascal lui donne la direction, ce qu'il fait sans se faire prier. Elle passe un bon moment en sa compagnie et le ramène à l'hôpital à l'heure prévue. Il l'embrasse sur la joue et sort de son auto sans se retourner. Elle expire tout l'air de ses poumons et se remet du rouge à lèvres. Elle a rendez-vous chez son père à cinq heures ; elle aura amplement le temps d'aller saluer Alice. Pascal lui a dit qu'elle avait pris congé aujourd'hui, ce qui l'a fait sourire. Depuis quand une grand-mère est-elle obligée de prendre congé ? Elle sort du stationnement de l'hôpital et tourne à droite. Elle y sera dans deux minutes. Elle se met à chanter le dernier succès de Michèle Richard à tue-tête. La voilà devant la maison d'Alice et son auto est là, de même que celle de Germaine, ce qui augure bien. Elle se stationne dans la rue, éteint son moteur et marche d'un bon pas jusqu'à la porte d'entrée. Elle sonne une première fois, puis une deuxième sans qu'Alice ne se montre le bout du nez. À la température qu'il fait, elle est sûrement en train de boire son thé sur sa terrasse. Elle contourne la maison et la voit bien installée face à la rivière Saguenay. Elle se racle la gorge pour annoncer sa présence. L'instant d'après, Alice se retourne et lui sourit.

— Quelle belle surprise ! Venez me trouver, la vue est magnifique d'où je suis. Quel bon vent vous amène ?

Sonia lui raconte brièvement la raison de sa visite et lui annonce qu'elle a été mandatée pour apprendre la nouvelle à Jérôme ; cela ne l'enchante guère.

— Ne dites rien, lance Alice. J'imagine que vous êtes la seule femme sur le conseil…

— Oui et la seule aussi qui habite à Québec.

— Ce qui faisait de vous la personne toute désignée pour vous acquitter de cette tâche. Et personne ne s'est soucié du fait qu'il s'agit de votre ex-mari et que vous n'avez peut-être pas envie de le voir. Pas même Pascal ?

— Sans vouloir me porter à la défense de mon beau-frère, il est le seul à être au courant et, pour être honnête, je n'aurais pas vraiment apprécié qu'il étale ma vie au grand jour devant tous ces beaux docteurs.

— Dommage que je reste si loin, je m'en serais occupée pour vous.

— Ne vous inquiétez pas, j'en ai vu d'autres.

Alice pose sur elle un regard enveloppant qui la fait rougir un peu. Elle n'a pas l'habitude d'être dorlotée. À vrai dire, outre les hommes qui ont prétendu l'aimer, son père est la seule personne à s'être préoccupé réellement de son bien-être. Et il le fait toujours.

— Vous êtes forte, mais même les gens comme vous ont parfois besoin de soutien. Prendriez-vous un thé ou une bière froide ?

— J'ai bien envie de choisir la bière. J'ai toujours trouvé que ça se mariait à merveille avec le soleil et la chaleur. J'adore cet endroit.

— Pas autant que moi ! Je reviens dans une minute.

Sonia en profite pour admirer le paysage qu'elle a sous les yeux et l'immense bateau qui passe devant la maison d'Alice à l'instant. Elle a accès à tout ça et à plus encore à Québec, mais contrairement à ici, elle ne voit rien de sa cour. Ou elle se déplace ou elle s'en passe, c'est aussi simple que ça.

— Je l'ai versée dans un des verres que Pascal a apportés de chez lui. Il trouvait les miens trop petits et trop fins.

— Merci, Alice ! Première fois que je les vois ! J'ai l'impression qu'ils avaient été oubliés dans le haut d'une armoire. Ma sœur a plus de verres que le restaurant de l'Hôtel Chicoutimi.

— Si vous voulez mon avis, avance Alice, il y a trop de tout dans cette maison.

— Incluez-vous les enfants ?

— Non ! Autant je les trouvais bruyantes avant, autant je suis sur le point d'apprécier les chutes de blocs de Catou et j'attends impatiemment le retour de Martine. J'adore mes petites-filles toutes autant qu'elles sont et je pense que c'est réciproque.

— Ce l'est sûrement ! Je ne voudrais pas paraître indiscrète, mais est-ce que François a cessé de s'en prendre à vous ?

Alice hausse les épaules et se tord les doigts.

— Je ne peux rien dire de plus sinon que François restera toujours égal à lui-même. Il n'a pas déposé les armes et il ne risque pas de le faire de sitôt non plus. Entre vous et moi, je préfère qu'il s'en prenne à moi plutôt qu'à M. Dionne. Je connais mon fils par cœur et je suis capable de lui faire face. Je vais vous faire une confidence. Le mot regret ne fait pas partie de mon vocabulaire, sauf lorsqu'il s'agit de François. Je n'ai pas échappé seulement une maille, mais toute une rangée et il est trop tard pour les rattraper. Il est d'une telle méchanceté que je plains les femmes qui croisent sa route. Ce qu'il leur fait miroiter comme étant de l'amour n'est en réalité que de la poudre aux yeux parce que François n'aime que François.

Les mots d'Alice sont très sévères à l'endroit de son fils et ça lui donne la chair de poule. Elle ne s'imagine pas en train de parler de cette manière d'Émile et, en même temps, elle comprend le trop-plein de la mère qui est devant elle. Il y a des gestes impardonnables et François semble en avoir fait sa marque de commerce.

— Je suis désolée, finit-elle par dire.

— Parlez-moi plutôt de votre petit Émile.

* * *

Sonia s'est installée dans la cour arrière de la maison familiale, ce qu'elle n'avait pas fait depuis très longtemps, en attendant son père. Entouré d'une haie de cèdres plus haute qu'elle, faute d'avoir été taillée de manière régulière, le terrain manque cruellement d'amour. Les mauvaises herbes ont envahi les plates-bandes que sa mère affectionnait tant et le gazon aurait grand besoin d'une coupe à moins que son père prévoie faire l'acquisition d'une chèvre dans la prochaine semaine. La peinture des fenêtres et de la porte lève par plaques et les moustiquaires ne servent plus à grand-chose tellement elles sont trouées. Autant cette cour était la fierté de ses parents, autant elle n'est plus que désolation. Ou son père investit quelques heures de travail pour lui redonner du lustre, ou il devra baisser son prix de manière significative s'il veut intéresser un acheteur. Comme on dit, elle est belle de loin, puisque son père entretient la devanture, mais elle est loin d'être belle. Elle n'a fait que passer dans la maison et ça lui a suffi pour conclure que l'intérieur vaut la cour arrière, dans son genre.

Quand elle était petite, elle croyait dur comme fer qu'elle habitait la plus belle maison du quartier. Elle y croyait tellement qu'elle était prête à supporter les moqueries de tous ceux qui revendiquaient le même titre pour la leur. Il y en avait des plus grandes et des beaucoup plus ravissantes aussi. Elle le savait, elle avait des yeux pour voir, mais elle continuait à vanter la sienne parce que c'était là qu'elle vivait et qu'elle n'aurait pas voulu être ailleurs. Pas même dans celle du patron de l'Alcan. Elle ne défendait pas la valeur de ses murs ni la valeur de son revêtement extérieur. Elle défendait le plaisir qu'elle éprouvait à y vivre. Elle sourit. Elle était prête à tout pour être heureuse, même à croire que ses parents filaient le parfait bonheur. Fallait-il qu'elle soit naïve ! Elle aimerait dire qu'elle a changé alors qu'au fond l'espoir demeure ce à quoi elle s'accroche encore trop par moments. Elle aurait pu limiter les dégâts avec Jérôme si elle avait posé les bonnes questions. Elle savait qu'il voyait Mario, mais jamais elle ne s'est préoccupée d'en savoir plus sur le lien qui les unissait. Elle faisait confiance à son jugement. Il connaissait son passé avec lui mieux que quiconque et malgré cela il l'a flouée sur toute la ligne. Un enfant est né de tous ces mensonges et la voilà liée à Jérôme jusqu'à la fin des temps. Il lui tarde d'au moins en finir avec lui pour tout ce qui touche la fondation.

Elle ne rêvait pas de divorcer alors que son fils n'a pas encore un an. Elle s'était mariée pour la vie et elle s'imaginait écouler des jours heureux aux côtés de son mari et de Françoise. Elle a eu tout faux. Elle est revenue à la case départ et c'est d'autant plus difficile quand elle pense à tout ce qu'elle aurait pu éviter si seulement elle s'était occupée de ses affaires au lieu d'adopter sa légendaire nonchalance dès que l'amour est en cause. Comme il est trop tard pour revenir en arrière, il ne lui reste plus qu'à faire contre mauvaise fortune bon cœur. Elle ferme les yeux et s'assoupit.

— Sonia ! lance André en posant une bouteille de bière glacée sur son bras.

Elle se secoue le bras, se frotte les yeux et lui sourit.

— Bonjour, papa !

— Bonjour, ma belle fille ! Depuis quand t'endors-tu au soleil ?

— Je ne dors pas très bien ces temps-ci, Émile se réveille au moins trois fois par nuit. Il a les joues et les fesses en feu. D'après Françoise, il perce des dents.

— Pauvre enfant!

Il prend une gorgée avant d'ajouter:

— Je suis très content que tu sois là, mais, pour faire changement, mon frigidaire est vide. Que dirais-tu si on allait manger au Barillet?

— Que tu jettes ton argent par les fenêtres parce que Pascal m'a invitée à manger du poulet BBQ ce midi et que je n'ai pas très faim. Pour être franche, une tranche de pain avec un peu de confiture me suffirait amplement. Je m'inquiète pour toi, papa.

— Pourquoi?

— Eh bien, parce que tu ne t'occupes plus de rien ici. Ta cour est affreuse. Ton frigidaire n'a jamais rien dedans. Ta cuisine ressemble à un dépotoir. Tu laisses tout traîner. Il n'y a que la devanture de ta maison qui a de l'allure. Et tu oses dire que tu veux vendre? Aucun acheteur sensé n'en voudra dans ces conditions. À la place de Rachel, je m'inquiéterais pour ma propre maison. Tu la connais suffisamment pour savoir que tout doit être parfait chez elle, tant à l'intérieur qu'à l'extérieur. Et c'est pareil pour Françoise.

— As-tu fini?

Sonia lève les yeux au ciel et soupire discrètement. Elle n'a pas été tendre avec lui et il est resté de glace, ce qui ne lui ressemble pas du tout.

— À ton tour de m'écouter, ma belle fille. Tu as raison sur toute la ligne: jamais je n'ai autant négligé ma maison. Ceci étant dit, il vaudrait mieux t'habituer parce qu'à moins de recevoir un coup de baguette magique sur la tête, je n'ai pas l'intention de changer quoi que ce soit dans ma façon de faire. Je déteste tout ici et moins j'y passe de temps, mieux je me porte.

Les propos d'André ont l'effet d'un coup de poing en pleine poitrine sur elle. Elle comprend qu'il n'ait pas envie de vivre dans les souvenirs, elle admet que les derniers ne sont pas très tentants. Elle comprend aussi qu'il aspire à une vie meilleure, tout porte à croire qu'il l'aura avec Rachel. Ce qui lui fait le plus mal se résume aux quatre premiers mots de sa dernière phrase : Je déteste tout ici. Vise-t-il seulement les dernières années de sa vie de couple ou l'ensemble de son œuvre ? Par peur de sa réponse, elle décide de ne pas lui demander de préciser sa pensée.

— Si ça peut te rassurer, je passe chez le notaire la semaine prochaine pour signer l'acte de vente de ma maison. Je serai locataire jusqu'à la fin septembre.

Sonia est sous le choc. Jamais elle n'aurait cru qu'il trouverait preneur aussi vite sans avoir annoncé la vente dans le journal et sans avoir mis une pancarte à la fenêtre.

— Est-ce indiscret de te demander à qui tu l'as vendue ?

— À Benoît ! Il travaille avec moi à l'Alcan. Je me suis engagé à tout remettre en ordre avant de partir et je vais le faire.

— Pourquoi t'entêtes-tu à rester ici alors que tu n'en peux plus ?

— Où veux-tu que j'aille ?

Elle se frotte le menton. Elle ne peut pas croire que son père va souffrir pendant trois autres mois. Il existe forcément une solution à son problème.

— J'ai peut-être une solution, mais il faudrait que tu acceptes de déménager à Chicoutimi. Une des filles avec qui je faisais l'école avait l'habitude d'aller passer l'été dans sa famille en Gaspésie. Elle pourrait te sous-louer son logement. Il est à deux pas de l'hôpital.

— Et pour septembre ?

— Si je me rappelle bien, elle louait un grand cinq et demie. Elle pourrait te laisser une chambre. Veux-tu que je l'appelle ?

Il prend le temps de réfléchir. L'idée de partir d'ici lui plaît beaucoup, même que pour être honnête elle lui donne des ailes. Il trouve de plus en plus difficile d'être prisonnier dans sa propre maison et il lui tarde d'en sortir.

— C'est Benoît qui serait content !

— Sans vouloir être méchante, c'est toi qui m'intéresses et non ton acheteur. Qu'en dis-tu ?

— Dépêche-toi d'aller l'appeler.

Sonia est tout sourire lorsqu'elle revient.

— Elle est ravie à l'idée de te rendre service, d'autant qu'elle loue déjà une chambre à un jeune qui va à l'université. Elle nous attend à huit heures.

Un grand sourire s'affiche sur les lèvres d'André et il se redresse comme si on venait de le libérer d'un énorme poids.

— Que comptes-tu apporter à Québec ?

— Mes vêtements, quelques photos de Simone et de toi, et mes outils. Je pensais offrir à M. Dionne de me faire un prix pour les meubles et tout le reste. À moins, bien sûr, que tu tiennes à garder quelque chose et, si c'est le cas, tu ferais mieux de te servir pendant qu'il est encore temps.

C'est au tour de Sonia de réfléchir. Elle revoit chacune des pièces de la maison dans sa tête et en conclut qu'elle a déjà ce qu'il faut.

— Rien pour moi, merci. Et pour Simone, j'aimerais avoir les bijoux de maman.

— Tu n'auras qu'à te servir.

— Merci, papa! Il y a quelque chose d'autre dont j'aimerais te parler. Ça concerne Françoise. Quand je l'ai vue hier, elle m'a dit que Rachel ne lui était toujours pas revenue avec ta réponse à l'idée de faire un mariage double avec vous.

— Première nouvelle que j'en ai et je lui parle tous les soirs. Tu me fais penser que chaque fois que je pose des questions sur son mariage, Rachel s'empresse de changer de sujet. Laisse-moi ça entre les mains et je te reviens. Pour ma part, je serais partant. Passons aux choses sérieuses, maintenant! Contrairement à toi, je meurs de faim alors voici ce que je te propose. Tu m'accompagnes au Barillet. Je commande un gros steak et tu manges mon pain avec un peu de confiture aux fraises.

Pour toute réponse, Sonia lui tire la langue. Son père la connaît assez pour savoir qu'elle va se laisser tenter une fois attablée au restaurant. Il suffisait de trouver le moyen de lui faire accepter l'idée d'y aller. En lui promettant de questionner Rachel concernant la possibilité d'un mariage double avec Françoise et Charles, André savait qu'elle l'accompagnerait sans rechigner.

25

Le travail de Thierry a tellement été apprécié à l'urgence le jour du tragique accident où un autobus est entré en collision avec un orignal à l'entrée du Parc que le directeur du service a supplié son patron de l'autoriser à faire deux jours par semaine chez lui jusqu'à la rentrée universitaire. Le Dʳ Laberge a tenu son bout jusqu'à ce que le directeur de l'hôpital vienne le voir en personne. À peine était-il reparti que Thierry était demandé à l'urgence. Voulant bien faire, il s'est précipité au bureau de son patron pour l'avertir, mais il a frappé un mur de glace. Tout ce qu'il a obtenu se résume à un geste brusque de la main l'invitant à disparaître de sa vue au plus vite, ce qu'il a fait sur-le-champ.

Travailler à l'urgence lui plaît plus que tout et il ne s'en cache pas. Il déploie deux fois plus d'efforts que lorsqu'il assiste le Dʳ Laberge, mais il apprend tellement qu'au final il se sent moins fatigué à la fin de son quart de travail même s'il ne sort pas plus à l'heure prévue.

Pascal vient prendre de ses nouvelles au moins deux fois plus souvent qu'avant depuis sa presque noyade. Thierry aimerait lui dire d'arrêter de s'inquiéter pour lui, qu'il va bien et qu'il fera plus attention lorsqu'il aura une envie soudaine de sauter sur une roche. En fait, la seule chose intelligente qu'il a trouvée pour le rassurer a été de lui confirmer son inscription à des cours de natation le dimanche matin. Pascal s'est contenté de lui faire un petit sourire en coin. Thierry a alors compris qu'à moins d'effacer le fâcheux événement de sa mémoire, il devra supporter sa bienveillance à son égard. À la fois honoré et touché que Pascal le considère comme son fils, il en a vite déduit que c'était le prix à payer. Sérieusement, c'est bien peu pour tout ce que cet homme a fait et continue de faire pour lui.

Ses amours avec Josée sont au beau fixe et, à moins d'avoir du temps à lui consacrer, il s'estime très chanceux qu'elle soit toujours là. Elle lui a reparlé de son intention d'aller à l'université. Aux dernières nouvelles, son patron l'a autorisée à suivre un cours par session à Chicoutimi sur ses heures de travail. Bien que ce ne soit pas exactement ce qu'elle souhaitait, puisqu'elle voulait qu'il la libère deux jours par semaine, c'est un début. Ils seront toujours aussi éloignés l'un de l'autre à compter de septembre sauf que ce ne sera plus pour la même raison. Elle lui a dit que, dans le cas où il prendrait un appartement, elle pourrait monter à Québec la fin de semaine. Autrement, elle acquittera le coût d'une chambre d'hôtel de temps en temps. Ses paroles ont à la fois rassuré et inquiété Thierry. Rassuré de savoir qu'elle tient à lui malgré le peu de temps qu'il lui accorde et inquiété parce qu'il sera trop occupé à étudier pour la voir aussi souvent qu'elle le voudrait. Il lui a fait comprendre qu'il passait son temps le nez dans ses livres ou à l'hôpital et que ce sera difficile pour lui de la voir sur une base régulière. Et c'est à ce moment que les paroles de Pascal lui sont revenues en tête : il n'y a pas que le travail dans la vie. Bien que Thierry abonde dans son sens, ça ne lui rend pas la tâche plus facile pour passer à l'action. Il vient d'un milieu où tu dois t'accrocher au peu que la vie te consent si tu ne veux pas que quelqu'un d'autre s'en empare. Comme ce qui lui arrive n'a aucune commune mesure avec les espoirs qu'il nourrissait dans ses rêves les plus fous, il se sent obligé d'en faire plus que les autres sous prétexte qu'il doit mériter sa chance. Il se stationne à l'extrême limite du stationnement de l'hôpital. Il parcourt la distance entre son auto et la porte d'entrée en deux temps trois mouvements, mais il a au moins la satisfaction de se dégourdir les jambes un peu et le plaisir de prendre un bol d'air frais avant d'aller s'enfermer au moins pour les douze prochaines heures.

— Salut, jeune homme ! lui lance Pascal en venant vers lui dès qu'il pose un pied dans le hall d'entrée. Ça te dirait de faire une petite virée en moto avec moi demain ? On partirait par L'Anse-Saint-Jean, on dînerait à Saint-Siméon et on reviendrait par Saint-Fulgence.

— J'adorerais ça, mais j'ai deux problèmes. Un, je travaille et, deux, je n'ai pas de moto. Et, sans vouloir être impoli, je ne suis pas très chaud à l'idée de monter derrière.

— Dors sur tes deux oreilles, ça ne risque pas d'arriver avec moi. Quant à tes problèmes, oublie-les. Je sors du bureau du Dr Laberge à l'instant et il te donne congé demain. Pour la moto, j'ai changé la mienne hier et je t'ai gardé ma vieille. À moins bien sûr que tu n'en veuilles pas…

Les yeux de Thierry s'agrandissent à leur maximum alors qu'un grand sourire s'affiche sur ses lèvres.

— Bien sûr que je la veux, j'ai toujours rêvé d'en avoir une !

— Parfait ! Voici le programme de la journée. Tu viens me rejoindre chez moi à huit heures. Je te donne quelques notions de conduite jusqu'à l'ouverture des magasins. On va ensuite t'acheter un casque, des bottes et une veste de cuir.

— Ho ! ho ! C'est gentil, mais je ne peux pas m'offrir tout ça aujourd'hui.

— Admettons que je te donne ton cadeau de fête un peu en avance... et tu n'as pas le droit de le refuser. Tu vas m'excuser, mais il faut que je me sauve. À demain !

Thierry soupire. Si seulement Pascal savait combien il le met mal à l'aise quand il lui offre des cadeaux hors de prix ainsi. En même temps, il danserait sur place s'il n'était pas au beau milieu du hall d'entrée de l'hôpital. Un autre de ses rêves est sur le point de se réaliser. Petit, il regardait passer les motos devant chez lui, enviait ceux qui les montaient et s'imaginait en train de conduire la sienne. Son père n'en reviendra pas quand il lui apprendra la nouvelle et la chance qu'il a. Sa mère blêmira et sa seule préoccupation sera de lui répéter sur tous les tons l'importance de conduire pour les autres parce que les automobilistes ne font pas attention aux motocyclistes. Son jeune frère a perdu la vie sur un chemin de campagne à cause d'un conducteur qui est sorti de sa cour à reculons. L'homme ne l'a jamais vu. Depuis ce jour, elle ne porte rien de ce qui a deux roues dans son cœur, pas même les bicyclettes.

La tête ailleurs, il sursaute lorsque la nouvelle remplaçante de sœur Jeanne le salue. Tout le monde ignore ce qui est arrivé à la femme respectable qui occupait sa place jusqu'à la semaine passée. Si Marie-France voyait Pascal dans sa soupe, Manon semble avoir un sérieux penchant pour lui. Elle est plutôt jolie et a un sourire d'enfer. Un beau brin de fille, quoi!

— Bonjour, Thierry! Comment vas-tu ce matin?

Il a tôt fait de diminuer le protocole à son minimum entre eux dès la première fois où elle lui a adressé la parole. Il déteste se faire vouvoyer par une fille de son âge et encore plus se faire appeler docteur alors qu'il lui faudra encore plusieurs années avant de mériter le titre.

— Très bien! Et toi?

— Beaucoup mieux depuis que tu es arrivé. Bonne journée!

Peut-être tient-elle ce genre de discours à d'autres, mais, au fond, ça lui importe peu. Il lui fait son plus beau sourire et poursuit son chemin d'un pas beaucoup plus léger.

***

Plus Christine voit Vincent, plus elle multiplie les occasions pour le voir. Une chose demeure, elle ne l'aime pas d'amour et tout porte à croire que ça ne changera pas. En revanche, elle adore tout ce qu'ils font ensemble. Elle avait tellement de temps à rattraper au lit qu'elle est insatiable. Enfin, aux dires de son amant. Ça lui fait tout drôle de prononcer ce mot pour nommer le statut de Vincent, et encore plus celui de maîtresse pour elle. Elle est très vite devenue dépendante du plaisir que lui procurent ses parties de jambes en l'air. L'idée de céder aux demandes pressantes d'un client du Château la titille. Combien de temps résistera-t-elle ? Elle l'ignore.

Elle ouvre le réfrigérateur dans l'espoir d'être inspirée pour son déjeuner. La seule vue de nourriture provoque chez elle un haut-le-cœur incontrôlable. Elle referme la porte et court à la salle de bain où elle vomit ses tripes. Alertée par le bruit, car Christine n'a pas eu le temps de fermer la porte, Sonia vient aux nouvelles.

— Qu'est-ce qui t'arrive, ma belle chouette ?

La jeune femme se relève de peine et de misère et s'assoit sur le bord de la baignoire. Elle est pâle à faire peur.

— Je ne sais pas, tatie.

— As-tu mangé quelque chose de spécial ?

— Je n'ai même pas soupé et j'ai pris juste une soupe pour dîner.

Sonia fronce les sourcils. Première nouvelle qu'elle a que sa nièce saute des repas.

— Est-ce que c'est la première fois ?

— La troisième et, si je ne m'écoutais pas, je mangerais seulement des biscuits secs.

Sa réponse la fait frissonner. Comment Christine a-t-elle pu se faire piéger de la sorte alors que son père aurait été ravi de lui prescrire la pilule ? C'est à n'y rien comprendre. Sonia se sent complètement dépassée par les événements.

— J'ai bien peur que tu sois enceinte…, finit-elle par laisser tomber d'une voix douce.

— Impossible, tatie ! Vincent met toujours un condom.

À peine a-t-elle fini sa phrase que le souvenir d'une nuit particulièrement torride lui revient.

— Sauf une fois… la boîte était vide. Ah non !

Sonia se retient de lui dire qu'elle devrait toujours en avoir dans son sac à main au cas où et qu'elle aurait dû voir un docteur pour en savoir plus sur les moyens de contraception avant même de se donner à Vincent. Tomber enceinte est la chose la plus merveilleuse qui puisse arriver à un couple qui veut fonder une famille. Autrement, c'est le pire des cauchemars.

— Je suis bien trop jeune pour être enceinte ! s'écrie Christine sur un ton frôlant l'hystérie.

Une multitude de phrases assassines se bousculent dans la tête de Sonia, mais elle les retourne aussitôt d'où elles viennent. Il est hors de question de lui faire la morale alors qu'elle est déjà à terre.

— Tu devrais aller acheter un test de grossesse à la pharmacie, lui dit-elle. Peut-être que tu as juste attrapé un virus.

— Je pourrais me faire avorter…

Sonia s'approche et lui caresse doucement la joue.

— Commence par le commencement et on avisera après.

— Promets-moi que tu ne m'abandonneras pas, tatie.

— Bien sûr que non !

L'instant d'après, Christine se jette dans ses bras et pleure toutes les larmes de son corps. Sonia n'ose même pas imaginer comment elle se serait sentie si une telle tuile lui était tombée dessus au même âge. Elle adore son fils, mais le moins qu'elle puisse dire, c'est que le métier de mère exige un don total de soi et que ce n'est pas tous les jours facile de s'acquitter de ce rôle. Du moins pas pour elle alors que tous s'entendent pour dire que c'est un enfant facile.

— Sonia ?

— J'arrive dans une minute, Françoise, je suis à la salle de bain.

Elle regarde sa nièce et l'interroge du regard pour savoir à quoi s'en tenir. La peur qu'elle lit dans ses yeux lui confirme qu'elle ne veut rien dire à Françoise pour le moment. Elle hoche la tête, lui tapote la joue et lui sourit avant de sortir de la pièce.

— Désolée, je suis un peu en avance.

— Pas de ça avec moi ! la gronde-t-elle.

Le jour où Sonia a accepté que Françoise devienne sa bonne, elle lui a fait promettre d'arrêter de s'excuser ou d'être désolée. Pourquoi ? Parce qu'elle passait son temps à le faire quand elle travaillait chez les Thibault et ça mettait Sonia hors d'elle-même chaque fois qu'elle en était témoin.

— Avez-vous dormi ? lui demande-t-elle en la voyant.

— Comme toutes les nuits. Pourquoi me demandez-vous ça ?

— Parce que vous êtes blanche comme un linge.

— Ne vous en faites pas pour moi, répond-elle en s'efforçant de sourire, je vais très bien.

Il en faut plus que ça pour convaincre Françoise qu'elle ne lui cache rien. Bien qu'elle soit tentée d'insister, elle décide de prendre son mal en patience, pour une fois.

— Êtes-vous prête à vous sucrer le bec ?

— Plus que jamais, je n'ai même pas mangé de dessert ce midi. Qu'est-ce qu'il y a au menu ?

— Identique aux deux premières fois. Dommage que Christine ne soit pas là, j'avais prévu une portion de chaque pâtisserie pour elle.

— Je vous promets de les lui donner. Avant que j'oublie, Rachel a fini par cracher le morceau. Vous n'en reviendrez pas quand je vous aurai répété ce qu'elle a dit à mon père. Elle sortait avec un certain Robert depuis l'âge de seize ans et ils avaient décidé de se marier le jour de son vingtième anniversaire. Trois mois avant la date prévue, la meilleure amie de Rachel et son *chum* leur ont demandé s'ils pourraient faire un mariage double, ce qu'ils ont accepté sans hésiter. Non seulement c'était très populaire à l'époque, mais ça réduirait les dépenses des familles de manière significative. L'église était pleine à craquer et les filles attendaient l'arrivée de leur futur mari avec impatience. Seul hic, ils ne sont jamais présentés. Imaginez-vous que les deux larrons avaient pris le large au lieu de venir se marier. Rachel a mis près de cinq ans à s'en remettre et cinq autres avant de faire à nouveau confiance à un homme. Et aujourd'hui encore, elle a une peur maladive des mariages doubles.

— Avec raison ! s'exclame Françoise dans un cri du cœur. Avoir su, je ne l'aurais pas achalée avec ça. Charles et moi n'avons qu'à nous marier une semaine plus tard ou en novembre. Voulez-vous bien me dire pourquoi elle ne m'en a pas parlé ?

— Papa lui a posé la même question et elle lui a répondu qu'elle se trouvait bien trop ridicule d'agir ainsi après tant d'années.

— J'irai la voir en rentrant. Si vous commenciez votre dégustation, maintenant ?

Sonia lui sourit. Nul doute que Françoise réussira en affaires. Elle possède une discipline de fer et une concentration rare. Elle est venue ici pour une raison précise et elle va s'y tenir coûte que coûte.

— Je vous rappelle que Marguerite a pris Émile pour la journée.

— Et c'est tant mieux, sauf que, sans vouloir vous presser, je dispose d'une heure en tout. J'ai rendez-vous avec le directeur de la Chambre de commerce en fin de journée et j'ai encore des choses à faire avant d'aller le rencontrer. Il aimerait que je lui prépare des bouchées sucrées au lieu d'un gâteau pour la fête de sa femme. En passant, je vous remercie de lui avoir parlé de moi.

— Il n'y a pas de quoi. Le temps de passer à la salle de toilette et je suis à vous.

Françoise la regarde d'un drôle d'air. Elle comprend mal l'urgence d'y retourner alors qu'elle en sort à peine. Quelque chose lui échappe, mais quoi. Elle hausse les épaules, va chercher une assiette dans l'armoire et sort avec précaution ce qu'elle aime appeler ses morceaux de bonheur. Elle va ensuite se chercher un verre d'eau et s'assoit à table en attendant le retour de Sonia. Impatiente de commencer, elle se met à taper du pied sans s'en rendre compte. Lorsque l'horloge sonne l'heure, elle se lève sans plus de réflexion et va se poster devant la porte de la salle de bain. Elle fronce les sourcils lorsqu'elle entend Sonia parler. Première nouvelle qu'elle a que son ancienne patronne parle toute seule. Voilà qu'une nouvelle voix se fait entendre. Est-ce celle de Christine ? Mais pourquoi donc se sont-elles enfermées là-dedans ? Inquiète, elle ne fait ni une ni deux et cogne à la porte.

— J'arrive dans une minute, s'écrie Sonia.

— Ouvrez-moi !

Si Françoise voyait l'air de Christine, elle retournerait d'où elle vient sur-le-champ. Au lieu de ça, elle cogne à nouveau et dit :

— Je ne bougerai pas d'ici tant et aussi longtemps que vous ne m'aurez pas dit ce que vous faites enfermée dans la toilette avec Christine.

Sonia caresse la joue de sa nièce et lui fait comprendre qu'elle n'a pas d'autre choix que de sortir. Elle lui tend la main pour l'aider à se lever et ouvre la porte à sa pleine grandeur. La seconde d'après, Christine se jette dans les bras de Françoise avant que cette dernière n'ait le temps de réaliser ce qui lui arrive. Elle lui caresse les cheveux et le dos comme elle le ferait avec un enfant. Il lui tarde de connaître le nom de celui qui a osé lui faire de la peine. Comme si ce n'était pas suffisant, le carillon de la porte d'entrée se met de la partie.

— Emmenez-la vite dans sa chambre et restez avec elle, lance Sonia. Le temps de répondre et je vous rejoins.

Un deuxième coup se fait entendre au moment où elle pose la main sur la poignée. Elle se dépêche d'ouvrir et tombe face à face avec Simone. Premier réflexe : elle ferme les yeux. La femme à qui elle vient d'ouvrir ne peut pas être sa sœur puisqu'elle est en Belgique. Elle les ouvre et elle est toujours là. Deuxième réflexe : elle secoue la tête avec énergie.

— Arrête, Sonia ! crie Simone avant d'éclater de rire. C'est moi, ta sœur, en chair et en os.

— Personne ne m'a dit que…

— Pascal n'est même pas au courant… Est-ce que je peux entrer ?

— Euh… oui. Bien sûr !

Elle se pousse pour la laisser passer.

— C'est tout l'effet que ça te fait de me revoir ? Avoir su…

— Excuse-moi, je suis sous le choc. Approche que je te serre dans mes bras.

L'une comme l'autre, elles ignorent combien de temps a duré leur étreinte. Lorsqu'elles se séparent, Sonia invite Simone à la suivre à la cuisine.

— Tu as l'air en grande forme !

— Honnêtement, je ne me suis jamais sentie aussi bien et c'est grâce à Maggie.

Simone lui raconte en long et en large ce qui s'est passé depuis le fameux soir où son amie l'a obligée à sortir avec elle.

— Wow ! Et ton docteur ?

— Tout ce qu'il sait, répond-elle en haussant les épaules, c'est que je vais mieux. Je lui ai dit que je devais venir au chevet de mon père malade et que j'ignorais combien de temps j'allais devoir rester au Québec. Il m'a donné assez de pilules pour tenir six mois à la dose qu'il m'obligeait à prendre. Pascal s'occupera de la suite des choses. Tu connais assez de docteurs pour savoir à quel point certains sont condescendants… Eh bien, multiplie le pire d'entre eux par dix et c'était le mien. Je ne te mens pas, il ne m'a jamais regardée dans les yeux. J'étais ni plus ni moins qu'une petite souris de plus pour tester sa nouvelle découverte.

— Mais au moins ça a marché !

Simone lui sourit. Elle est contente d'être ici et ça se voit.

— Maggie avait oublié de me remettre ta lettre. Je suis désolée de ce qui t'arrive. Vraiment désolée ! Pour ça et pour tout ce que je t'ai fait endurer depuis… depuis toujours.

Ses mots la touchent tellement que Sonia a les larmes aux yeux. Ce ne sont pas quelques paroles qui vont tout effacer, mais elles déposent un baume sur ses nombreuses cicatrices et ça la soulage.

— Merci, ma sœur !

— Inutile de me remercier d'avoir eu tout faux avec toi.

Simone se racle la gorge avant de reprendre la parole :

— Je prends l'autobus pour Chicoutimi dans trois heures, ce qui te laisse assez de temps pour me donner des nouvelles de tout le monde… à commencer par Christine. Je veux absolument la voir avant de partir. Elle m'a tellement manqué.

À peine a-t-elle fini de prononcer son dernier mot qu'une main se pose sur son épaule. Elle se retourne et fond en larmes quand elle aperçoit sa grande fille. Elle l'attire à elle et la serre de toutes ses forces.

— Tu es enfin revenue ! lui dit Christine entre deux sanglots. Promets-moi de ne plus jamais partir.

Épilogue

Malgré un retour pour le moins brutal, l'humeur de Simone est toujours au beau fixe neuf mois plus tard. Elle a refusé de remplacer Charles et elle s'en tire très bien jusqu'à maintenant. Christine n'a pas pu se résoudre à se faire avorter. Elle est restée chez Sonia jusqu'à la naissance de sa fille et l'a donnée en adoption à Françoise et à Charles. Un mois après, elle prenait l'avion pour Bruxelles où elle a l'intention de poursuivre ses études. Pascal est heureux d'avoir retrouvé la femme de sa vie. Il essaie d'être plus présent à la maison, au grand plaisir de ses filles. Martine n'est pas retournée au pensionnat en septembre. Elle vit une belle histoire d'amour avec Paul et discute volontiers du livre qu'elle vient de lire avec sa mère.

Alice est toujours là pour Simone et ses filles. Pascal intervient régulièrement auprès de François pour qu'il laisse leur mère tranquille, mais il n'en fait toujours qu'à sa tête. Alice profite à plein de sa nouvelle maison et fait un saut à Québec chaque saison. Elle a développé une réelle amitié avec Françoise.

Rachel n'a pas eu à subir un deuxième mariage double. Elle a uni sa destinée à celle d'André le premier samedi d'octobre. Quant à Françoise et à Charles, ils ont ramené tout le monde à Québec à la fin du mois. Ils se sont mariés dans la petite église de Place-Royale. Le repas était d'une telle finesse que tous les invités sont repartis avec une carte professionnelle.

Thierry performe toujours autant à l'université, et ce, même si Josée se pointe au moins deux fins de semaine par mois à son appartement. D'ailleurs, ils projettent d'emménager ensemble à la fin de la session. L'entreprise de M. Dionne a le vent dans les voiles et Marie reçoit régulièrement les trois plus jeunes filles des Thibault. Elle les adore et c'est réciproque.

Sonia a poussé un soupir de soulagement quand Christine est partie. Elle est enfin seule avec son fils. Sa vie n'a plus rien à voir avec celle qu'elle a menée avec Jérôme, mais elle lui plaît et c'est tout ce qui compte. Elle travaille toujours à l'Université Laval et elle vient de rencontrer un homme merveilleux… C'est du moins ce qu'elle croit… Histoire de mettre toutes les chances de son côté, cette fois, elle a engagé Jean pour qu'il fouille un peu dans sa vie. Mario se tient à carreau pour le moment et Jérôme lui a enfin remis tout l'argent de la fondation.

Remerciements

Un merci très spécial à Laurent Paradis, qui m'a raconté sa mésaventure à la pêche et qui m'a autorisée à m'en inspirer.